Nieuw licht

Dit boek is met liefde opgedragen aan de Nazarener.

Terri Blackstock

Nieuw licht

Roman

Vertaald door P.J. de Gier

 Voorhoeve

Eerder verschenen in deze serie:
Laatste licht
Nachtlicht
Schemerlicht

© Uitgeverij Voorhoeve – Kampen, 2008
Postbus 5018, 8260 GA Kampen
www.kok.nl

Oorspronkelijk verschenen onder de titel *Dawn's Light* bij Zondervan Publishing House, Grand Rapids, Michigan 49530, USA
© Terri Blackstock, 2007

Vertaling P.J. de Gier
Omslagillustratie Harry Pettit, Trevillion Images
Omslagontwerp Bas Mazur
ISBN 978 90 297 1891 2
NUR 302

Een

Beth Branning zat in de buurt van de Alabama Bank and Trust op haar fiets en keek naar de hongerige menigte die in de regen stond te wachten. Een van de zware onweersbuien in mei kletterde als een kunstgreep in een Hollywoodfilm uit de hemel en doorweekte de mensen die op hun geld stonden te wachten. Als haar ouders haar hier zouden zien, zouden ze door het lint gaan. Dit was geen plaats voor een dertienjarig kind, zouden ze zeggen.

Zelfs op enige afstand kon ze de spanning en opwinding voelen van de mensen die binnen afzienbare tijd van armoede naar overvloed zouden gaan. Gewapende agenten omringden deze bank en alle andere in Crocket, tezamen met de paar auto's in de stad die nog functioneerden – politieauto's, ambulances en brandweerauto's. Het was duidelijk dat er rekening werd gehouden met geweld. Sinds de stroomstoring een jaar geleden begonnen was, waren de banken gesloten geweest, waardoor de economie was ingestort en zelfs Beth's ouders arm waren geworden. Met alle wanhopige armen en daklozen zou vandaag niemand die ook maar een beetje geld had, veilig zijn.

Het krantenmagazijn bevond zich aan de andere kant van Crocket en ze draaide haar fiets dan ook om, voorzichtig zodat het karretje dat achter de fiets gebonden was, niet zou kantelen. Regen of zonneschijn, ze moest kranten rondbrengen. Grote regendruppels prikten op haar huid, doorweekten haar trui en deden haar huiveren. Het zou vandaag langer duren om haar kranten te bezorgen, want ze moest ze in plastic wikkelen om te voorkomen dat ze nat zouden worden. Ze kon maar beter aan de slag gaan.

Toen ze de hoek omsloeg naar een minder drukke straat, schoot er voor haar een bliksemflits door de lucht, meteen daarop gevolgd door een krakende donderslag. Haar hart bonsde. Er werden voortdurend mensen die op een fiets zaten door de bliksem getroffen. En een oudoom van haar was dodelijk getroffen toen hij in een boot aan het vissen was. Ze moest gaan schuilen. Ze keek om zich heen naar een veilig plekje waar ze zou kunnen wachten tot de bui was overgetrokken. Een eindje verderop zag ze de Cracker Barrel. Ook die was al een jaar dicht – sinds de stroomstoring begonnen was – maar onder zijn rustieke veranda zou ze kunnen schuilen tot de bui voorbijgetrokken was.

Ze fietste de parkeerplaats op tot ze bij de veranda was en wilde wel dat de bewoners hun beroemde schommelstoelen hadden laten staan. Ze schrok toen er weer een lichtflits door de lucht schoot en de donder kraakte. Haar kleren waren nu helemaal doorweekt en het water stroomde van haar lange blonde krullen in haar ogen. Ze rilde en wilde wel dat ze naar haar moeder had geluisterd. Er zouden waarschijnlijk tornado's komen en ze zou door de wind opgepakt en weggeblazen kunnen worden, net als Dorothy en Toto.

Ze liet haar fiets met het karretje in de regen staan en ging op de vloer van de veranda zitten. Toen ze haar armen om haar knieën sloeg, hoorde ze ergens van achter het gebouw een geluid. Een vervormde kreet, een gesmoorde vloek.

'Niet schieten!'

Ze sprong op en kroop naar het eind van de veranda.

'Alsjeblieft… ik zal je het geld geven!'

Terwijl ze om de hoek van het gebouw gluurde, hield ze haar adem in.

Twee mannen – een op zijn knieën, met zijn gezicht naar haar toe. De andere man stond achter hem en hield een revolver tegen het hoofd van de geknielde man.

Beth's knieën knikten en ze dook in elkaar om zich zo klein mogelijk te maken. De man met het pistool droeg een zwarte regencape en hij had de capuchon over zijn hoofd getrokken. Ze kon zijn gezicht niet zien. Maar de man die op zijn knieën lag zag er jong uit – niet ouder dan vijfentwintig. Zijn natte haar hing in zijn ogen die hij stijf dichtgeknepen had.

Verstijfd van angst keek ze toe toen de man met de revolver zich voorover boog en een stapeltje bankbiljetten uit de zak van de andere man haalde. Hij stak ze in zijn eigen zak en drukte toen het pistool weer tegen de achterkant van het hoofd van de geknielde man.

Het pistool ging af... het slachtoffer plofte voorover.

Toen Beth gilde, richtte de moordenaar zijn kille ogen op haar.

Weg! Weg. Hulp halen! Ze rende naar haar fiets en trok hem overeind. Haar halsketting haakte achter het stuur en brak. Het kruisje dat eraan hing viel en de fiets tuimelde in de modder. Ze hoorde stampende voetstappen achter haar – geen tijd om haar fiets weer op te rapen. Ze moest rennen.

Toen ze over de fiets heen sprong, klonk er een schot. Hete wind floot langs haar kuit. Ze struikelde over haar fiets en draaide zich vliegensvlug op haar rug om zich te verdedigen. Ze gilde toen de moordenaar met het pistool op haar borst gericht dichterbij kwam.

Ze stak haar handen omhoog om haar gezicht te beschermen. 'Ik zal het niemand vertellen!' schreeuwde ze. 'Ik heb niets gezien! Alsjeblieft...'

Hij keek haar doordringend aan en de dood staarde op haar neer. Zijn vinger spande zich om de trekker.

Weer flitste de bliksem en een boom vlakbij werd getroffen. De donder kraakte als een bijlslag... of een pistoolschot. Vanuit haar ooghoeken zag ze beweging. Een man met een lange baard tot op zijn borst en een vuil T-shirt dook uit het niets op, viel de moordenaar aan en sloeg hem tegen de grond.

Beth krabbelde overeind en pakte haar fiets. Terwijl ze op het zadel sprong, hoorde ze achter zich beide mannen die om het pistool worstelden, grommen. Ze ging op de trappers staan om het karretje achter de fiets in beweging te krijgen en voelde hoe het wiel in de modder slipte.

Toen ze de straat bereikt had, hoorde ze opnieuw een pistoolschot. Ze keek om - haar bevrijder was gevallen. De moordenaar sprong over zijn lichaam heen en richtte zijn pistool op haar. Haar fiets slipte weer en ze viel. Hij vuurde opnieuw en miste.

Ze zette de fiets weer overeind, sprong erop en trapte uit alle macht om de afstand zo groot mogelijk te maken voordat hij weer zou schieten.

'Als je ook maar iets zegt, vermoord ik jou en je familie, *Beth*,' schreeuwde hij haar na. 'Ik weet waar je woont!'

Ze huiverde toen het tot haar doordrong dat haar naam op de rug van haar trui stond. Waarom had ze die aangetrokken? Waarom was ze in dit weer op pad gegaan? Hij moest haar familie kennen – haar vader en moeder, zus of broers.

Beth fietste zo hard ze kon naar huis en bad dat de man haar niet zou volgen.

Twee

Kay Branning was tot een besluit gekomen – als ze moest vechten voor haar geld zou ze dat doen. Ze had een jaar moeten wachten om het tegoed van haar gezin in handen te krijgen en hoewel de banken slechts bevoegd waren om iedere maand twee procent van het tegoed van iedere rekening uit te keren, zou hun dat vandaag toch zo'n negenhonderd dollar opleveren. En gezien de ingestorte economie – en de bodemprijzen – betekende negenhonderd dollar een klein fortuin.

Er werd verwacht dat dieven zouden proberen hun slag te slaan, maar binnen het terrein dat om de bank heen met touwen was afgezet, waren geen wapens toegestaan, met uitzondering van de wapens die de politie droeg. Voordat Kay en de andere klanten van de bank zich ook maar konden aansluiten bij de rij die over de parkeerplaats en tot ver in de straat verder schuifelde, werden ze op wapens gefouilleerd. Kay's man, Doug, was gelukkig een bewapende hulpsheriff die in de menigte de wacht hield, zodat de familie Branning in ieder geval de kans had hun geld veilig naar huis te brengen. Anderen hadden familieleden buiten de afzetting staan, die gewapend waren om hen veilig naar huis te geleiden.

De deuren waren twee uur geleden opengegaan, hoewel Kay al drie uur eerder in de rij was gaan staan. Er waren al dertien mensen gearresteerd die geprobeerd hadden wapens langs de afzetting heen te smokkelen. Dertien bankovervallen die voorkomen waren. Er was tot nu toe niet geschoten, maar de dag was nog jong.

Kay stond onder haar paraplu naar de deur te kijken, wachtend op de mensen die de bank uit zouden komen, zodat een andere groep naar binnen kon gaan. Hank Huckabee, haar buurman, kwam de bank uit, glimlachend alsof hij zojuist de loterij gewonnen had.

Deni, Kay's drieëntwintigjarige dochter, stond bij de bestelbus van de sheriff met haar plu en notitieboekje te jongleren terwijl ze een man interviewde die de kasbediende net een bloedlip had geslagen. Hij zat met handboeien om bij de andere arrestanten in de bestelbus en hing een meelijwekkend verhaal op alsof Deni de rechter was. Deni had meer lef dan goed voor haar was, maar Kay zag er toch van af om zich met het werk van haar dochter te bemoeien. Als ze haar gezag als moeder zou laten gelden, zou Deni razend worden. In plaats daarvan trok ze Dougs aandacht en vormde met haar lippen de woorden: 'Je dochter,' waarbij ze een gebaar naar de bestelbus maakte.

Doug zag wat ze bedoelde en liep wat dichter naar de bus toe. Maar Mark Green – Deni's vriend die eveneens hulpsheriff was – was hem voor. Hij stond met het door het politiebureau uitgereikte geweer klaar om Deni te beschermen zonder zich met het interview te bemoeien.

Doug knipoogde naar Kay en ze knikte dat alles in orde was met Deni. Ze konden erop rekenen dat Mark haar zou beschermen.

'Jij krijgt dat geld niet!'

Bij het geluid van de ongeruste stem draaide Kay zich om. Haar buurvrouw, Amber Rowe, stond twee rijen verder in de met touwen gemaakte doolhof en duwde haar man, die van haar weggelopen was, weg.

'Je kunt het niet krijgen, Mike! Dat is niet eerlijk. Ik moet drie kinderen onderhouden.'

'Het is mijn geld. Ik heb het verdiend.'

Kay had kunnen weten dat de vlegel zou komen opdagen nadat hij Amber en zijn drie kinderen een jaar geleden, net voor de stroomstoring, in de steek gelaten had. Hij was bij een andere vrouw ingetrokken en had sinds die tijd niets meer gedaan om zijn eigen gezin te helpen overleven.

'Ik heb het ook verdiend – door je kinderen op te voeden!' Op haar natte gezicht waren woede en verontwaardiging te lezen. 'Je hebt niet eens papieren! Ze zullen je heus geen geld geven.'

'Ik ben je man,' snauwde hij. 'Jouw papieren zijn mijn papieren.'

'Dat vecht ik aan! Daar kun je op rekenen.'

Kay trok opnieuw Dougs aandacht en wees naar Amber. Toen Doug naar Amber en Mike keek, zag Kay aan zijn gezicht dat hij zich Ambers situatie net zo persoonlijk aantrok als zij. Kay en Doug hadden het afgelopen jaar het in de steek gelaten gezinnetje geholpen om te overleven. Ze hadden erover gedacht om de nietsnut op te gaan halen en naar huis te slepen. Maar aangezien Amber al drie kinderen had om voor te zorgen, hadden ze er maar van afgezien.

Doug stak de parkeerplaats over naar de man die eens zijn buurman was geweest. Hij legde zijn hand op zijn schouder en zei: 'Hallo, maat. Dat is lang geleden.'

'Begin jij nu ook niet, Doug,' zei Mike terwijl hij Dougs hand afschudde. 'Ik wil gewoon mijn geld.'

Doug knikte. 'En hoe wil je dat verdelen?'

Mike's gezicht verstrakte. 'Ik verdeel het helemaal niet. Ik heb iedere cent ervan verdiend. Zij heeft geen cent ingebracht.'

'Dat lijkt redelijk,' zei Doug. 'Hoe staat het tussen haakjes met de alimentatie voor de kinderen? Ben je bij?'

Mike verstijfde. 'Ik hoef geen alimentatie te betalen. We zijn niet gescheiden.'

'Weet je vriendin dat ook?'

Mike stoof op en keek naar al de afkeurende gezichten om hen heen. 'Waarom bemoei je je hier mee? Dit is iets tussen mijn vrouw en mij.'

'Waarom?' vroeg Doug die nu vlak voor hem ging staan. 'Ik zal je vertellen waarom, beste vriend. Omdat Kay en ik nu een jaar lang je vrouw geholpen hebben om voor jouw kinderen te zorgen. Je weet toch nog wel dat je kinderen hebt, niet? Drie peuters met een vader die ze tijdens de ergste crisis in de geschiedenis in de steek liet.'

Mike zette zijn kiezen op elkaar. 'Ze heeft mij eruit gegooid voor de stroomstoring,' zei hij alsof dat het beter zou maken.

Ambers mond viel open. 'Wat zeg je? Dat heb ik niet gedaan.' Mike's opmerking maakte Kay nog bozer. Ze kende het echte verhaal. Amber zou hem vergeven hebben en hem weer teruggenomen hebben. Kay had zelfs twee keer op de kinderen gepast toen Amber het had opgebracht om naar het huis van Mike's vriendin te gaan om hem te smeken weer terug te komen. Hij had geweigerd.

En nu was hij hier en probeerde Amber het geld afhandig te maken dat ze nodig had om haar kinderen te onderhouden. Nee, dat zou niet gebeuren.

Amber huilde nu. 'Ik heb je er nooit uit gegooid. Ondanks alles wat je gedaan hebt, had ik je nodig en dat weet iedereen.'

Doug pakte Mike's arm. 'Kom mee, maat. Laat haar het geld halen. Dan kunnen jullie daar later nog over onderhandelen.'

` Mike zette zijn kiezen op elkaar. 'Als je mij niet met rust laat, doe ik je wat, Doug.'

'Wat zeg je?' zei Doug. 'Heb ik je goed verstaan? Bedreig je een agent?'

De rij schoof op. Kay stond nu bijna vooraan – de volgende groep die naar binnen zou gaan. Als ze Amber de bank in zou kunnen krijgen om haar geld op te halen voordat Mike bij het loket zou komen… Er zou nog achtennegentig procent van hun rekening overblijven om er een rechtzaak over aan te spannen. Maar tussen Kay's plaats in de rij en die van Amber stonden nog zo'n honderd mensen.

Kay riep naar Amber: 'Amber, kom hier staan.'

Amber keek naar haar. 'Dat kan niet, Kay. Dan verlies ik mijn plek.'

'Jij neemt mijn plaats in.'

Het begon harder te regenen. 'Dat kan ik niet doen.'

'Amber, kom hier staan, *nu*!' riep Kay.

Amber schuifelde de rij uit. Haar paraplu kwam in botsing met die van anderen om haar heen en ze dook onder het touw door.

De man die uren lang achter Kay had staan wachten, protesteerde. 'Ze kan niet zo maar voordringen!' schreeuwde hij. 'Dame,' zei hij tegen Amber, 'het spijt me dat je zo'n misselijke man hebt, maar niemand komt zo maar voor mij in de rij staan. Ik sta hier al vijf uur!' 'Dat geeft niet,' zei Kay. 'Ik neem haar plaats in. We ruilen alleen maar.'

Mike stapte over het touw heen en drong zich tussen de mensen door om Amber te volgen. 'Ik ga met haar mee!' Doug versperde hem de weg. 'Mijn vrouw gaf maar één plaats op. Je hebt gehoord wat die man zei. Hij laat zich niet van zijn plaats verdringen.'

Mike duwde hem opzij. 'Je bent gek!' 'O, dat had je nu niet moeten doen.' Doug haalde de handboeien van zijn riem. 'Je hebt zojuist een politieagent aangevallen.' Hij klikte de handboei om Mike's pols. Mike rukte zijn arm achteruit en Doug draaide hem op zijn rug. 'En kijk eens aan, nu verzet je je ook nog tegen je arrestatie.'

De mensen in de rij om hen heen applaudisseerden toen Doug Mike meesleurde naar de bus van de sheriff, waarin al meer mensen met handboeien om zaten.

Maar Amber was nog steeds geschokt. 'Hoe kon hij dat nu doen? Geeft hij dan helemaal niets om zijn kinderen?'

Kay legde haar arm om haar schouders en trok haar capuchon tegen de regen over haar hoofd. Amber was jong genoeg om een van Kay's kinderen te kunnen zijn en ze had er moedig voor gezorgd dat er eten op tafel kwam. Samen met hen had ze groenten verbouwd op de gazons voor hun huizen, konijnen en kippen gefokt en hout gehakt.

'Maak je maar geen zorgen over hem. Doug houdt hem vast tot jij je geld hebt en dan kun je met ons mee naar huis fietsen. Doug brengt ons naar huis en niemand zal je geld stelen.'

Amber keek Mike met een triest gezicht na. 'Maar ik wil niet dat hij naar de gevangenis gaat. Hij is de vader van mijn kinderen.'

'Stil nu maar,' fluisterde Kay zodat ze Amber dwong haar aan te kijken. 'Ze zullen hem waarschijnlijk niet lang vasthouden.'

'Misschien moet ik hem ook wat van het geld geven. Ik wil niet dat hij mij haat.'

Het was duidelijk dat Amber nog steeds van haar man hield. Het besef dat hij haar in de steek gelaten had, zat diep en ze was er nog steeds niet overheen. 'Daar kun je later nog wel een beslissing over nemen,' zei Kay. 'Of nog beter, laat de rechter dat maar beslissen. Maar nu moet je naar binnen gaan en je geld ophalen.'

'Maar nu moet jij uren wachten voordat jij je geld kunt krijgen. Dat is niet eerlijk.'

Kay werd ongeduldig en ze zei scherp: 'Wil je dan dat Mike je geld krijgt? Dat zou oneerlijk zijn. Ik zal er niets van krijgen om nog een paar uur langer te wachten.'

Zodra Kay er zeker van was dat ze Amber gekalmeerd had, liep ze langs de rij terug naar Ambers plaats. Haar blik ging over de honderden mensen in de rij die over de parkeerplaats en de rijweg voor de bank langzaam voort schuifelde. Ze hoopte dat ze haar geld zou krijgen voordat het donker werd.

Even later flitste bliksem door de lucht en klonk er een luide donderslag. Dat het nu net vandaag zulk weer moest zijn.

Ze had haar kinderen moeten verbieden om vandaag kranten rond te brengen, in plaats van ze alleen te waarschuwen. Ze konden maar beter binnen blijven met zulk weer.

De rij schoof weer wat op en ze zag hoe de bewakers bij de voordeur weer een groepje van twaalf personen binnenlieten. Kay keek even naar de bus van de sheriff. Mike probeerde zich nog steeds onder zijn arrestatie uit te praten.

Drie

'Man, je liegt. En dat is echt niet grappig.'
Jeff Branning zat achterstevoren op een stoel en had zijn armen om de rugleuning geslagen.

Zijn vriend Zach had met zijn armen onder zijn hoofd op Jeffs bed gelegen, maar hij ging nu zitten. 'Man, ik lieg echt niet. Mijn vader weet dat echt wel.'

Jeff stond op en schudde sceptisch zijn hoofd. 'Dus hij heeft je verteld dat de pulsaties zwakker worden? Weet je zeker dat hij je niet zomaar iets op de mouw gespeld heeft?'

'Hij meende het serieus.'

'Maar hoe weet hij dat dan?'

'Hij heeft het van de regering gehoord. Waar anders?'

Jeff liep naar het raam en keek naar de regen buiten. Zachs vader was elektrotechnisch ingenieur. Hij had verstand van de kracht van elektromagnetische pulsaties.

Hij draaide zich weer om naar Zach. Zijn vriend zag er door zijn verwondingen van een paar maanden geleden nog steeds zwak en bleek uit – maar hij was niet gek. 'Dus hij denkt dat de supernova opgebrand is?'

'Nog niet. Maar dat zal nu snel het geval zijn. Dat doen pulsars nu eenmaal.'

'Ja, dat zeggen ze steeds.' Jeff had alles over deze sterren in de bibliotheek gelezen en het was inderdaad waar dat de meeste pulsars binnen een paar maanden opgebrand waren. SN-1999 had een heel jaar van hun leven gestolen. Was het eind werkelijk in zicht?

Hij keek naar Zach en luisterde naar de fluitende ademhaling van zijn vriend. Nee, Zach kon dit niet verzonnen hebben. Maar zijn vader, Ned, zou misschien zomaar een gerucht herhaald hebben. Jeff draaide zich weer om naar het raam en keek naar de bewolkte hemel. Als de ster opgebrand was, zou alles weer normaal worden. De lichten zouden weer aangaan. Er zouden meer auto's op straat rijden. En ze zouden weer telefoon hebben!

'Dat zou geweldig zijn,' mompelde Jeff. 'Tv en computers, man. Videospelletjes.'

'Meisjes.'

'We kunnen nu toch ook meisjes krijgen.'

Zach grijnsde. 'Ja, maar we zouden niet meer zo hard hoeven te werken. We zouden ze gewoon weer kunnen bellen. Ze meenemen in auto's. Man, als we weer versterkers kunnen gebruiken, zouden we echte rocksterren worden.'

Jeff betwijfelde of hun bandje het zo ver zou schoppen.

Hij keek naar de straat voor het huis en vroeg zich af waarom Beth nog niet terug was. Hij en Logan hadden al hun kranten rondgebracht en waren een halfuur geleden al weer teruggekomen. Misschien dat ze wat later was door de storm. Of erger, misschien had ze een ommetje gemaakt om even naar het spektakel bij de bank te gaan kijken.

Dat stomme wicht. Net iets voor haar. Als zijn ouders haar daar zouden zien, zou hij op zijn kop krijgen omdat hij haar had laten gaan. Hij hoopte dat ze gauw thuis zou komen voordat hij haar zou moeten gaan zoeken.

Vier

Beth fietste zo hard als ze kon naar huis en keek over haar schouder naar de moordenaar. Ze kon hem niet zien maar ze wist dat hij er was. En zelfs als hij er niet was, hij wist haar naam. Het was een kleine stad. Hij zou haar kunnen vinden. Als die man er niet was geweest, die zomaar ineens was opgedoken, zou ze nu dood zijn. Hij had er als een dakloze uitgezien – vuil en ongeschoren – maar hij was een held. Om haar was hij nu waarschijnlijk dood. De afschuw daarover kwam als een kreun uit haar borst.

Ze moest het iemand vertellen zodat de moordenaar gegrepen kon worden. Maar ze hoorde zijn woorden nog naklinken: *Als je ook maar iets zegt, vermoord ik jou en je familie.*

Zou hij dat echt kunnen doen? Zou hij haar kunnen vinden omdat hij haar naam op haar trui gelezen had?

Stel dat hij haar volgde. Misschien had hij wel een fiets achter het gebouw staan. Toen ze omkeek zag ze hem niet, maar hij zou er wel kunnen zijn, net buiten haar gezichtsveld door de regen, om te kijken waar ze woonde.

De regen sloeg in haar ogen; angst verschroeide haar longen. Ze dacht erover om ergens anders heen te gaan om hem af te schudden. Waarheen? Ingespannen dacht ze na. Ze zou hem naar andere onschuldige mensen kunnen leiden. En als ze alleen maar zou blijven staan, zou hij haar nu kunnen vermoorden. Ze wilde thuis zijn, bij haar oudere broer om haar te beschermen. Misschien zou ze thuis kunnen komen voordat de moordenaar haar had ingehaald.

Haar hart bonsde wild toen ze de wijk Hollow Oak insloeg

en de straat van haar huis, het vijfde rechts, in fietste. De garagedeur was dicht. Ze zou haar sleutel moeten gebruiken om de voordeur open te doen. Nee, dat zou te lang duren. Te gevaarlijk. Ze reed het garagepad op, om het huis heen naar de patio. Ze rende naar de achterdeur en bonsde op de ruit terwijl ze naar de sleutel in de zak van haar natte spijkerbroek zocht.

Haar broertje van tien kwam naar de deur en trok door het glas heen een gezicht naar haar.

'Doe open!' schreeuwde ze.

Logan zag de angst op haar gezicht en deed de deur open. Ze vloog naar binnen.

'Wat heb je?' vroeg hij.

Beth schoof de grendel op de deur en rende naar het raam aan de voorkant dat een beter uitzicht bood dan de deur. Ze zag niemand.

'Hé, je maakt de hele vloer nat. Mam krijgt een beroerte als je geen dweil haalt. Hé, je bloedt.'

Ze rilde en haar tanden klapperden. Ze keek naar haar been. Ze moest het geschaafd hebben toen ze over de fiets viel.

'Is er iets gebeurd?' vroeg Logan.

'Nee,' zei ze terwijl ze zich omdraaide. Ze sloeg haar armen over elkaar, probeerde een eind aan het rillen te maken en liep langs hem heen.

Jeff, haar zestienjarige broer, kwam de trap af met Zach achter zich aan. 'Heb je de kranten rondgebracht?'

'Nee.' Ze begon de trap op te lopen.

'Waar heb je dan gezeten?'

'Gewoon… buiten.'

Jeff keek beledigd. 'Je bent naar de bank gegaan, hè?' riep hij haar na. 'Je wilde al die heisa natuurlijk zien.'

Zijn stem klonk ver weg, hol, overstemd door het gebons in haar oren. Ze liep druipend over Deni's vloerkleed naar het raam en keek naar beneden naar de straat.

Ze zag hem nog steeds niet.

Versuft liep ze naar haar kamer en pakte wat droge kleren. Ze verkleedde zich in de badkamer en liet haar natte, modderige kleren op de vloer liggen. Nadat ze een deken om zich heen had geslagen om een eind aan het rillen te maken, liep ze terug naar Deni's kamer en ging in het erkerraam zitten. Ze hield de straat in de gaten en wachtte tot de moordenaar achter haar aan zou komen.

Vijf

Anderhalf uur nadat ze met Amber van plaats had verwisseld stond Kay weer vooraan in de rij. Het had al die tijd geregend en ze was tot op haar huid toe nat. Maar het was het waard geweest om haar plaatsje af te staan. Amber had haar geld gekregen en toen had ze haar man honderd dollar gegeven om hem tevreden te stellen. Doug had hem ten slotte laten gaan met de waarschuwing Amber niet meer lastig te vallen. Hij was verdwenen – met de dreiging een advocaat in de arm te nemen om de rekening op zijn naam te laten zetten. Doug hoopte dat er een rechtszaak van zou komen, had hij gezegd. Iedere weldenkende rechter zou de situatie begrijpen en Amber in het gelijk stellen.

'Ik ben aan de beurt!' zei Kay toen ze de deur bereikte. 'Niet te geloven.'

Doug grijnsde toen hij zijn geweer aan Mark overhandigde om zich bij haar te voegen. Gelukkig protesteerde het echtpaar achter hen deze keer niet. 'Weet je zeker dat je je plaatsje niet nog een keer aan iemand anders wilt weggeven?' plaagde Doug.

'Ik moest het doen! Die verschrikkelijke man wilde haar alles afnemen. Die arme kinderen. Wat voor ouder vindt zichzelf en zijn vriendin nu belangrijker dan zijn kinderen?'

Hij sloeg zijn arm om haar heen en kuste haar op de wang. 'Daarom houd ik zo veel van je.'

'O ja?' vroeg ze. 'Is dat de reden?'

'Dat en het feit dat je heerlijke maïspap kunt koken.'

Na zo'n lange natte dag was het heerlijk om weer te kunnen lachen.

De bewaker opende de deur en riep de volgende twaalf personen in de rij naar binnen. Kay en Doug stapten het gebouw binnen, uit de regen, en probeerden niet uit te glijden op de natte marmeren vloer. Haar hart bonsde toen ze de kasbedienden het geld zag uittellen voor de mensen die voor haar in de rij stonden.

'Houd de papieren klaar,' zei Doug.

Kay haalde de rugzak van haar rug en deed de ritssluiting open. Ze had de papieren in een plastic etuitje gestopt zodat ze niet nat zouden worden. Hun laatste bankafschriften van een jaar geleden, hun chequeboek, een envelop met stortingsbewijzen, hun verzekeringspapieren en rijbewijzen.

Toen ze aan de beurt waren, veegde ze haar natte haren uit haar gezicht en stapte naar het loket. Ze was zenuwachtig, bang dat ze iets verkeerds zou zeggen en weggestuurd zou worden.

Maar de uitgeputte loketbediende bestudeerde haar papieren en zei:'Hoe wilt u het hebben?'

Kay overhandigde haar een kaartje waarop ze de bedragen had geschreven. 'Vijf biljetten van honderd, vijftien van twintig, vijftien van tien en tien van vijf.'

De kasbediende telde het uit alsof het de gewoonste zaak van de wereld was. Maar Kay was in de wolken. Toen Doug de bankbiljetten in de zak van zijn vest stopte, sloeg ze haar armen om hem heen. Hij tilde haar van de grond en kuste haar hals. 'We zijn weer terug, schat,' zei hij lachend. 'We zijn weer terug.'

'Hé, gaan jullie eens opzij,' klaagde de man achter hen.

Kay trok zich niets aan van zijn gesnauw, maar ze liet Doug los en ze gingen aan de kant staan. 'Houd jij het geld maar bij je,' zei ze tegen Doug. 'Ik ben bang om het mee naar huis te nemen.'

'Oké.' Hij stak het geld in zijn borstzakje onder zijn kogelvrije vest. 'Ik zal je naar huis brengen.'

Er werd langdurig en dringend getoeterd toen ze de bank uit liepen. Toen de menigte zich omdraaide, zagen ze de sheriff aan komen rijden met de burgemeester als zijn passagier. Sheriff Wheaton grijnsde als een tiener met een nieuwe auto en hij bleef maar toeteren, hoewel er verder niets aan de hand leek te zijn.

De burgemeester stapte uit en ging op de treeplank staan. Met een megafoon voor haar mond schreeuwde ze: 'Dames en heren, ik heb zojuist bericht ontvangen – de pulsaties zijn gestopt!'

Er steeg een luid gejuich uit de menigte op en Kay draaide zich om naar Doug. 'Zei ze wat ik dacht dat ze zei?'

'Ik denk dat ze zei dat de pulsaties gestopt zijn.'

Ze keken elkaar stomverbaasd aan. 'Denk je dat het waar is?'

Mensen uit de menigte renden naar de bestelbus toe en door het raampje heen schudde de sheriff hun de hand.

'Hoe weten jullie dat?' schreeuwde iemand.

De burgemeester bracht de megafoon weer naar haar mond. 'Eerst kregen we van het districtskantoor te horen dat de pulsaties zwakker werden. En een poosje daarna kreeg ik een telegram uit Washington. Het Witte Huis bevestigt het. SN-1999 is opgebrand. Dames en heren, de pulsaties zijn gestopt!'

Opnieuw klonk er gejuich op en de natte menigte, die nog maar even daarvoor boos en ongeduldig was geweest, jubelde nu van blijdschap.

Doug pakte met beide handen Kay's gezicht vast en kuste haar als een soldaat toen de Tweede Wereldoorlog voorbij was. Giechelend als tieners baanden ze zich een weg door de menigte heen, omhelsden vrienden en buren en vierden het begin van het einde.

Zes

Tegen de tijd dat Beth haar ouders, samen met haar zus Deni en Amber Rowe de wijk in zag fietsen, waren haar haren weer droog. Vanaf haar uitkijkpunt in de erker van de slaapkamer van haar zus zag ze de vrolijke gezichten en ze begreep dat zij hun geld gekregen hadden. Maar haar vader had nog wel twee wapens bij zich om hen te beschermen – zijn geweer dat aan een riem over zijn schouder hing en zijn dienstpistool dat op zijn heup hing. Terwijl ze het garagepad op fietsten, sloeg ze haar armen om haar knieën heen. Toen ging haar blik weer terug naar de ingang van Oak Hollow. Had iemand hen gevolgd? Wachtte de moordenaar gewoon zijn tijd af? Had hij gewacht tot haar ouders het geld zouden hebben voordat hij hen zou vermoorden? De eerste moord die ze had zien gebeuren, was per slot van rekening ook om geld gegaan.

Ze hoorde haar ouders het huis binnenkomen en er klonk van beneden een groot lawaai. Haar hart klopte in haar keel. Was hij gekomen?

Toen drong het tot haar door dat het geen angstkreten waren die ze hoorde. Haar familie juichte. Ze ging naar de trap en liep tree voor tree de trap af. 'Niet te geloven! Niet te geloven!'

Kay had Jeff nog nooit zo opgewonden gezien. Hij sprong op en neer, zijn gezicht rood van opwinding.

'Even geleden was Zach hier en hij vertelde mij dat de pulsaties zwakker werden. Ik wilde hem niet geloven. Houden jullie mij niet voor de gek?'

Logan rende naar het lichtknopje toe en knipte het aan. Toen de lichten niet aangingen betrok zijn gezicht. 'Het is niet waar. Die stomme lampen doen het niet.'

'Dat is nog te vroeg,' zei Doug. 'Het elektriciteitsnet werkt nog niet. Voor we weer stroom krijgen, moeten ze eerst het een en ander repareren.' Hij wreef Logan door zijn haren. 'Maar dat komt wel weer, jongen. Dat komt wel weer.'

Kay zag Beth met een angstig gezicht de trap af komen. 'Heb je het gehoord, Beth? De pulsaties zijn voorbij.'

Beth's wenkbrauwen gingen omhoog. 'Echt? Is het geen grapje?'

'Nee, het is echt waar. We hebben het van de burgemeester gehoord en die heeft het van het Witte Huis gehoord.'

Kay verwachtte dat Beth zou jubelen van blijdschap maar haar reactie was somber. 'Dat is fijn. Werkt het beveiligingssysteem nu ook weer?'

Wat een vraag! Kay keek haar alleen maar aan. 'Natuurlijk, na verloop van tijd. En we hebben ons geld gekregen. Negenhonderd dollar. We zijn weer rijk, jongens.' Kay zong de woorden bijna en ze maakte een sprongetje van blijdschap.

Beth's glimlach vervaagde. Ze liep de gang in en keek door het raampje in de deur.

Kay volgde haar. 'Wat is er, kind? Ben je niet blij?'

Beth keek haar niet aan. 'Ja, dat ben ik wel. Waren er veel berovingen?'

'Een paar,' zei Kay. 'Maar je vader heeft ons beschermd toen we naar huis gingen. En het helpt natuurlijk ook dat hij een uniform draagt.' Ze keek uit het raam en volgde Beth's blik naar de ingang van de wijk. 'Verwacht je iemand?'

'Wie dan?' vroeg Beth met een benepen stemmetje.

'Jimmy misschien?'

Jimmy was de zoon van de vroegere sheriff. De afgelopen drie maanden was hij vaak langsgekomen en Kay was er zeker van dat Beth een oogje op hem had. Maar vandaag bracht zijn naam geen glimlach op haar gezicht.

'Nee, ik sta niet op Jimmy te wachten.' Ze draaide zich om en liep weer terug naar de trap.

'Schat, is er iets?'

'Nee,' zei Beth. 'Ik voel mij alleen niet zo lekker.' Ze liep de trap op.

Kay ging terug naar de woonkamer en keek naar Jeff en Logan. 'Weten jullie wat er met Beth aan de hand is?'

'Ik weet het niet,' zei Jeff. 'Maar ze is weggegaan om kranten rond te brengen en is toen een hele tijd weggebleven.'

Logan vulde aan: 'En ze heeft ze niet bezorgd.'

Deni draaide zich om. 'Wat zeg je? Ze moeten wel bezorgd worden.'

'Ik denk dat ze naar buiten is gegaan om al dat gedoe bij de bank te zien,' zei Jeff. 'Maar ze heeft een boze bui en wil dus niet praten.'

Kay keek Jeff afkeurend aan. 'Jullie hadden de kranten vandaag samen weg moeten brengen.'

'Logan en ik hebben dat gedaan. Maar zij wilde alleen gaan.'

'Je moet haar huisarrest geven, mam,' zei Logan. 'Als ik dat gedaan had, zou je mij huisarrest gegeven hebben.'

Doug keek Kay aan en probeerde niet te grijnzen. 'Bedankt voor je advies, jongen.'

'Ik meen het,' hield Logan vol. 'Wat ga je nu met haar doen?'

'Maak je daar maar niet druk over,' zei Kay terwijl ze de trap opliep.

Ze vond Beth bij het raam van Deni's kamer. Ze had haar armen om haar schouders geslagen en staarde uit het raam. 'Waar ben je heen geweest?' vroeg Kay.

Beth keek naar haar om. 'Naar de bank,' zei ze. 'Ik weet dat ik daar niet naartoe had moeten gaan. Het spijt me. Je kunt mij wel huisarrest geven. Ik wil wel een hele maand binnen blijven.' Ze kreeg tranen in haar ogen en perste haar lippen op elkaar. 'Ik had moeten doen wat je zei. Het spijt me, mam.'

Kay ging naast haar zitten en sloeg haar armen om haar heen. Beth beefde. Was ze zo bang voor haar straf? 'Nou, in ieder geval is alles goed met je. Was je bang voor het onweer?'

Beth knikte en drukte haar gezicht tegen Kay's natte bloes aan, maar zei niets. Kay hield haar alleen maar vast. 'Het komt wel weer goed, schat. We zijn nu weer thuis.'

Beth liet de deken die ze om zich heen had geslagen vallen en Kay zag de schrammen op haar been. 'Wat is er gebeurd?'

'Ik ben gevallen.' De woorden schenen haar nog meer van haar stuk te brengen en haar gezicht vertrok.

'We moeten het schoonmaken.' Ze trok Beth overeind en nam haar mee naar de badkamer, waar haar natte kleren in een modderige hoop op de vloer lagen. Ze vond de waterstofperoxide en haalde een washandje uit de kast. 'Ga zitten.'

'Mam, je bent helemaal nat.'

'Ja, het was buiten vreselijk weer. Dat nu juist vandaag de banken weer moesten opengaan, hè.' Ze depte de schrammen met waterstofperoxide. 'Bleef iemand staan om je te helpen toen je gevallen was?'

'Ja... nee.' Ze trok het washandje uit de hand van haar moeder. 'Ik wil er niet over praten. Laat mij het zelf maar doen.'

Kay liet het washandje los en keek haar dochter aan. Er moest nog iets gebeurd zijn. Iets waarover Beth niet wilde praten. 'Liefje, waarom huil je?'

Beth keek haar aan en heel even dacht Kay dat ze het haar zou vertellen. Maar toen trok ze zich weer in haarzelf terug. 'Ik weet het niet. Ik voelde mij verlegen, denk ik. En ik heb de kranten niet rondgebracht. Ik heb ze niet eens opgehaald.'

Kay fronste haar voorhoofd. Dat zou kunnen kloppen. Van je fiets vallen waar anderen bij stonden, was voor een dertienjarig meisje erg vernederend. Misschien was het gebeurd waar haar vriendjes bij stonden. En Beth nam haar taak om de kranten rond te brengen erg serieus.

'Nou, daar is het nu te laat voor,' zei Kay. 'De mensen zullen het vandaag zonder krant moeten doen. Het is een feestelijke dag. We zijn niet arm meer en de pulsaties zijn gestopt.'

Ze haalde een handdoek uit de kast en sloeg die om haar schouders. Ze wilde niets liever dan die natte kleren uittrekken. 'Het zal natuurlijk nog even duren voordat alles weer normaal werkt. Maar nu kan het herstel gaan beginnen. Ik kan mij nauwelijks voorstellen dat we weer elektriciteit zullen hebben. Televisie, computers, een auto! Denk daar eens aan, Beth. Als het net weer hersteld is, kunnen de scholen weer open. De bussen rijden weer. We hoeven niet meer de hele dag als slaven te werken om te kunnen eten. De beurzen gaan weer open en papa kan weer aan het werk. Vliegtuigen zullen weer vliegen.' Ze gooide haar hoofd in de nek en lachte giechelend. 'Ik kan mijn haar weer laten groeien en laten verven. En mijn nagels laten doen! We kunnen weer naar McDonald's.'

Heel even dacht Kay dat Beth nu wel zou glimlachen, maar ze keek alleen nog droeviger. 'Beth, waarom ben je niet blij?'

'Ik ben wel blij, mam. Maar vandaag hebben we daar allemaal niets aan.'

Kay's blijdschap verdween. Wanneer was haar dertienjarige dochter zo stoïcijns geworden? De Beth die Kay kende zou duizend en een vragen gesteld hebben, zou hebben rondgerend om allerlei dingen te gaan proberen en zou naar vriendinnen gehuppeld zijn om erover te praten. Hadden alle dingen die Beth de laatste maanden gezien had haar veranderd? Was ze door alle geweld wat ze om zich heen gezien had meer getraumatiseerd dan Kay zich gerealiseerd had?

Misschien moest Beth in therapie.

'Liefje, ga een poosje liggen om een dutje te doen. Misschien voel je je wat beter als je weer wakker wordt.'

Beth knikte en liep weer terug naar Deni's kamer. Ze ging weer bij het raam zitten en wachtte tot de moordenaar zou opduiken.

'Ik ga nu weer naar beneden,' zei Kay. 'Als je mij nodig hebt, roep je maar.'

Beth draaide zich niet van het raam naar haar om. Haar tranen waren nog nat op haar gezicht.

Zeven

Hij was niet geschikt voor misdaad. Hij stond in het waslokaal van het Exchange Club Baseball Field en probeerde geen aandacht te besteden aan de stank die er hing. Hij was hier niet gekomen om de faciliteiten te gebruiken omdat die toch niet meer werkten. Het was hem alleen om de spiegel te doen.

Hij moest die sik eraf halen voordat het meisje hem zou kunnen identificeren. Hij staarde in de vuile spiegel en gebruikte een nagelknipper om de snorharen er zo dicht mogelijk bij de huid af te knippen. Het was lastig maar hij moest het ermee doen want hij had geen schaar en om een scheermes te krijgen zou hij naar huis moeten gaan.

Hij kon niet geloven hoe stom hij was. En dat allemaal om een leugen voor zijn vrouw te verbergen.

Hij had een heel jaar de tijd gehad om haar over het geld te vertellen. En dat zou veel slimmer geweest zijn. In een tijd waarin ze toch geen toegang tot hun rekening op de bank hadden, zou hij haar de waarheid hebben kunnen vertellen: dat hij het geld was kwijtgeraakt aan de goktafels en dat ze geen cent meer hadden. Voor de pulsaties waren begonnen was de bank van plan geweest de hypotheek op hun huis op te zeggen en hun huis te verkopen. De pulsaties hadden hem uitstel verleend en daarom had hij het haar nooit verteld.

Als hij ermee voor de draad gekomen was, had hij haar duidelijk kunnen maken dat ze een tweede kans kregen − dat zij, ondanks zijn zwakheid, er niet erger aan toe waren dan wie dan ook om hen heen. Maar nee, hij had het allemaal voor zich gehouden. En nu moest hij het goedmaken.

Hij was geen moordenaar. Hij was een man die problemen oploste. Hij was nooit van plan geweest om twee mensen te doden. Nu zou hij er drie moeten vermoorden.

Hoe had dit kunnen gebeuren? Hij had liever een boze vrouw dan een beschuldiging van moord boven zijn hoofd hangen. Het had allemaal zo eenvoudig geleken toen hij het plan gemaakt had. Hij had niet verwacht dat er ook maar iemand in de buurt zou zijn, zeker niet met al die regen.

Maar het plan was misgelopen en nu liep hij echt het gevaar om betrapt te worden. In de gevangenis zou hij nooit kunnen overleven. Nooit.

Hij gooide de afgeknipte haren in de wasbak en probeerde nog wat kortere haren af te knippen. Het lukte niet helemaal, maar hij zou, als hij eenmaal thuis was, een scheermes kunnen gebruiken.

Hij wreef met zijn hand over zijn kin en schudde zijn hoofd. Hij zou niemand voor de gek kunnen houden. Zijn gezicht was door de zon gebruind – alleen de huid waar de sik had gezeten was nu deegachtig wit. Hij sloeg met zijn vuist op de betegelde muur. Hoe had hij zo stom kunnen zijn! Waarom had hij niet gewoon de waarheid verteld? Geld verliezen aan de goktafel was verdraaglijker dan twee mensen vermoorden.

Hij raakte steeds verder verstrikt en het liep steeds verder uit de hand. Hij raakte de controle kwijt. Maar wat moest hij dan doen?

De ene misdaad leidde tot de volgende. Als hij dat meisje zou kunnen vinden, haar het zwijgen op kon leggen, zou dat de laatste misdaad zijn die hij ooit zou begaan.

Hij was geen crimineel. Hij was geen moordenaar. Hij hield het zich steeds weer voor en probeerde het zelf te geloven.

Acht

Hoe conservatief Kay gewoonlijk ook was als het om het rantsoeneren van hun voedselvoorraden ging, ze besloot twee kippen op te offeren voor het eten die avond omdat ze nu het geld hadden om ze te vervangen. Zoals altijd als ze een van de konijnen of de kippen slachtte, deed ze het aan de overkant van de straat in de tuin van hun overleden buurvrouw, zodat Beth het niet zou zien. Ze beschouwde de dieren als haar huisdieren en ze vond het maar moeilijk om te accepteren dat ze gefokt werden om opgegeten te worden.

Kay en Deni kookten wat aardappels en bonen en ze gingen aan een feestelijke maaltijd zitten. Voor ze met eten begonnen dankten ze God dat Hij tijdens de stroomstoring voor hen gezorgd had, dat Hij een eind aan de pulsaties gemaakt had en dat ze geld van de bank hadden kunnen halen.

Dougs stem haperde van dankbaarheid toen hij zijn gebed beëindigde. 'God, U hebt ons laten zien dat alles wat wij hebben van U is en dat wij er niets over te zeggen hebben. Dat is een goede les geweest en we danken U ervoor. Dank U dat U ons in deze tijd dichter tot elkaar gebracht hebt. Dank U voor de tijd die we samen hebben moeten doormaken. Wilt U ons nu helpen bij de beslissing hoe we het geld moeten besteden. In Jezus' naam. Amen.'

Het gezin herhaalde Amen en begon te eten.

Terwijl iedereen at bleef het even stil. Maar Kay zag dat Beth alleen maar een beetje in haar eten prikte. Ze keek voortdurend uit het achterraam en haar ogen zochten de straat tussen de huizen achter hen af.

'Beth, wil je niet eten?'

'Ik eet toch,' zei ze en ze nam een hap.

'Waarom kijk je toch voortdurend uit het raam?' vroeg Kay.

'Zomaar.'

'Ze wacht op Jimmy Scarbrough,' zei Logan die zijn handen op zijn borst legde. 'Ze kan het niet verdragen niet bij hem te zijn.'

'Helemaal niet,' snauwde Beth. 'Houd toch je mond.'

'Hebben jullie ruzie gemaakt?' vroeg Deni.

'Nee, we zijn gewoon vrienden.' Ze wierp een blik op haar broertje. 'Loop naar de maan.'

'Kom op,' zei Doug. 'Geen gekibbel. We vieren feest. Laten we er nu eens over praten hoe we het geld gaan besteden.'

'Pa,' viel Jeff hem in de rede, 'in de buurt van het postkantoor woont een vent die een fantastische gitaar te koop heeft en ik ben binnenkort jarig, dus ik dacht...'

'Jeff , we geven geen geld uit aan een gitaar,' zei Doug. 'We moeten er verstandig mee omgaan.'

'Maar we zijn toch al verstandig met dat geld van de FEMA omgegaan,' zei Jeff. 'We mochten nooit geld uitgeven voor iets wat wij wilden hebben.'

'We hebben het uitgegeven aan dingen waarmee we meer geld konden verdienen,' zei Doug. 'Zoals aan het meel en de gist om brood te bakken dat we verkochten. De kippen die eieren legden. De konijnen die jongen kregen en voor eten zorgden.'

Kay schonk wat water in. 'En de messenslijper die wij voor je kochten, Jeff, zodat je er scheermessen mee kon slijpen. Daar verdienden we wat extra geld mee. Door de ideeën van je vader werd jij ondernemer.'

'Maar toen ik zelf wat geld verdiende, mocht ik er niets voor kopen dat ik wilde hebben. Nu kunnen we negenhonderd dollar per maand krijgen. We zijn steenrijk.'

'We zijn helemaal niet steenrijk. En de reden dat je het niet mocht uitgeven was dat we als gezin met elkaar samenwerkten om te overleven. En daar moeten we mee doorgaan. Dus geen gitaars. We kopen alleen dingen waar het hele gezin iets aan heeft.'

'Een auto,' zei Kay. 'Ik wil een auto.'
'Ja,' riep Logan.
'Kunnen we een auto krijgen voor negenhonderd dollar?' vroeg Deni.
'Dat zou kunnen als er auto's beschikbaar waren,' zei Doug. 'Maar die zijn er niet. En er is ook geen benzine.'
Kay gaf het niet zomaar op. 'Ik verwacht dat mensen binnenkort wel een lening kunnen afsluiten om een auto te kopen. Als we dan een kleine aanbetaling doen, kunnen we er vast wel een krijgen. En de prijzen zijn nu zo laag dat we hem relatief gezien goedkoop kunnen krijgen.'
'Ik denk dat het juist andersom zal zijn,' zei Doug. 'Ze zullen zo duur zijn dat alleen miljonairs ze zullen kunnen betalen. Nee, het zal nog heel lang duren voor dat tot de mogelijkheden gaat behoren, jongens.'
'Volgens mij heb je het mis, pa,' zei Deni. 'De regering zal heus wel iets bedenken om weer auto's op de weg te krijgen. Als ze de economie willen herstellen, zullen ze voor vervoer moeten zorgen.'
'Ze zullen eerst busdiensten organiseren voordat er voldoende auto's zullen zijn voor het publiek om te kopen,' zei Doug.
'Pa, wat ben je negatief,' kreunde Jeff. 'Het gaat juist weer zo goed allemaal.'
Doug bromde. 'Ik probeer gewoon realistisch te zijn. Ik ben effectenmakelaar, weet je nog? Ik weet hoe de economie werkt. We hebben negenhonderd dollar. Dat is niet niks. Maar we kunnen beter aan dingen denken die we nu kunnen krijgen.'
'Een koelkast zou heel fijn zijn,' zei Kay.
'Ja, dat is een mogelijkheid als we weer stroom hebben. Ik kan het mis hebben, maar ik denk dat onze koelkast nog wel zal werken.'
'Echt?'
'En als dat niet zo is, zullen ze waarschijnlijk weer gauw te koop zijn. Het is niet zo moeilijk om ze te maken. Wat nog meer?'
'Koffie?' vroeg Kay. 'Ik wil graag een bus oploskoffie.'

'Suiker!' riep Logan.

Doug glimlachte. 'We zullen vast wel suiker kunnen kopen, ja.'

'Haarverf?' vroeg Deni grijnzend.

'Ja!' Kay schreeuwde bijna. 'Haarverf. Doug, alsjeblieft. Zodra het te koop is, wil ik het hebben. Ik ben dat grijs zo zat.'

Doug grinnikte. 'Kay, zo veel grijze haren heb je heus niet. En als je het mij vraagt, zie je er ook zo als je nu bent fantastisch uit. Niet, jongens?'

Jeff liet zijn ogen rollen. 'Ja hoor, mam. Je bent echt Miss Amerika.'

Kay gaf hem speels een stomp. 'Bedankt, hoor.'

'Ik meen het,' zei Doug. 'Je moeder ziet er echt geweldig uit.'

'Hij heeft gelijk, mam,' zei Logan. 'Er lopen hier heel wat heksen rond. De meeste vrouwen hebben witte strepen boven op hun hoofd waar de haarwortels er zijn uitgegroeid, en zonder make-up zouden ze kleine dieren aan het schrikken maken. Het is niet om aan te zien. Ik hoop dat ze wat geld uit zullen geven aan haarverf en make-up.'

Jeff moest zo hard lachen dat hij bijna stikte.

'En jij, Deni,' voegde Logan eraan toe, 'kun je beter ook maar eens een beetje gaan opknappen. Misschien vraagt Mark dan eindelijk eens of je met hem wil trouwen.'

Deni gooide haar servet naar Logan toe. Iedereen lachte.

Iedereen behalve Beth die niet aan de gesprekken deelnam. Ze had haar blik nog steeds op het raam gericht.

Negen

Op zaterdagmorgen wachtte Mark Green tot Deni het huis verlaten had voor hij bij haar huis aanbelde. Hij was het werkschema op het politiebureau nagegaan om er zeker van te zijn dat Doug vandaag niet hoefde te werken. Als hij zijn bezoek op het juiste moment aflegde, zouden Doug en Kay beiden thuis zijn.

Beth kwam naar de deur met het geweer van haar broer. 'Hoi, Sparky,' zei hij terwijl hij de deur in stapte. 'Wat is er?'

'Niets.' Toen ze de deur sloot, keek ze door het raampje in de deur.

'Ben je niet blij dat er een eind aan de pulsaties gekomen is?'

Ze keek hem eindelijk rechtstreeks aan. 'Wil je mij voor de gek houden?'

Zijn glimlach verdween. 'Nee, ik plaagde je maar. Je gaat toch niet op mij schieten met dat ding, hè?'

'Alleen maar als je mij daar een reden toe geeft.'

Oké. Iets van haar oude humor. Of niet? Ze had geen twinkeling in haar ogen, niets van de gebruikelijke verlegenheid of bewondering, niets van de levenslust die zo kenmerkend voor haar was. Hij besloot haar met rust te laten. 'Zijn je ouders thuis?'

'Ja, ze zijn binnen. Mam!' riep ze. 'Mark is er.'

Kay kwam uit de keuken. 'Kom binnen, Mark. Deni is net de deur uitgegaan.'

Mark liep de keuken binnen en keek door het raam. Jeff en Logan waren buiten in de regen de kippen aan het voeren. 'Ik kwam niet voor Deni. Ik wilde eigenlijk graag even alleen met jullie tweeën praten.'

Doug die aan de keukentafel zat met de Bijbel opengeslagen

voor hem, keek naar Kay en knipoogde. Hij deed de Bijbel langzaam dicht. 'Goed. Zullen we naar de studeerkamer gaan?' Marks hart begon sneller te kloppen toen hij hen volgde. Ze vermoedden ongetwijfeld waarom hij hier was. Hij kon het aan de glimlach om hun lippen zien, de manier waarop ze vermeden hem rechtstreeks aan te kijken, de manier waarop ze haastig de studeerkamer in liepen zonder te vragen waarom.

Doug ging in de stoel achter het bureau zitten en Kay ging in een van de Chippendale stoelen zitten. Hij nam de andere. Een paar maanden geleden had hij hier ook gezeten toen hij gepraat had over alle geheimzinnigheid die er om de inbraak in zijn huis hing. Ze waren elkaar die avond erg na komen te staan. Hij herinnerde zich hun gesprek de volgende dag toen ze op zoek waren gegaan naar zijn broers. Doug had hem verteld dat hij graag zou willen dat Mark met Deni zou gaan trouwen. *'Ik kan er maar net zo goed mee voor de draad komen, Mark. Jij bent de soort man die ik voor mijn dochter wil. Een man van wie ik het een eer zou vinden hem mijn zoon te noemen.'*

Het was toen niet het juiste moment geweest, niet toen Mark ermee worstelde zijn eigen naam te zuiveren. Hij hoopte dat Doug er nog steeds zo over dacht. En hij was er niet helemaal zeker van hoe Kay erover dacht.

'En, waar gaat het over?' vroeg Doug om het ijs te breken. 'Ben je naar mij toe gekomen om over investeringen te praten?' Hij wist heel goed dat het daar niet over ging.

Mark wierp een blik op Kay. Ze keek hem met grote ogen vol verwachting aan. 'In zekere zin. Ik heb zo'n beetje zitten denken over wat ik met de rest van mijn leven wil doen.'

'En?'

Hij wilde nog niet meteen op de vraag ingaan, dus hij schraapte zijn keel en nam een omweggetje. 'Ik heb eraan gedacht om wat van mijn geld te gebruiken om de zonne-energie in te gaan.'

Doug trok zijn wenkbrauwen op. 'Dat is net iets voor jou. En als alles weer normaal is, zullen er heel wat mensen zijn die ervoor zullen zorgen dat ze nooit meer zonder elektriciteit komen te zitten.' Hij grijnsde naar Kay. 'Dit is een slimme jongen.'

Mark glimlachte. 'Wil je mijn partner worden?'

Doug schoot naar voren en keek hem ernstig aan. 'Meen je dat serieus?'

'Ik heb genoeg om alleen te beginnen als het moet. Maar als je zou willen helpen, zouden we er echt iets van kunnen maken.'

Hij kon de radertjes in Dougs hoofd bijna zien draaien. 'Het zou een goede investering zijn. Ik denk dat ik het naast mijn werk als effectenmakelaar zou kunnen doen. Hoe staat het met het bureau van de sheriff?'

'Ik blijf daar werken tot ze weer op volle sterkte zijn. Maar ik wil dat werk niet blijven doen. Ik hoop dat ik een gezin zal krijgen dat ik moet onderhouden.'

De glimlach kwam weer terug om Kay's lippen. 'O ja?'

Ze wist waarom hij hier was en haar gezicht liet Mark duidelijk zien hoe ze daar over dacht. 'En daar wilde ik eigenlijk echt met jullie over praten.'

Kay keek even naar Doug en haar glimlach werd nog breder. 'Over Deni en mij, bedoel ik. Onze toekomst.'

Doug leunde op zijn bureau. 'Ga verder.'

Hij schraapte zijn keel en haalde een keer diep adem. 'Jullie weten dat ik van jullie dochter houd. Om eerlijk te zijn, ik heb al vanaf de middelbare school een oogje op haar, maar het afgelopen jaar ben ik pas echt helemaal verliefd op haar geworden.'

'Ik denk dat de gevoelens wederkerig zijn,' zei Kay zacht.

'Nou ja, daar was ik eerder nog niet zo zeker van. Ze correspondeerde toen nog met Craig enzo. En je weet het, Doug, ik maakte me zorgen over wat er zou gaan gebeuren als alles weer normaal zou worden. Ik wist niet of ze dan nog wel wilde hebben wat ik haar kon geven.' Hij keek naar zijn handen. Ze waren nat van het zweet. 'Maar we hebben samen veel meegemaakt, Deni en ik. En in de afgelopen drie maanden heeft ze kans gezien mij ervan te overtuigen dat ze misschien echt wil wat ik te bieden heb.'

Er viel een stilte maar Mark zag dat Doug en Kay een en al oor waren. Hij ging verder.

'Ik zie dat bedrijf in zonne-energie helemaal zitten en ik denk dat ik haar met hard werken een goed leven kan geven.' Mark schraapte zijn keel. 'Dus ik ben vandaag naar jullie toe gekomen om jullie toestemming te vragen om Deni ten huwelijk te vragen.'

Kay sloeg haar handen voor haar mond en lachte en Doug liep om het bureau heen om Mark de hand te schudden en hem te omhelzen. Mark voelde de liefde in zijn aanraking en hij draaide zich om naar Kay. Ze had tranen in haar ogen. Hij hoopte dat het tranen van blijdschap waren. 'Ik heb het je al eerder gezegd, Mark,' zei Doug, 'ik droomde ervan dat Deni met jou zou trouwen.'

'Je zult een heel goede man voor haar zijn,' zei Kay. 'En een geweldige vader voor onze kleinkinderen. Welkom in de familie.'

Mark lachte. 'Niet zo snel. Ik moet haar eerst nog vragen.'

Kay danste op en neer. 'Ga naar haar toe,' zei Kay. 'Vraag haar nu. Ze is op het kantoor van de krant.'

'Nee, ik wil het goed doen, echt romantisch. Voor haar neerknielen en alle toeters en bellen. En ik heb een ring. Ik heb een paar gouden munten gebruikt om hem te kopen. Ik denk dat Deni hem mooi zal vinden.'

'Oké, maar wacht niet te lang,' zei Kay. 'Ik kan dit niet zo lang voor mij houden.'

'Ik zal het deze week doen. Zeg het niet tegen de kinderen,' zei Mark. 'Ik wil niet dat iemand het zich laat ontvallen.'

Kay omhelsde hem en kuste hem op de wang. Hij hoopte dat Deni er net zo gelukkig mee zou zijn als Kay.

Tien

Het kind zou alles kunnen bederven. Hij had het allemaal zo zorgvuldig uitgedacht en het onweer en de regen waren hem goed van pas gekomen: de pistoolschoten werden gemaskeerd en de regen zou alle bewijzen die hij misschien zou achterlaten, wegspoelen. Te goed om waar te zijn.

Alleen dan dat er nu plotseling een getuige was.

Het was allemaal de schuld van zijn vrouw. Als zij niet voortdurend gedreigd had van hem weg te gaan en de baby mee te nemen, zou hij niet zo onder druk gestaan hebben om zijn speelschulden te verdoezelen. Ze had hem van ontrouw beschuldigd hoewel ze daar niet echt bewijzen voor had. Alleen maar gissingen en dat was niet voldoende om een scheiding aan op te hangen. Daar had hij haar in ieder geval van overtuigd. Hij had kans gezien haar bij zich te houden – en zijn baby. Ze woonden nu nog bij hem.

Zo lang ze dacht dat hun geld vast zat op de bank had ze geen enkele reden om te vermoeden dat hij alles was kwijtgeraakt. Maar zodra ze het nieuws gekregen hadden dat de banken weer open zouden gaan, had hij geweten dat dit het begin van het einde was. Haar vermoedens over ontrouw en de wetenschap dat hij hun spaargeld had vergokt, zouden haar er ongetwijfeld toe brengen om naar huis, naar mama terug te rennen.

Na verscheidene slapeloze nachten en een paar gesprekken met een vertrouweling die hem het volmaakte slachtoffer had aangewezen, had hij zijn plan gemaakt. Hij zou gewoon het geld van iemand anders nemen. Zijn vrouw zou denken dat hij het geld van hun eigen rekening gehaald had. Hij zou er een maand mee winnen – tot de volgende datum dat ze weer geld op konden nemen.

Hij had de plek achter de Cracker Barrel gevonden die van de weg af niet te zien was. Als hij zijn slachtoffer op zijn weg naar huis zou kunnen onderscheppen, zou hij hem onder bedreiging van zijn pistool mee kunnen nemen naar de plaats achter het gebouw. Dan zou hij hem doden en zijn geld pakken – met één kogel zouden een paar problemen opgelost worden. En toen was dat kind plotseling tevoorschijn gekomen en ze had alles gezien. Hij had haar meteen moeten doden toen hij daar de kans toe had, maar die zwerver was plotseling opgedoken. Nu had hij met twee moorden te maken en met een kind dat hem kon identificeren.

Hij moest de stomste man van heel Crockett zijn.

Ze had alles in de war gegooid. Nu zou hij twee lichamen moeten verwijderen. Dat was een complicatie die hij niet had voorzien. Als alles volgens plan verlopen was, zou hij het lichaam daar achtergelaten hebben en het zou gewoon een beroving lijken op een dag dat dat verwacht kon worden. Maar nu iemand hem zou kunnen identificeren, was hij bang voor wat er zou kunnen gebeuren als de lichamen gevonden werden.

O, wat een warboel… Het oude gezegde van zijn moeder speelde als een vervelend deuntje door zijn hoofd. Ze zou hem nu eens moeten zien.

Hij had nooit de bedoeling gehad om een moordenaar te worden. Niet tot een paar dagen geleden.

Om zijn misdaad te verbergen was hij in de storm teruggegaan met zijn karretje, had de twee lichamen opgeladen en ze met een stuk zeildoek afgedekt. Als iemand hem naar huis had zien rijden, zouden ze door de regen, hun net ontvangen geld en het feit dat de pulsaties gestopt waren zo afgeleid zijn geweest, dat ze nauwelijks aandacht voor hem gehad zouden hebben.

Het was te nat geweest om hen meteen te begraven en daarom had hij hen in een schuurtje verborgen tot de grond wat droger was geworden. Vanmorgen, toen zijn vrouw en kind niet thuis waren, was hij eindelijk in staat geweest hen te begraven. Nu de lichamen verborgen waren, zou alles nog goed kunnen aflopen. Als het meisje zou praten, zouden de autoriteiten haar zonder bewijzen waarschijnlijk toch niet geloven. Misschien was ze door zijn bedreiging zo bang geworden dat ze haar mond gehouden had. Als dat niet zo was, zou hij het geweten hebben – dan zou er een bericht over de moorden in de krant gestaan hebben en zouden mensen naar de lichamen gezocht hebben. Maar dat was niet gebeurd.

Hij keek naar het kettinkje met het kruisje dat hij op de veranda gevonden had. Misschien zou hij dat kunnen gebruiken om die vervelende Beth te vinden.

Hij had haar in oostelijke richting zien wegfietsen naar de Tunsten Road. Dat betekende dat ze in een van die rijke woonwijken woonde aan de rand van de stad. Er zouden daar waarschijnlijk zo'n tien buren zijn. Hoeveel blonde Beths van die leeftijd konden er zijn? Hij zou gewoon hier en daar kunnen gaan vragen.

Hij kon net doen of hij haar zocht om haar het kettinkje te kunnen teruggeven. En als hij haar gevonden had, zou er weer een probleem opgelost zijn.

Dan zou hij met een beetje geluk gewoon zijn oude leventje weer kunnen oppakken.

Elf

'Mijn koninkrijk voor een wasmachine.' Deni stond in de inloopkast in haar slaapkamer en zocht naar een bloes die on-
geschonden door de pulsaties heen gekomen was. Door al het
wassen met de hand met putwater had niets zijn kleur gehouden
en waren alle witte kledingstukken grauw geworden.
Beth leunde in de deuropening van haar kast. 'Je *koninkrijk?*'
'Dat is van Shakespeare of zoiets. Laat maar zitten. Hé, misschien kan onze wasmachine wel gerepareerd worden. Of we
kopen een nieuwe. Ik vraag me af wanneer we weer water zullen hebben. Waarschijnlijk niet voor de elektriciteit, want de
pompen in de waterleiding moeten natuurlijk wel draaien. Door
dat water uit de put zijn al mijn kleren bedorven.'
'Waar ga je heen?'
'Dat weet ik niet. Ik heb een afspraak met Mark, maar hij
heeft me niet gezegd waar we heen gaan.' Ze haalde een rode
bloes tevoorschijn die ze sinds de pulsaties begonnen waren niet
meer gedragen had. Ze hield hem voor zich en schudde haar
hoofd. 'Man, ik ben zo mager geworden dat niets mij meer past.
Misschien heb ik nog tijd om hem een beetje in te nemen. Had
ik maar wat eerder kunnen thuiskomen, maar ik moest zo veel
berichten voor de krant schrijven. Nu we van een weekblad
naar een dagblad gegaan zijn, heb ik het eigenlijk veel te druk.'
Beth ging wat rechter staan. 'Wat voor berichten? Over
moord?'
'Nee, maar wel veel berovingen. Er zijn gisteren heel wat
mensen van hun geld beroofd.'
'Is er niemand vermoord?'

'Er is er niet een gemeld. Hé, heb je je kranten al rond-gebracht?'

Beth aarzelde even en Deni draaide zich naar haar om.

'Jeff en Logan bezorgen vandaag mijn kranten.'

'Maar je moet er wel voor zorgen dat ze allemaal afgeleverd worden. Ik moet zo hard werken dat ik wil dat alle mensen de krant lezen. Waarom heb je het zelf niet gedaan?'

'Ik voelde me niet zo lekker.'

'Ja, door die storm van gisteren snuffelen en hoesten we allemaal.' Ze trok haar bloes aan en knoopte hem dicht. 'Hoe zie ik eruit?'

'Mooi,' zei Beth. Deni draaide zich om en zag dat ze zelfs niet keek. Ze staarde uit het raam.

Beth hield de straat in de gaten en verwachtte nog steeds de moordenaar te zien. Waarom was de moord niet gemeld? Zou dat kunnen betekenen dat de slachtoffers gevonden waren – levend? Die gedachte was nooit bij haar opgekomen. Ze had er een ambulance heen moeten sturen om ze op te gaan halen. Ze voelde zich schuldig.

Ze liep terug naar de inloopkast. 'Waren er gisteren gewonden bij die berovingen?'

Deni zocht in haar sieradenkistje naar een paar oorhangers. 'Ja, verscheidene mensen. Sommigen waren op hun hoofd geslagen en een was er neergestoken, maar die heeft het wel overleefd.'

'Zijn er geen mensen neergeschoten?'

'Volgens mij niet.' Ze keek Beth nu rechtstreeks aan. 'Waarom?'

Ze had te veel vragen gesteld. Ze maakte een kwastje van haar haar en streelde ermee langs haar kin.

'Zomaar. Ik dacht alleen maar dat er gisteren heel veel nare dingen gebeurd zouden kunnen zijn.'

'Die zijn er ook gebeurd. Wees blij dat wij deze keer de dans ontsprongen zijn.'

Beth liep de trap af naar de keuken. Haar moeder keek net even te lang naar haar alsof ze aan haar gezicht wilde zien hoe haar stemming was. Ze kwam naar Beth toe en kuste haar op haar voorhoofd alsof ze wilde nagaan of ze koorts had.

Haar vader kwam de slaapkamer uit. Hij had net zijn uniform uitgetrokken en andere kleren aangetrokken. Hij had zijn schoenen in zijn handen. Sinds de pulsaties was hij zijn buikje kwijtgeraakt en door al het zware werk, zoals houthakken, was hij gespierder geworden. Maar hij zag er vandaag moe uit.

'Een zware dag gehad?' vroeg Kay.

'Ja, nogal.' Hij trok een stoel onder de tafel uit en ging zitten. 'Hoorde ik Deni zeggen dat Mark haar vanavond mee uit neemt?'

Kay trok haar wenkbrauwen even op en glimlachte. 'Ja, dat heb je goed gehoord.'

Beth snapte niet wat daar zo bijzonder aan was. Mark en Deni waren altijd bij elkaar. 'Waarom had je een zware dag? Heb je misdadigers gevangen?'

'Een paar. Er was een vent die zijn buurman beroofd heeft. Ze wonen al vijfentwintig jaar naast elkaar en vannacht heeft hij bij zijn buurman ingebroken en heeft hij het geld uit de zak van zijn buurman gestolen terwijl ze lagen te slapen. We hebben hem gelukkig te pakken gekregen.'

Beth bracht de borden naar de tafel. 'En eh… hebben jullie geen dode mensen gevonden of zoiets?'

Kay draaide zich om en keek haar verbaasd aan. 'Beth, wat is dat nu voor een vraag?'

Beth haalde haar schouders op. 'Ik vroeg het maar gewoon.'

Doug trok zijn schoenen aan. 'Nee, er zijn gelukkig geen doden gevallen. Een paar mensen zijn gewond geraakt, maar het lijkt erop dat de rovers niet uit deze buurt kwamen. Dat is natuurlijk te begrijpen, want ze willen niet herkend worden. Dus ze gaan naar andere steden om hun slag te slaan als de banken daar opengaan en verdwijnen dan weer zo snel mogelijk naar de plaats waar ze vandaan komen.'

Beth was verbijsterd. Hoe kon het dat twee moorden niet gemeld waren? Zouden de lichamen misschien nog niet gevonden zijn? Was er niemand die naar de twee mannen zou gaan zoeken?

'Zijn er geen meldingen over vermiste personen binnengekomen?'

Kay fronste opnieuw haar voorhoofd. 'Waarom vraag je dat, kind?'

'Zomaar.'

Kay kwam naar de tafel toe en streelde Beth's haar. 'Liefje, ga eens tegen Jeff en Logan zeggen dat we gaan eten.'

Beth keek behoedzaam uit het achterraam. Ze zag haar broers achter in de tuin. Ze wilde daar voor geen prijs heen gaan. De moordenaar zou op dat moment wel eens in de straat achter de tuin langs kunnen fietsen. Ze deed de deur een eindje open, bleef er achter staan om niet zichtbaar te zijn en riep haar broers.

Terwijl ze wachtten tot de kinderen zouden binnenkomen, draaide Kay zich naar Doug om. 'Ik maak me zorgen over haar,' zei ze zachtjes. 'Ze wil geen stap buiten de deur zetten. Ze wilde vandaag de kranten niet rondbrengen en ze slaat nooit over. Sinds ze door de krant is aangenomen om ze rond te brengen, neemt ze haar taak erg serieus. Toen ik haar vandaag vroeg water bij de put te gaan halen, begon ze te huilen. Ik heb er ten slotte Logan maar heen gestuurd. En die fascinatie voor moorden en ontvoeringen...'

'Nou ja, ze heeft het laatste jaar ook veel meegemaakt. Dat hebben we allemaal.'

'Maar ze is overgevoelig, schat. Misschien is ze erger getraumatiseerd dan wij beseffen. Misschien moet ze naar een psychotherapeut.'

Hij keek in de richting waarheen ze verdwenen was. 'Dat vroeg ik me ook al af. Maar waar vinden we er een? Een goede, bedoel ik.'

'Ik kan eens rondvragen.'

'Ik betwijfel of er veel zullen zijn die tegenwoordig nog werken. De vraag naar psychotherapeuten is waarschijnlijk net zo groot als de vraag naar effectenmakelaars.'

'Mensen hebben nog steeds hulp nodig.'

'Ja, maar wie is er bereid om zuur verdiend geld uit te geven voor psychotherapie als ze maar net voldoende geld hebben om eten te kopen?'

'We hebben nu wat geld. Als we er een kunnen vinden, kunnen we ons dat waarschijnlijk wel veroorloven.' Doug knikte. 'Dat zal wel moeten. Maar ik wil wel dat het, wie het dan ook is, een christen is. Ik wil niet dat iemand die de basisprincipes van het leven niet begrijpt in haar psyche gaat zitten roeren.'

'Dat ben ik helemaal met je eens.' Ze boog zich naar hem toe, kuste hem en toen ze zijn gezicht even aanraakte voelde ze de baardstoppels. 'Denk je dat alles weer goed komt met haar?'

'Natuurlijk,' zei hij. 'Maar laten we proberen er zo gauw mogelijk een te vinden.'

Twaalf

Kay wilde niets liever dan dat alles weer zo gauw mogelijk normaal zou worden. Ze had zo veel te doen dat er geen eind aan de dagen scheen te komen. Wat verlangde ze hevig naar alle gemakken die ze ooit had gehad: maïskoeken en mueslirepen voor snelle ontbijten, een hamburger voor tussen de middag en volledige diepgevroren maaltijden die 's avonds even in de magnetron opgewarmd konden worden. Papieren borden die je niet hoefde af te wassen en vier werksters van een schoonmaakbedrijf die eens per week als een sneltrein even door je huis trokken om alles schoon te maken.

Vanavond had ze haar gezin maïstortilla's voorgezet, die ze gemaakt had van de maïs die ze gekocht had van het geld dat ze bij de vorige FEMA-uitbetaling gekregen had. Van de oudere buren in Oak Hollow had ze geleerd wel tien verschillende maïsgerechten te maken. Ze waren wel niet zo smakelijk, maar haar gezin had geleerd dat het niet in de eerste plaats om smakelijkheid maar om voedzaamheid ging.

Nu de keuken was schoongemaakt en alle modder en vuil die dagelijks werden binnengelopen van de vloer was gedweild, liep Kay naar de zijkant van het huis, waar ze haar was te drogen had gehangen. Ze zag dat Judith, haar buurvrouw, eveneens de was aan het binnenhalen was. De bruine huid van haar vriendin glom van het vocht.

'Meid, je bent nog laat bezig,' zei Judith. 'Ik begon al te denken dat je de was vannacht buiten zou laten hangen.'

'Het is nog niet donker,' zei Kay. 'En ik kan nog wel honderd dingen bedenken die ik moet doen voor het donker wordt. Wat deden we vroeger eigenlijk met alle tijd die we hadden?' Ze zuchtte en keek naar Judith's verpleegstersuniform. 'Hoe krijg je dat toch voor elkaar? Een volledige baan en dan al het werk dat je thuis nog hebt te doen?'

'Het zal wel moeten.'

Toen ze het nieuwe ziekenhuis in Crockett geopend hadden, was Judith daar als verpleegster gaan werken. Er was zo'n groot tekort aan verpleegkundigen dat ze erin had toegestemd om acht tot tien uur per dag te werken. Amber Rowe, Kay's andere buurvrouw, paste dan op haar kinderen.

Judith's man Brad – een jurist – was onlangs officier van justitie in Crockett geworden. Ook hij maakte lange dagen. Hoewel ze het allemaal erg druk hadden, waren Kay en Judith het afgelopen jaar goede vriendinnen geworden.

'En hoe ging het vandaag met Beth?' vroeg Judith terwijl ze een spijkerbroek opvouwde die zo stijf was als een plank.

'Niet zo goed. Ze doet nog steeds vreemd.' Ze vertelde Judith over Beth's paranoia en haar morbide vragen.

'Dat heeft veel weg van een posttraumatische stoornis,' zei Judith. 'Ik ben geen psycholoog, maar ze heeft ongetwijfeld zo veel meegemaakt dat ze zoiets zou kunnen krijgen. Weet je nog hoe ze dagenlang in zichzelf gekeerd heeft rondgelopen nadat ze had gezien dat Mark in elkaar werd geslagen? Hoe ze de konijnen in haar kamer verstopte om ze te beschermen? Misschien had ze er toen al last van.'

'Maar de afgelopen weken leek het beter met haar te gaan.'

'Heeft ze nare dromen?'

'Ja, maar hebben we die tegenwoordig niet allemaal?'

'Ja, dat is zo. We hebben allemaal wat traumatische reacties. Sommige negatieve reacties zijn normaal. Maar posttraumatische depressie heeft symptomen die blijvend zijn. Mensen die dat hebben beleven dingen soms opnieuw. Soms krijgen ze angstaanvallen waarbij ze de gebeurtenis opnieuw beleven.'

'Welke gebeurtenis?' Kay dacht terug aan alle traumatische dingen die haar gezin het laatste jaar had meegemaakt. Geen wonder dat ze vragen stelde over moorden en vermiste personen. Haar zus was vermist geweest, en toen was de kleine Sarah – een van de kinderen voor wie ze zorgde – ontvoerd. Doug was in hun eigen huis neergeschoten en Zach, Jeff's beste vriend, was bijna vermoord. En toen werd Mark nog eens in elkaar geslagen waar Beth bij had gestaan.

Het was eigenlijk een wonder dat ze niet allemaal gestoord waren.

'Weet je dat ze niet eens opgewonden raakte toen ze hoorde dat de pulsaties voorbij waren?'

Judith liet de laatste kleren van de lijn in de mand vallen. 'Dat is inderdaad een slecht teken. Mensen die een posttraumatische stoornis hebben, kunnen soms niet aan de toekomst denken. Ze hebben een gevoel van onheil.'

'We denken erover om een psychotherapeut voor haar te zoeken.'

'Goed idee. Ken je Anne Latham in de Bayor Street?'

'Niet zo goed.'

'Ga haar eens opzoeken. Ze is gezinstherapeut, voor de storing in ieder geval. Misschien kan zij eens met Beth praten. Ik heb gehoord dat ze in die goede oude tijd erg goed was.'

Kay nam zich voor om eens gauw met haar te gaan praten.

Voor ze weer naar binnen ging, zag ze Mark over het trottoir aan komen lopen. Hij had zich voor zijn avondje uit met Deni netjes aangekleed. Bij zijn spijkerbroek droeg hij een netjes gestreken wit overhemd. Hij grijnsde toen hij naar haar toe kwam.

Kay glimlachte terug. 'Jullie gaan samen uit, hè?'

'Ja. Is ze in een goede stemming?'

'Voorzover ik weet wel.'

Ze dacht erover om Mark te vragen of hij haar vanavond zou vragen, maar besloot toen om het niet te doen. Mark zou haar vragen als hij de tijd er rijp voor achtte. Hij liep met haar mee het huis in en ze riep Deni.

Wat zou ze niet over hebben voor een functionerende camcorder en de mogelijkheid om zich vanavond onzichtbaar te maken.

Dertien

Deni wierp een laatste blik in de spiegel en was tevreden met het resultaat. De driekwart mouwen bedekten in ieder geval het grootste deel van haar bruine armen. Ze deed nog wat lipstick op haar lippen en vroeg zich af waar Mark haar mee naartoe zou nemen. Ze zouden niet naar een restaurantje of de bioscoop kunnen gaan. Maar Mark had haar een gedenkwaardig avondje beloofd om te vieren dat de ster was uitgebrand.

Ze rende de trap af naar de woonkamer waar hij als een jongen, die voor het eerst een meisje meenam naar een schoolavond, op haar stond te wachten. Hij had een boeketje viooltjes bij zich waarvan de stelen in zilverpapier waren gewikkeld.

'Mark, zijn die voor mij?'

Hij grinnikte. 'Ik weet dat het afgezaagd is, maar ik wilde ze je toch geven.'

Ze pakte ze aan en rook eraan. Marks ogen hadden die Cary Grant-glinstering alsof hij een geheim had. Wat hield hij voor haar achter?

'Je ziet er vanavond uit als een filmster,' zei ze. 'Als een van die filmhelden die altijd paparazzi achter zich aan hebben.'

'Wauw. Jij ook,' zei hij lachend. 'Ben je klaar voor de rode loper?' Hij trok haar tegen zich aan en drukte een kus op haar lippen.

Ze sloeg haar armen om zijn nek en ging op haar tenen staan.

'Vooruit. Vertel het me dan,' zei hij lachend. 'Je houdt toch van me?'

Ze lachte zachtjes. 'Hoe zou ik anders kunnen?'

Hij streelde haar haren en glimlachte.

'En, waar neem je mij mee naartoe?'

'Wat denk je van een boottochtje?'

'Dat klinkt goed.'

'Nou, laten we dan gaan. Mijn jacht wacht.'

Zijn jacht, wist ze, was een opgelapte roeiboot die in zijn garage aan het plafond hing. Maar voor haar was dat een echt jacht.

Toen ze de hal in liepen, hoorden ze een auto aan komen rijden. Ze keek door het raam in de deur. Het was een witte Malibu, een auto die ze nog niet eerder gezien had. 'Komt die auto hierheen?'

Mark deed de deur open en toen ze de veranda op liepen, reed de auto het garagepad op. De chauffeur stapte uit. Deni bleef kijken tot hij om de auto was heen gelopen. 'Hoi, liefje. Ik ben het!'

Bij het zien van haar ex-verloofde hield Deni haar adem in.

Veertien

'Craig!' Zijn verschijning was zo onverwacht dat Deni stokstijf bleef staan. 'Wat doe jij hier?'

Hij stak met een overdreven gebaar zijn handen op. 'Ik ben hierheen verhuisd.'

'Wat zeg je?'

'Ik zal het je allemaal vertellen als ik eerst een omhelzing van je krijg.'

Hij zag eruit zoals ze zich hem herinnerde van voor de pulsaties – de jonge VIP in een maatkostuum, kortgeknipt haar en een gladgeschoren gezicht. Maar om de een of andere reden deed zijn elegante voorkomen haar niets meer. Ze wilde deze draai in haar relatie met Mark niet.

Toen ze niet van de veranda af liep, kwam hij het trapje op en omhelsde haar.

Deni wierp een verontschuldigende blik op Mark. Craig volgde haar blik.

Mark ging wat rechter staan toen hij Craig de hand drukte. Hij was meer dan tien centimeter langer dan Craig. 'Leuk je weer te zien,' loog hij met effen stem.

'Jou ook.' Ook Craigs stem klonk effen. Hij draaide zich weer om naar Deni en zei: 'Ik ben door het Ministerie van Energie benoemd tot regionaal adviseur van het Herstelteam van Alabama.' Er trok een zelfgenoegzame grijns over zijn gezicht. 'Kind, je ziet er fantastisch uit.'

Mark keek met een strak gezicht naar de grond. Het litteken op zijn voorhoofd leek wat roder geworden. Deni pakte Marks hand en strengelde haar vingers door de zijne. 'Dank je. Mark en ik stonden op het punt om uit te gaan. Hij neemt mij mee voor een boottochtje.'

De spanning op Marks gezicht scheen weg te ebben en hij keek op. Craig keek hem aan, uitdagend.

'Daar is het een mooie avond voor.' Craig wierp een blik op de deur. 'Hé, ik ben al sinds de kleine uurtjes op weg. Zodra ze wisten dat er een eind aan de pulsaties gekomen was, hebben ze ons op pad gestuurd. Denk je dat je ouders er bezwaar tegen hebben als ik hier een paar dagen logeer?'

Nee, dacht ze. Het zou absurd zijn om haar ex-verloofde in huis te hebben terwijl ze verkering had met iemand anders. 'Kun je niet beter naar Birmingham gaan? Je kantoor zal wel niet in Crockett zijn.'

'Zeker wel. Ik heb hen ervan overtuigd dat dit de meest geschikte plaats is.'

De woorden spraken boekdelen en Deni wist dat dit niet zomaar een willekeurige beslissing was. Hij was hierheen gekomen voor haar. Was haar afwijzing van het treinkaartje naar Washington niet voldoende geweest om hem ervan te overtuigen dat ze niet geïnteresseerd was?

Kennelijk niet.

'Je hebt altijd van grootse gebaren gehouden, kind,' zei hij zachtjes, alsof Mark er niet bij stond. 'Wat denk je van dit gebaar? Ik zou in iedere staat hebben kunnen werken of in Washington hebben kunnen blijven bij het ministerie voor Energie. Maar ik ben hier naartoe gekomen.'

Mark deed een stap naar voren.

Deni hield hem tegen. 'Dat had je niet moeten doen, Craig. Ik heb nu met Mark verkering. Dat heb ik je in mijn brief verteld.'

'Zoek maar een andere plaats op om te logeren,' zei Mark.

Craig negeerde hem. 'Kom op, Deni. Ik ken hier niemand in de stad. En de hotels zijn niet open. Wil je dan dat ik in mijn auto slaap?'

'Nee, ik wil niet dat je in je auto slaapt. Maar je had iets moeten regelen voordat je hier naartoe kwam.'

'Ik dacht dat we vrienden waren,' zei hij. 'Ik dacht dat je familie wel blij zou zijn om mij te zien, aangezien ik ervoor ga zorgen dat ze weer elektriciteit krijgen.'

Deni's hart sprong op en ze liet haar behoedzaamheid varen.

'Echt?'

'Natuurlijk. Dat is onze belangrijkste doelstelling. En als ik hier ben, kun je erop rekenen dat deze stadswijk de eerste zal zijn die weer stroom heeft.'

Hij had haar. Ze slikte een keer toen ze in gedachten visioenen zag van een koelkast, gloeilampen, televisie en computers. Kon Craig dat echt voor elkaar krijgen?

Natuurlijk kon hij dat. Hij had twee jaar lang voor senator Crawford gewerkt en kende een heleboel mensen bij de regering. Hij kon dingen voor elkaar krijgen.

Ze keek naar Mark en zag de verwarring op zijn gezicht.

'Ik zal het mijn ouders vragen,' zei ze ten slotte. 'Misschien kun je voor een paar dagen wel hier blijven.'

Vijftien

Mark trok zich wat terug toen Deni de voordeur opendeed en haar ouders riep. Hij verbaasde zich over de arrogantie van deze kerel.

Hij ergerde zich vooral over zijn vraag of hij dan in zijn auto zou moeten slapen. Hij had Craig met alle plezier een brug gewezen waaronder hij zou kunnen gaan slapen. En al die beloften dat hij de elektriciteitsvoorziening wel even zou regelen – alsof Craig maar even aan een touwtje hoefde te trekken om de familie Branning weer van stroom te voorzien.

Maar het was Deni die Craig ervan zou moeten overtuigen dat ze geen belangstelling voor hem had. Mark begreep wel dat ze niet onbeschoft tegen de man wilde zijn die eens zo veel voor haar betekend had. En Craig was erg vasthoudend. Toen ze ook maar even geaarzeld had, had hij haar een schuldgevoel gegeven. Hij kende haar maar al te goed.

Terwijl Mark steeds bozer werd, tastte hij naar de ring in zijn zak. Dat Craig nu juist op dit moment moest opduiken.

Deni kwam weer terug. 'Laten we naar binnen gaan om pa en ma te laten weten dat je er bent.'

Mark wilde dat niet. Hij wilde Craig meenemen naar het meer, hem in een kano zonder peddel te water laten en hem terug laten zwemmen naar de oever. Mark wist dat Craig wilde dat hij zou weggaan en daarom bleef hij.

Toen hij langs Craig heen liep, keek hij op hem neer in de hoop dat zijn rivaal zich klein zou voelen. Craig scheen het niet leuk te vinden, wat Mark heel veel plezier deed.

Het was zijn enige troost.

Kay hoorde Deni roepen bij de voordeur en haar hart sprong op van blijdschap. 'Hij moet haar gevraagd hebben,' zei ze tegen Doug.

Doug lachte. 'Die knaap laat er geen gras over groeien.' Ze renden naar de deur.

Deni zag er niet uit als een toekomstige bruid. In plaats daarvan had ze een gezicht dat slecht nieuws voorspelde. En er zat geen ring aan haar vinger. 'Raad eens wie er is,' zei ze.

'Wie dan?' vroeg Kay.

Deni deed de deur verder open.

Kay stikte bijna toen ze Craig Martin zag staan.

'Wat doe jij hier in vredesnaam?' bracht Doug uit.

Craig glimlachte verkrampt. Kay toverde een glimlach op haar gezicht. 'Nee maar, Craig. Leuk je weer te zien. Ben je op doorreis?'

'Nee,' zei hij terwijl hij hun beiden een snelle omhelzing gaf. 'Ik blijf hier.'

Kay's blik ging naar Mark die achter Craig binnenkwam en eruitzag of hij Craig graag een enorme dreun wilde verkopen. Had hij de ring nog in zijn zak?

Hoe kon dit, juist vanavond?

Kay slikte een keer. 'Je blijft hier? Waar dan?'

Deni schraapte haar keel. 'Hij zou graag een paar dagen hier willen logeren.'

Craig vertelde hun over zijn baan en Kay kreeg steeds meer de smoor in. Dit was niet zomaar voor een weekend. Hij groef zich in. Bakende zijn terrein af.

Kay hoorde Beth van de trap komen. Toen ze in de hal kwam, wierp ze één blik op Craig en zei: 'Wat krijgen we nou?'

Kay keek haar vermanend aan en lachte nerveus. 'Dat is geen aardige begroeting, Beth.'

Beth keek naar haar moeder. 'Maar hij woont toch in Washington?' Ze corrigeerde zichzelf, draaide zich om naar Craig en mompelde: 'Leuk je weer te zien.'

Mark ving haar blik op en knipoogde naar haar.

Craig stak zijn handen in zijn zakken. 'Ik ben hier om alles weer te laten herstellen en te laten functioneren.'

'Wat dan?' vroeg Beth.

'Elektriciteit, communicatie, transport...'

Kay hield haar adem in. 'Echt?'

'Ja.' Craig scheen opgelucht dat hij haar belangstelling gewekt had. 'Ik heb gewoon een paar dagen onderdak nodig tot ik een huis gevonden heb waarin ik kan gaan wonen.'

Kay verstijfde en ze voelde dat Doug ook zo reageerde. Mark keek haar strak aan. Kay wilde nee zeggen, dat er in heel Crockett geen plaats was waar hij een leeg bed zou kunnen vinden.

'Mam? Pa?' vroeg Deni smekend.

Kay besefte dat ze wat vriendelijker moest zijn. In gedachten zocht ze naar alternatieven. 'Misschien kun je een lege flat in Sandwood Place huren.'

'Nee, dat doe ik niet,' zei Craig. 'Ik ben daar geweest. Daar ga ik niet wonen. Ik kan mij wel wat beters permitteren. Ik heb gewoon wat tijd nodig om rond te kijken.'

'Maar ze zijn nu beter. De bewoners houden het gebouw schoon nu ze weten wat ze moeten doen. En er zijn wat mensen vertrokken die bij familie zijn gaan wonen. Er zijn dus lege flats.'

'Het spijt me, maar ik heb geen belangstelling.'

Doug zuchtte. 'En wat denk je van Eloise's huis, hier aan de andere kant van de straat?'

Hij hapte niet. 'Ik vind binnenkort wel iets. Ik heb nu gewoon even een bank nodig waarop ik kan slapen tot ik de tijd heb om iets te gaan zoeken.'

Mark zei ten slotte: 'Het huis van mijn vader staat leeg.'

Kay moest bijna lachen. Het huis dat Mark geërfd had, was nu niet bepaald bewoonbaar.

Deni keek hem streng aan. 'Mark dat is helemaal uitgebrand. Daar kun je pas gaan wonen als het helemaal verbouwd is.'

Kay probeerde niet te grijnzen. Mark scheen het idee dat Craig in een uitgebrand huis zou moeten wonen prachtig te vinden.

'Heel erg bedankt, Mark,' zei Craig sarcastisch. 'Maar als deze wijk als eerste weer stroom krijgt, wil ik er graag gebruik van maken.'

Kay voelde weer iets van hoop gloren. 'Bedoel je dat wij als eersten stroom krijgen?'

'Deze wijk,' zei hij. 'Dat is misschien wel egoïstisch, maar we hebben een communicatiecentrum en een kantoor nodig. We beginnen natuurlijk met Crockett. En deze wijk staat bovenaan de lijst.'

Voor Kay antwoord kon geven, zei Beth: 'Hij kan mijn kamer wel een paar dagen krijgen. Ik slaap wel bij Deni.'

'Goed.' Kay's stem klonk zwak en hol. Ze tilde haar kin op om wat vriendelijker te lijken – maar wat zou dit voor Mark en Deni betekenen? 'Je kunt in Beth's kamer slapen, Craig.'

Mark keek naar de vloer. Kay hoopte dat hij haar zou vergeven.

'Geweldig,' zei Craig. 'En Doug, er is nog iets waarover ik je wilde spreken.'

Doug was nog steeds gespannen en op zijn hoede. 'O ja?'

'Over het christendom. Ik weet niet of Deni het je verteld heeft, maar de gebeurtenissen van het afgelopen jaar hebben mij een stuk nederiger gemaakt. En ik heb voor een heleboel dingen meer oog gekregen. Zoals voor het bestaan van God.' Hij wachtte even, alsof de woorden in zijn keel bleven steken. 'Ik ben in de Bijbel gaan lezen en ik ben de waarheid ervan gaan inzien. Na veel zielsonderzoek heb ik mijn leven aan Christus gegeven.'

Man, man, hij legde het er wel dik bovenop. Kay geloofde hem geen moment. Maar Deni leek hem wel te geloven. Ze glimlachte triomfantelijk.

Doug glimlachte dunnetjes. 'Dat is heel mooi, Craig. Dan zijn onze gebeden van al die maanden voor je verhoord.'

Ze stonden nog steeds in de hal. Ze moest hem uitnodigen binnen te komen, bedacht ze. Hem iets te eten aanbieden. Waar waren haar manieren?

Craig ging verder. 'Ik ben nog niet gedoopt. En ik dacht dat jij mij misschien morgen wel zou kunnen dopen. Je houdt toch nog steeds kerk?'

Doug keek haar even aan. 'Zeker. We kunnen je morgen tijdens de dienst in het meer dopen. Het zal mij een eer zijn.'

Kay probeerde niet afkeurend te kijken, maar ze had de neiging om als een kind haar vinger in haar keel te steken. Wat een vent! Het christendom gebruiken – een van de belangrijkste dingen waarom Deni met hem gebroken had – om haar terug te winnen.

Craig was geen dwaas, maar hij dacht kennelijk dat de Brannings dat wel waren. En Deni scheen erin te trappen. Had Mark die ring maar vast aan haar vinger geschoven.

Zestien

Mark bleef tot laat in de avond bij de familie Branning, hoewel hij nauwelijks een woord zei. Terwijl Craig te veel van het voedsel van de familie Branning opat, praatte hij over de wederopbouw. De familie zat om hem heen geschaard alsof hij de thuisgekomen held was. Terwijl hij tegen hen praatte over het Herstelteam van Alabama, stak Mark zijn hand in zijn zak. Hij tastte naar de ring en wilde wel dat hij even alleen met Deni kon zijn.

Maar de betovering die hij voor de avond had verwacht, was voorbij. Hij wilde haar onverdeelde aandacht als hij haar ten huwelijk vroeg. Het was vanavond kennelijk niet het geschikte moment.

Hij zat op de bank naast haar en het leek wel of alle boze energie in zijn trillende voeten zakte. Af en toe raakte Deni zijn knie even aan om een eind aan het trillen te maken. Dan stopte het even, maar binnen een paar minuten trilden zijn benen opnieuw.

Ten slotte, toen het tegen tienen liep, besefte hij dat hij moest gaan. Hij kon per slot van rekening niet de hele nacht blijven om Craig van Deni weg te houden.

Deni bracht hem naar de veranda en deed de deur achter hen dicht. 'Mark, het spijt me erg,' fluisterde ze. 'Maar maak je alsjeblieft geen zorgen.'

Mark lachte zacht en staarde in het donker.

'Echt,' zei ze, 'het stelt niets voor. Hij is maar een paar dagen hier en dan betrekt hij zijn eigen huis. En dan is het allemaal voorbij.'

'Deni, dat denk je toch niet echt. Hij is hiernaar toegekomen om je tot andere gedachten te brengen. Daar houdt hij over een paar dagen heus niet mee op.'

'Hij zal wel moeten. Ik ben niet verliefd op hem.'

Mark kalmeerde wat en kreeg weer een beetje hoop. Ze kwam naar hem toe en sloeg haar armen om zijn nek.

'Ik ben verliefd op jou.'

Marks vrees smolt weg toen hij haar kuste en hij wilde niets liever dan haar vertellen wat ze voor hem betekende. Maar hij kon de woorden niet vinden – de ring moest het allemaal duidelijk maken. Nu was het misschien de tijd om hem uit zijn zak te halen, op een knie te zakken en haar te vragen met hem te trouwen. Maar hoe kon dat als ze naar binnen zou gaan en het niet met haar ouders kon vieren uit piëteit voor Craigs gevoelens? Hoe zou Mark dan naar huis kunnen gaan terwijl haar blijdschap door Craig getemperd zou worden door de twijfel die hij in haar hart zaaide?

Nee, dit was niet het juiste moment.

Ze keek naar hem op. 'Je hoef je niet onzeker te voelen. Ik heb hem niet gevraagd om te komen.'

'Dat weet ik.'

'En het is toch geweldig dat hij christen geworden is?'

'Ja, als hij het oprecht meent.'

Haar armen gleden langs zijn borst. 'Denk je dan dat hij dat niet is?'

Mark wilde dat niet ronduit zeggen. 'Ik wil alleen maar zeggen dat het mogelijk is dat hij zegt wat je graag wilt horen. Om de bezwaren die je had om met hem te trouwen, weg te nemen.'

'Ja, dat is mogelijk. Maar stel dat hij het oprecht meent.'

'Dan is het inderdaad geweldig en vieren de engelen feest.'

'En jij?'

Mark keek van haar weg het donker in. Was hij blij met *deze* broeder in het Koninkrijk van God? Misschien, als Craig Deni met rust liet. Zijn gedachten brachten hem in de war. 'Ik hoop het,' zei hij. 'Wat voor christen zou ik zijn als ik dat niet zou kunnen?'

Ze scheen genoegen te nemen met zijn antwoord. 'Kom je morgen naar de kerk?'

'Heb ik wel eens een zondag overgeslagen?'

'Nee, maar ik dacht…'

'Ik zal er zijn.' Zijn toon was een beetje scherp, maar hij wist niet precies wat ze van hem wilde.

Haar bruine ogen waren zo mooi, zo diep. Zou Craig de diepte daarvan ook kennen of wilde hij haar alleen maar als vrouw om mee te kunnen pronken zoals dat eerder het geval was geweest?

'Het spijt mij dat dat boottochtje niet door is gegaan,' zei ze. 'Misschien kunnen we het binnenkort een keer doen.'

'Morgenavond?'

Ze dacht even na. 'Laten we zien hoe het loopt.'

Dus zo zou het gaan. Craigs aanwezigheid zou bepalen of ze wel of niet met hem uitging. Hij liet haar los en stak zijn handen weer in zijn zakken. 'Ik vind dit vreselijk,' zei hij. 'Ik wil niet tegen je liegen.'

'Dat weet ik,' zei ze. 'Maar je zult mij moeten vertrouwen.'

Zeventien

'Hoef ik vandaag niet mee naar de kerk?' Beth's vraag maakte een eind aan de gesprekken tijdens het ontbijt over Craig en zijn doop.

Haar ouders keken elkaar even aan.

'Waarom?' vroeg haar vader.

Ze schoof het ei over haar bord heen en weer. 'Ik voel me niet zo lekker. Het is zo warm en ik wil thuis blijven.'

'Wil je dan niet zien dat ik gedoopt word?' vroeg Craig.

Beth wilde nee zeggen, maar ze had al op haar kop gekregen voor haar onbeleefdheid. Ze haalde dan ook haar schouders op en onderdrukte de neiging om te zeggen dat hij er zich niet mee moest bemoeien.

Haar moeder zuchtte. 'Beth, ik begrijp niet waarom je de hele week het huis niet uit wilde, maar je kunt je hier niet blijven verstoppen.'

Jeff stak het laatste hapje ei in zijn mond en liet zijn vork op zijn bord vallen. 'Ja, en het wordt ook tijd dat je je eigen kranten weer gaat rondbrengen. Ik heb genoeg te doen. Kom op, zus. Heeft iemand je voor de gek gehouden? Is er iets wat je dwars zit?'

Beth wilde wel dat het zo simpel was. Ze prikte wat in haar eten en vroeg zich af of ze thuis zou kunnen blijven als ze dat zou toegeven. Maar ze wist beter. Ze zouden haar zeggen dat ze haar angsten onder ogen moest zien en dat ze zich niet moest laten intimideren. Niet door stokken en stenen of wat dan ook. Ze hadden er natuurlijk geen idee van dat ze niet bang was voor haar vriendjes maar voor een boze moordenaar.

Nu was het Deni's beurt. 'Weet je wat jij hebt? Pleinvrees. Angst om je huis uit te komen. Je wordt een kluizenaar.'

'Helemaal niet. Je weet niet waarover je het hebt.' Ze stond op en nam haar bord mee naar de bak water die naast de gootsteen stond. 'Moet ik mee, papa?'

'Ja, we gaan allemaal.'

Beth waste haar bord af en ging naar boven. Ze wilde wel dat Craig niet in haar kamer sliep. Ze zou zich het liefst alleen in haar kamer willen opsluiten. Maar ze kon nu alleen maar naar Deni's kamer.

Ze liep Deni's badkamer in, ging voor de spiegel staan en probeerde te zien wat de moordenaar zich van haar zou herinneren. Als hij haar met haar kerk buiten bij het meer zou zien zitten, zou hij haar dan herkennen? Op de dag van de moorden was ze helemaal nat geweest, maar hij had wel kunnen zien dat ze lang, krullerig blond haar had. Hij had haar blauwe ogen gezien en zou zich dat misschien herinneren.

Ze werd bang en haar keel kneep dicht. Als hij haar ver genoeg gevolgd was om te zien in welke wijk ze woonde, zou hij naar de kerkdienst komen. Hij zou erachter komen wie haar familieleden waren. En dan zou hij zijn bedreiging uitvoeren.

Ze ging terug naar Deni's kamer, vond in de kaptafel van haar zus een schaar en liep weer terug naar de badkamer. Ze keek naar haar spiegelbeeld en raakte haar haren aan. Ze vond zelf dat ze mooi haar had. Jimmy wilde het altijd aanraken, alsof hij niet genoeg van de zachtheid ervan kon krijgen. Hij vertelde haar dat er een beestje in zat en wilde het dan uit haar haren halen. Of hij trok het soms omhoog uit haar nek om haar wat koelte te geven. Een keer had hij het achter haar oren geveegd.

Maar dat deed er allemaal niet toe. Ze zou om haar haar vermoord kunnen worden. Ze nam een lok, bracht de schaar omhoog en knipte. Er viel een lok van vijftien centimeter in de wasbak.

Maar dat was niet genoeg. Het moest echt kort zijn, zoals bij een jongen. Ze nam nog een lok en knipte die nog korter af, deze keer boven haar oor. Ze werd een beetje misselijk maar ze kon nu niet stoppen.

Ze knipte en knipte, rond haar oren en op haar rug. Ze had een hekel aan een pony omdat haar haar te krullerig was om los over haar voorhoofd te hangen. In de tijd voor de pulsaties had ze het met een krultang recht kunnen maken, zodat het glad over haar voorhoofd viel. Nu waren het alleen maar krullen. Ze knipte de lokken kort genoeg om achter haar oren te duwen. Toen ze weer in haar ogen terugvielen, knipte ze er nog een stuk af.

Toen ze klaar was lag er een hele hoop krulhaar in de wasbak. Ze bekeek zich in de spiegel en kwam tot de conclusie dat ze er vreselijk uitzag. Haar haren piekten alle kanten uit en het was duidelijk dat ze niet door een echte kapper geknipt was. Maar ze kon er niet meer van maken. Ze wilde wel dat ze wat haarverf had, zodat ze het bruin kon verven.

Ze kreeg tranen in haar ogen toen ze het afgeknipte haar uit de wasbak haalde. Uit het kastje onder de wastafel haalde ze een toilettasje en ze stopte er wat haar in. Ze zou het als een herinnering bewaren. Ze ritste het tasje weer dicht en ruimde de rommel op. Toen ging ze naar haar eigen kamer en legde het tasje in de bovenste la van haar toilettafel.

Tranen vulden haar ogen, maar ze knipperde ze terug. Ze beet op haar lip en ging naar haar kleerkast. Bij haar kleren hingen nu Craigs pakken en overhemden. Aangezien ze buiten bij het meer een kerkdienst hielden, hoefden ze zich niet netjes aan te kleden. Maar haar ouders wilden wel dat ze iets anders aantrok dan haar daagse kleren om aan te geven dat het een bijzondere dag was. Ze zocht wat kleren uit die niet opvielen – een bruine trui en een kakibroek. Als iemand de menigte af zou zoeken, zou ze niet opvallen. En als ze haar zouden zien, zouden ze denken dat ze een jongen was.

Ze ging weer terug naar Deni's kamer, kleedde zich aan en zette toen een oude zonnebril op.

Opnieuw keek ze in de spiegel. Ze herkende zichzelf niet, dus de moordenaar zou haar ook niet herkennen.

Haar ademhaling was snel en oppervlakkig. Ze probeerde

langzamer en dieper te ademen. Maar ze beefde nog steeds van angst.

Ten slotte dwong ze zichzelf om naar beneden te gaan. Ze kon moeilijk boven blijven zitten. Deni kwam haar halverwege de trap tegemoet. Ze bleef als verstijfd staan. 'Beth, wat... wat heb je gedaan?'

Beth liep langs haar heen.

'Wat is er?' vroeg haar moeder die naar de trap kwam. Ze keek op en hield haar adem in.

Beth slaagde erin een glimlachje op haar gezicht te toveren. 'Vind je het leuk?'

'*Beth!*' Haar moeder kwam de trap op en pakte haar bij de schouders. 'Waarom heb je dat gedaan?'

Ze hield haar ogen wijd open om niet te huilen. 'Het was zo warm. Ik wilde eens iets anders.'

'Maar Beth, waarom heb je het niet eerst aan mij gevraagd?'

'Het is mijn haar,' zei ze. 'Ik dacht dat je het wel goed zou vinden.'

Nu stond de hele familie onder aan de trap en ze keken naar haar alsof ze gek geworden was.

Logan lachte. 'Je ziet er niet uit.'

Jeff viel hem bij. 'Je ziet eruit alsof je door de gazonmaaier bent gegaan.'

Het was waar. Ze voelde haar mondhoeken trillen. Haar ogen schoten vol tranen.

Het gezicht van haar moeder verzachtte. 'Kind, het moet een beetje bijgeknipt worden. Kom mee naar boven dan zullen we het een beetje fatsoeneren.'

'Kom op, jongens,' zei Doug. 'We laten dit verder aan de vrouwen over.'

Beth liep weer terug naar de badkamer en Deni en haar moeder volgden haar.

'Mam, we hebben een echte kapster nodig,' fluisterde Deni.

Kay probeerde te glimlachen maar het lukte niet helemaal. 'Ik heb het haar van de jongens ook geknipt. Ik maak er wel iets van. Ik kan het een beetje uitdunnen aan het eind.'

Er gleed een traan over Beth's gezicht. Ze veegde hem snel weg met de rug van haar hand. 'Het spijt me, mam.'

'Het geeft niet, kind. Het gaat erom dat je het zelf mooi vindt.'

Het deed er helemaal niet toe of ze het zelf mooi vond. Daar ging het niet om. Haar haar was maar een geringe prijs die ze hoefde te betalen om haarzelf en haar familie te beschermen.

Achttien

'Wat heeft ze toch?' fluisterde Deni tegen haar moeder toen ze terugliepen naar de keuken. Craig was nog steeds aan het eten en Doug was zijn bord aan het afwassen in de bak water op het aanrecht.

'Ik weet het niet, maar ik maak me grote zorgen,' zei haar moeder. 'Ik heb er met Judith over gepraat en zij denkt dat ze verschijnselen van posttraumatische stoornis laat zien.'

Deni schudde haar hoofd. 'Als iemand dat zou moeten hebben, zouden wij dat moeten zijn, niet zij. Zij heeft het allemaal alleen maar gezien, maar met haarzelf is er niets gebeurd.'

'Alles wat wij meegemaakt hebben, heeft zij ook meegemaakt,' zei Doug met een blik op de woonkamer. 'Ze is nog jong en de dingen komen hard aan. Weet je nog hoe ze was toen ze had gezien dat Mark in elkaar geslagen werd?'

Craig zette zijn glas water neer. 'Is Mark in elkaar geslagen?'

'Kijk niet zo blij,' zei Deni.

'Ik ben helemaal niet blij. Wie heeft dat gedaan?'

'Dat is een lang verhaal. Het doet er nu niet toe. Waar het om gaat is dat Beth er helemaal van ondersteboven was.'

'Mark ook, neem ik aan,' zei Craig. 'Heeft hij daar dat litteken op zijn voorhoofd aan over gehouden?'

'En een gebroken arm en sleutelbeen,' zei Jeff.

Craigs ogen vernauwden zich. 'Je meent het? Ik dacht dat hij zichzelf beter zou kunnen verdedigen.'

'Dat heeft hij ook gedaan,' zei Doug kortaf. 'Anders was hij dood geweest.'

Deni rukte het glas uit Craigs hand en liep er mee naar de

wasbak. 'Weet je, ik wil er echt niet verder over praten.'

Hij stond op en volgde haar om het aanrecht heen. Zijn peinzende blik schokte haar. Hij fantaseerde er waarschijnlijk over dat Mark gelyncht zou worden.

Hij leunde tegen het aanrecht aan en sloeg zijn armen over elkaar. 'Toen ik voor senator Crawford werkte, werkten we aan een wetsontwerp over posttraumatische depressie voor veteranen die in Irak gevochten hebben. Ik weet wel het een en ander over die stoornis. Als ik misschien kan helpen...'

Deni slaakte een diepe zucht en keek naar haar moeder. Ze veegde het aanrecht af en besteedde nauwelijks aandacht aan hem.

'Bedankt, Craig,' zei Kay. 'Ik denk dat we beter een echte therapeut voor haar kunnen zoeken.'

Het was tactloos, maar het zette hem op zijn plaats en Deni kon het haar moeder niet kwalijk nemen. Maar toen ze zag dat Craig een kleur kreeg, had ze toch een beetje medelijden met hem.

Negentien

Mark was niet van plan om zijn plaatsje naast Deni op te geven toen ze die morgen bij elkaar kwamen voor de kerkdienst. Maar ook Craig was dat niet van plan. Dus ze stonden beiden vlak bij haar, wachtend tot ze zou gaan zitten zodat ze de stoel naast haar konden pakken.

Mark moest bekennen dat wat hij deed kinderachtig was, iets voor een verliefde schooljongen, maar wat kon hij anders doen? Hij wilde de mensen onder geen beding de indruk geven dat Deni weer terug was bij Craig. Buren die gehoord hadden over zijn werk bij het herstelteam behandelden hem al als een beroemdheid.

Chris Horton, Deni's beste vriendin, kwam door de mensen heen naar hen toe lopen en begroette Craig alsof hij een vriend was die ze lange tijd niet gezien had. Chris praatte even met Deni en ving toen Marks blik op. Ze trok spottend een pruilmondje en liet Craigs fanclub in de steek.

'Vertel op, wat is er eigenlijk aan de hand?' fluisterde ze toen ze bij Mark stond. 'Wat doet Craig hier?'

Mark wilde zijn ogen laten rollen maar besefte op tijd dat anderen naar hem keken, ongetwijfeld over zijn rivaal fluisterden en nu wachtten tot hij zijn ware gevoelens zou tonen. Hij glimlachte daarom overdreven naar Chris terwijl hij tussen zijn tanden door fluisterde: 'Hij is gisteren op zijn witte ros aan komen rijden om zijn belaagde jonkvrouw te komen bevrijden.'

'Ik hoorde dat het een Malibu was.'

'Ros, Malibu, wat maakt dat nu uit.'

Chris keek hem geamuseerd aan. 'En dat vind je natuurlijk fantastisch.'

Hij hield zijn hoofd een beetje schuin. 'Ik zou niet gelukkiger kunnen zijn.'

'Maak je geen zorgen, Mark. Je weet dat ze van jou houdt.' Chris wierp een blik op Craig. Hij had genoeg handen geschud om een verkiezing te winnen. 'Hij is eigenlijk best grappig, vind je niet?'

Marks glimlach verdween. 'Verrader.'

Ze wierp hem een spottende grijns toe. 'Als je het goed vindt ga ik naast hem zitten. Er komt hier niet iedere dag een beschikbare man langs.'

'Grijp je kans.'

Terwijl Chris weer terugslenterde naar Craig knarste Mark zijn kiezen. Wat zagen vrouwen toch in die verwaande kwast? Zijn charme was even ingestudeerd als die van een presidentskandidaat.

Hij onderdrukte zijn verachting. Het zou vandaag niet meevallen om bij de dienst betrokken te zijn. Toen de gitaarmuziek vooraan duidelijk maakte dat ze hun plaatsen moesten innemen, keek hij naar de tuinstoelen.

Beth zat aan het eind van een rij, haar haren zo kort geknipt als van een jongen. Hij herkende haar nauwelijks. Haar ogen gingen schuil achter een veel te grote zonnebril. Ze zat voorovergebogen met haar armen om haar heen geslagen.

Hij liep langs de rij heen en ging naast haar zitten. 'Leuk kapsel, Sparkey.'

'Dat meen je niet.' Gewoonlijk glimlachte ze als hij haar bijnaam noemde die hij haar gegeven had na haar eerste sprankelende optreden op het toneel. Maar vandaag bleef ze strak voor zich uit kijken.

'Echt wel. Je ziet er prima uit.'

'Dat zal dan wel.' Ze geloofde hem kennelijk niet en keek over zijn schouder heen naar de straat.

Hij legde zijn arm om de leuning van haar stoel. 'Wat heb je eigenlijk?'

'Niets.'

'Gaat het om Craig?'

Ze liet haar ogen rollen. 'Nee, dat is jouw probleem.'

Hij kon niet nalaten te grinniken. 'Daar zeg je zo wat.' Ze reageerde niet. Haar ogen zochten de straat af. 'Verwacht je misschien iemand?'

'Nee,' zei ze, met een ruk van haar hoofd weer voor zich kijkend.

'Jimmy misschien?'

'Nee. Waarom vragen mensen dat toch altijd?'

Er zat haar duidelijk iets dwars. Hij boog zich naar haar toe en zei nu ernstig: 'Hé, als je praten wilt, dan weet je mij te vinden, hè? Als je problemen hebt, kun je altijd naar mij toe komen.'

Beth keek met neerslachtige ogen naar hem op. Ze wilde iets gaan zeggen maar op dat moment stond Jeff vooraan op en zette met zijn gitaar een loflied in. De lege, teruggetrokken blik kwam weer in haar ogen.

'Dat weet je toch, hè?' vroeg hij nogmaals.

'Ja, dat weet ik,' zei ze zachtjes. Ze slikte.

Hij begon mee te zingen, maar Beth hield haar mond.

Deni sloop langs de rij heen en ging naast hem zitten. Craig liet zich aan haar andere kant op een stoel zakken en Chris volgde hem.

Deni liet haar hand in de zijne glijden waarmee ze zijn aandacht trok. Opgelucht en trots ontspande hij zich. Ze was nog steeds zijn meisje.

De afgelopen weken had Doug gepreekt uit de eerste brief van Johannes. Maar Mark was te veel afgeleid om er helemaal bij betrokken te worden.

Wij weten, dat wij overgegaan zijn uit de dood in het leven, omdat wij de broeders liefhebben. Wie niet liefheeft, blijft in de dood. Een ieder, die zijn broeder haat, is een mensenmoordenaar en gij weet, dat geen mensenmoordenaar eeuwig leven blijvend in zich heeft. Hieraan hebben wij de liefde leren kennen, dat Hij zijn leven voor ons heeft ingezet; ook wij behoren dan voor de broeders ons leven in te zetten.

Mark vroeg zich af of Craig er ook maar een woord van begreep. Kon de pompeuze narcist zulke ideeën bevatten? De man die een jaar geleden geweigerd had om de armoedige flatbewoners te helpen, liep volgens Mark niet bepaald over van liefde. Zeker, Christus kon Craig veranderd hebben, als hij werkelijk zijn leven aan Hem gegeven had. Maar Mark twijfelde sterk aan Craigs oprechtheid. Hij deed net alsof hij geloofde om Deni terug te winnen. Zijn wens om gedoopt te worden was alleen maar toneelspel.

Mark bad dat het niet zou werken.

Mark zat tijdens de hele preek te tobben en te discussiëren met het stemmetje in zijn hart dat zei dat hij Craig in Gods familie moest verwelkomen. Toen de gemeente aan het eind van de dienst aan de oever van het meer ging staan om naar Craigs doop te kijken, stond Mark helemaal aan de rand. Doug waadde het water in en Craig, alle arrogantie van zijn gezicht verdwenen, volgde hem. Deni stond naast Mark, haar arm door de zijne. 'Wees aardig,' fluisterde ze.

Hij voelde zich woedend worden. *Wees aardig.*

Hij vroeg zich af of Doug niet de aanvechting had om hem te verdrinken. Als hij in Dougs plaats zou staan, zou hij die zeker hebben.

Hij voelde zich meteen schuldig, maar duwde het gevoel weg.

Hij luisterde naar Dougs gebed voor Craig en zag hem ondergedompeld worden.

'Gedoopt in Christus' dood...'

En nat bovenkomen...

'Opgewekt tot een nieuw leven.'

Hij zag Craig het water uit zijn ogen wrijven, zag het trillen van zijn lippen, de oprechte blik van onderwerping...

Doug omhelsde hem en toen Craig uit het water ploeterde,

voelde Mark een grote schaamte. Stel dat Craig geen toneel-speelde. Stel dat hij na het verbreken van zijn verloving met Deni werkelijk tot Christus gekomen was.

Was Mark Craig aan het oordelen of probeerde hij alleen maar te onderscheiden? Craig kon weinig doen om hem te overtuigen dat het echt was... ook al was dat zo.

Druipend van het water nam Craig de handdoek aan die Kay voor hem had meegebracht. Nadat hij zijn gezicht had afgedroogd en de handdoek om zijn schouders had geslagen, liep hij de menigte in om zich te laten feliciteren.

Mark slikte de bitterheid in zijn keel weg. Hij kon in ieder geval doen alsof hij blij was met de bekering. Hij zette zich schrap toen Craig tussen de mensen door naar hen toe kwam. Toen zijn rivaal vlakbij was, strekte Mark zijn hand uit.

'Welkom in de familie,' dwong hij zichzelf te zeggen.

Craig veegde het water uit zijn ogen. 'Familie?'

Deni glimlachte. 'Hij bedoelt dat jullie nu broers zijn. Broeders in Christus.'

Craig nam hem op alsof hij niet wist dat ze Jacobus en Johannes waren.

Of Kaïn en Abel.

En Mark was er ook niet zo zeker van.

Twintig

De moordenaar was tijdens de kerkdienst niet komen opdagen. Tijdens de doop slenterde Beth naar het mededelingenbord aan de rand van het meer en las alle berichten die daarop waren aangeplakt of vastgeniet. Er moest een bericht over een vermist persoon zijn. Als de man die haar leven gered had, dakloos was geweest – en zo had hij eruitgezien – zou hij misschien niet vermist worden, ook al was hij dan een held. Maar zou de familie van die andere man zich geen zorgen over hem maken? Er moest toch *iemand* zijn die naar hem zocht.

Ze streek haar haar achterover en voelde dat het in de hitte al weer begon te krullen. Het enige wat die man hoefde te doen, was hier naartoe komen en iemand vragen naar een blond meisje dat Beth heette. Iedereen kende haar omdat ze in de wijk toneelstukjes had opgevoerd. Ze was voor al haar buren een beroemdheid geworden. Kort of lang haar, iedereen zou de man haar voordeur kunnen aanwijzen.

Ze keek van het ene gezicht naar het andere. Er waren hier niet meer dan vijfendertig mensen – ze zou de moordenaar ongetwijfeld herkennen als ze hem weer zag. Ja toch?

Tenzij hij een vermomming droeg.

Nee, ze kende iedereen hier. Geen vermommingen.

Misschien zou hij wel helemaal niets doen. Misschien had hij haar alleen maar bang willen maken zodat ze haar mond zou houden.

Ze keek naar haar vader die druipend op de oever stond. Ze zou het hem vertellen. Door haar beschrijving zou hij de moordenaar kunnen vinden en hem opsluiten. Dan zou het allemaal voorbij zijn.

Maar als hij hem niet zou kunnen vinden en als de man zou weten dat ze gepraat had...

Wat deed het ertoe. Hij zou haar hoe dan ook vermoorden.

Haar vriendin Cher kwam naar haar toe en raakte haar haar aan. 'Beth,' fluisterde ze. 'Ik herkende je niet. Heb je je haar geknipt voor het toneelstukje?'

Ze dacht eraan om ja te zeggen, dat ze zichzelf een jongensrol had toegedeeld. Maar dat ging niet. Er waren voldoende jongens die een rol wilden.

De moed zonk haar in de schoenen toen ze bedacht dat ze door het volgende toneelstuk de aandacht op zichzelf zou vestigen. De moordenaar zou haar ongetwijfeld ontdekken. Het toneelstuk was voor iedereen toegankelijk.

Ze raakte haar haar aan. 'Nee, ik vond het gewoon te warm. En ik ben ten aanzien van dat toneelstuk voor deze zomer van gedachten veranderd.'

'Maar Beth, je hebt het al geschreven.'

'Ja, maar ik heb het te druk om mee te doen,' fluisterde ze. 'Ik heb geen tijd.'

Cher keek haar verslagen aan. 'De kleine kinderen zullen erg teleurgesteld zijn. Ze kijken er allemaal naar uit.'

'Het spijt me, maar ze vinden wel iets anders om te doen.'

Cher keek haar verbaasd aan. 'Wat heb je, Beth? Ik heb je de hele week niet gezien. Je doet zo anders.'

'Ik zei je toch dat ik het druk had. Ik moet al die kranten rondbrengen en zo.'

'Je hoeft ze toch niet huis aan huis te verspreiden? Je hoeft alleen de rekken maar te vullen.'

Beth was er niet voor in de stemming. Ze wilde naar huis en zich op haar kamer verstoppen. 'Luister eens, als jij het toneelstuk wilt doen, ga gerust je gang.'

Cher zag eruit alsof Beth zojuist gezegd had dat ze geen vriendinnen meer waren. 'Ben je kwaad op mij?'

'Nee. Ik wil het gewoon niet doen. Dat is alles.'

Cher zuchtte. 'Nou goed dan… dan zal ik het wel doen. Ik ben wel niet zo goed als jij, maar de kinderen zullen dan niet teleurgesteld worden.'

'Goed,' zei Beth die haar best deed om niet te huilen. 'Ik zal Logan vragen het stuk naar je toe te brengen.'

'Je kunt het toch zelf wel komen brengen?' vroeg Cher.

Beth keek naar haar beste vriendin en ze wist dat ze haar kwetste. Ze vroeg zich af of ze Cher kon vertrouwen om een geheim te bewaren als ze het haar zou vertellen. Als Cher haar zoiets zou vertellen, zou Beth het zeker aan haar ouders vertellen.

Ze had zich nog nooit zo alleen gevoeld.

'Ik moet gaan,' zei ze. 'De doop is voorbij.'

Cher ging terug naar haar familie en Beth liep naar Craig toe om hem beleefd te feliciteren. Terwijl ze stond te wachten tot iedereen hem omhelsd had, gingen haar gedachten terug naar het mededelingenbord.

Ze zou ook de andere aanplakborden in Crockett moeten controleren om te zien of iemand ergens een bericht over een vermist persoon had aangeplakt. Als ze erachter zou kunnen komen wie de vermoorde man was, dan zou ze in ieder geval zijn familie op de een of andere manier op de hoogte kunnen brengen.

Zij dienden het te weten. Ze wilde wel dat ze ook iets voor de man kon doen die haar leven gered had. Hij zou ook ergens familie kunnen hebben die hem miste en die zouden willen dat hij naar huis zou komen. Misschien hadden ze wel jarenlang voor hem gebeden terwijl hij op straat zwierf.

Als ze maar zouden weten dat hij zijn leven gegeven had om haar te redden. Maar ze wist niet hoe hij heette; ze wist helemaal niets van hem. Ze wist niet eens zeker of hij dood was.

'Beth? Beth?'

Beth keerde weer terug tot de werkelijkheid en zag dat haar moeder haar bezorgd aankeek. 'Is alles goed met je?'

'Ja, hoor,' zei ze. 'Ik stond gewoon even na te denken.'

Haar moeder legde haar arm om haar heen en kuste haar op

haar hoofd. 'Laten we naar huis gaan. Goed?'

Beth voelde zich bijna veilig toen ze de straat overstaken en op weg gingen naar huis.

Eenentwintig

De kranten moesten afgeleverd worden en Beth wist dat zij het moest doen. Aangezien de moordenaar nog niet was komen opdagen, wist hij misschien niet waar ze woonde. Misschien had hij haar alleen maar bedreigd om ervoor te zorgen dat ze haar mond hield.

Of misschien leefde ze nog omdat ze tot nu toe haar mond gehouden had. Misschien hield hij haar nu wel in de gaten en wachtte hij op een teken dat ze hem aan haar ouders verraden had – vastbesloten om ook hen te doden als dat moest.

Zou hij haar zien als ze haar kranten rondbracht? Toen de *Crockett Times* van een weekblad een dagblad was geworden, had de familie Branning kans gezien wat extra geld te verdienen. Haar broers deden het zwaardere werk om de kranten huis aan huis te verspreiden en ze hadden allebei een lange route. Er waren heel wat volwassenen die ook krantenbezorger hadden willen worden, maar Harriet, Deni's baas, had haar familie voorgetrokken omdat ze zo veel werk voor haar deed.

Beth had het op zich genomen om iedere dag alle krantenautomaten in Crockett te vullen. Vrijdag waren er een aantal niet gevuld en gisteren hadden Jeff en Logan het voor haar gedaan. Vandaag zouden ze het niet doen.

Ze hoopte dat haar kapsel voldoende vermomming bood, zodat de moordenaar haar niet zou herkennen. Ze zette een honkbalpetje van haar broers op, zette een zonnebril op haar neus en kleedde zich aan zoals een jongen zou doen. Ze herkende zichzelf nauwelijks.

Ze troostte zich met de gedachte dat ze van de gelegenheid

gebruik kon maken om alle aanplakborden te controleren als ze in de andere wijken van de stad kwam. Misschien zou ze een bericht vinden over een vermist persoon, waardoor ze erachter zou komen wie de vermoorde man was.

Ze ging naar buiten om haar fiets te pakken. Zou de moordenaar zich herinneren dat hij zilverkleurig was. Dat was een veel voorkomende kleur, dus daar zou ze waarschijnlijk geen aandacht mee trekken. Het karretje achter haar fiets om de kranten in te vervoeren zou ongetwijfeld herkenbaar zijn, maar er waren heel wat krantenbezorgers in Crockett en ze hadden allemaal zo'n karretje. Alle gezinnen hadden er eigenlijk wel een.

Toch voelde ze zich een beetje misselijk worden toen ze naar de garage achter het krantenkantoor fietste, waar ze haar kranten altijd ophaalde. Gewoonlijk bracht ze haar kranten na de lunch rond in twee uur. Dat was de beste tijd aangezien ze 's morgens naar school ging. Nu het zomer was en er geen school was, deed ze 's morgens allerlei karweitjes in het gezin en bracht ze 's middags de kranten rond. Al het geld dat ze ermee verdiende ging in de huishoudportemonnee.

Ze bereikte het magazijn en fietste naar binnen. Delbert, de oude man die het toezicht had, knoopte een touwtje om een stapel kranten.

'Hallo Delbert,' zei ze terwijl ze van haar fiets sprong.

De man keek naar haar alsof hij haar niet herkende. 'Dag, jongedame. Kan ik je helpen?'

Ze trok de bril van haar neus en keek hem aan. 'Ik ben het, Beth.'

Hij snakte naar adem en proestte het toen uit. 'Beth? Ik herkende je niet, kind. Je ziet... je ziet er zo anders uit.'

Dat was goed, dacht ze. Ze zag Delbert iedere dag. Als hij haar niet herkende, zou de moordenaar dat zeker niet doen.

'Ben je op de vlucht voor de politie of zoiets? Je lijkt wel iemand anders.'

Ze zette de bril weer op. 'Een meisje kan toch gewoon zin hebben om haar kapsel te veranderen?'

'Natuurlijk,' zei hij, nog steeds grinnikend. 'Maar dat is geen kapsel. Dat is een indianenkuif.'

Ze zette haar pet af om hem te laten zien dat het niet zo erg was.

'Je bent nog steeds een aardig grietje,' zei hij op vaderlijke toon. 'Maar ik werd gewoon verrast. Dat is alles.'

Tevreden dat haar vermomming zo goed werkte, laadde ze de kranten in haar karretje en ging op weg om de automaten te gaan vullen. Ze fietste van de ene krantenautomaat naar de andere en stopte even bij de aanplakborden die daar meestal in de buurt stonden. Tussen alle berichten die daar schots en scheef waren aangeplakt zocht ze naar berichten over vermiste personen.

Toen ze bij het derde aanplakbord kwam – het bord in Magnolia Park – zag ze het. Een met de hand geschreven bericht met een fotootje eraan geniet en het woord *Vermist* bovenaan het papier. Het was de eerste man die ze tijdens het onweer had zien neerschieten – de man die op zijn knieën gelegen had. Haar hart bonsde toen ze zijn naam las – Blake Tomlin. Hij was achtentwintig en had in de wijk Magnolia gewoond – de wijk die aan het park grensde.

Ze haalde een pen uit haar zak en schreef het adres in haar hand. In het bericht stond dat hij achtentwintig was, dat hij getrouwd was en dat hij een zoontje van twee had. Ze voelde haar hart omdraaien. Had zijn vrouw gedacht dat hij ervandoor was gegaan, net zoals de man van Amber Rowe, overweldigd door de verantwoordelijkheid en opgetogen over het geld dat hij net van de bank had gehaald? Ze moest de ogen uit haar hoofd gehuild hebben en dat arme jochie zou zich waarschijnlijk afgevraagd hebben waar zijn vader gebleven was.

En zijn ouders – wat dachten die? Waren ze boos op hem omdat hij zijn gezin in de steek gelaten had? Of wisten ze nog niet dat hij vermist werd? Stel dat ze heel ver weg woonden, net als haar grootouders, en dat ze hoopten hem weer te zien als ze weer een auto hadden.

Ze ging terug naar haar fiets, keek de straat af en probeerde na te gaan waar het huis van de vermiste man stond. Ze zag het een eindje verderop, vanuit het park gemakkelijk zichtbaar.

In plaats van terug te keren naar de weg langs het park, waar karretjes, fietsen en door paarden getrokken wagens reden, fietste ze naar het huis van Blake Tomlin toe. Ze ging langzamer rijden toen ze erlangs fietste.

Het was een mooi huis in een rustige buurt. De garagedeur was gesloten en in de tuin was niemand te zien. Tranen brandden in Beth's ogen. Ze zou nu meteen naar de deur moeten gaan en de vrouw van Blake Tomlin moeten vertellen dat haar man een paar dagen geleden was doodgeschoten op de parkeerplaats van Cracker Barrel.

Ze dacht hoe tragisch dat voor zijn vrouw zou zijn. Maar het kon net zo tragisch voor Beth's eigen familie zijn. Ze moest haar mond houden om te voorkomen dat er nog meer mensen gedood zouden worden. En bovendien zou niemand haar geloven als de lichamen niet waren gevonden. Het enige wat ze van de moordenaar wist, was dat hij een sik had. Hij had zijn capuchon opgehad, zodat ze niet eens de kleur van zijn haar wist.

Als ze ook maar iets zou vertellen, zou er een heel leger politiemensen op haar afkomen en zouden ze het hele verhaal willen horen. En Blake Tomlin en die zwerver zouden er niet door terugkomen.

Ze ging terug naar het park, zette haar fiets op de standaard en ging op de schommel zitten. Ze kon het huis van Tomlin vanaf de schommel duidelijk zien.

Om haar heen speelden een paar kinderen, op de schommels en de glijbaan, terwijl hun ouders op de banken hen in het oog hielden. Minuten gingen voorbij. Ze moest weer terug naar het pakhuis om haar laatste vrachtje kranten op te gaan halen. Maar het leek wel of ze er niet toe kon komen weg te gaan.

Na ongeveer een kwartier zag ze de garagedeur van Tomlins huis opengaan. Ze hield op met schommelen en hield haar adem in toen een jonge vrouw, een paar jaar ouder dan Deni, naar buiten kwam met een bezem en begon te vegen. Beth kreeg een brok in haar keel en ze slikte. Toen ze aan het eind van het garagepad gekomen was, bleef de vrouw staan en keek ze naar de kruising.

Ze keek of ze haar man aan zag komen, dacht Beth. Net als Amber Rowe vroeg ze zich af hoe haar huwelijk zo verschrikkelijk mis had kunnen lopen.

Maar de man van mevrouw Tomlin had haar niet in de steek gelaten zoals Ambers man had gedaan. De arme vrouw had er geen idee van dat haar man dood was.

Een jongetje van een jaar of twee waggelde over het pad naar zijn moeder toe. Beth's hand ging naar haar borst alsof ze het bonzen van haar hart daardoor zou kunnen bedaren. Het jongetje zou nooit weten wat er met zijn vader was gebeurd. Hij zou opgroeien met de gedachte dat zijn vader niet van hem hield, dat hij gewoon weggelopen was.

Beth begon te huilen en daarmee zou ze aandacht trekken. Ze pakte daarom haar fiets en reed weg. Ze wreef in haar ogen en keek om zich heen om na te gaan of ze niet gevolgd werd. Ze moest terug naar het magazijn om haar volgende vrachtje kranten op te gaan halen. Ze moest nog een paar automaten vullen en dan kon ze naar huis.

Toen ze terugfietste, kwam ze op een paar straten afstand langs de Cracker Barrel waar het allemaal begonnen was. Nieuwsgierigheid en afschuw trokken haar terug naar de plaats. Ze reed er langs zonder te stoppen, maar reed langzaam genoeg om de plaats te kunnen zien waar de tweede man – de man die haar leven had gered – gevallen was. Vanaf de straat zag ze geen enkel teken dat hij daar ooit gelegen had. Ze reed de hoek om en gluurde achter de Cracker Barrel. Er was ook geen enkel teken van de moord op Blake Tomlin te zien.

Heel even kreeg ze weer hoop en stelde ze zich voor dat ze uiteindelijk geen van beiden dood waren. Dat ze alle twee kogelvrije vesten gedragen hadden. Dat ze, nadat ze was weggefietst, weer waren opgestaan en naar huis waren gegaan.

Maar als dat was gebeurd, waarom was er dan een bericht van vermissing van Blake Tomlin aangeplakt? Misschien was hij weer bijgekomen, verward en gedesoriënteerd. Geheugenverlies. Ja, misschien leed hij aan geheugenverlies, liep hij nu ergens rond en probeerde hij zich zijn naam te herinneren.

Maar ze rilde toen ze terugdacht aan het pistool dat recht op zijn hoofd vuurde, de man die voorover gezakt was, het bloed dat zich met de modder vermengde. Mensen konden zoiets niet overleven. Ook als hij op de een of andere manier kans had gezien om weg te kruipen, zou iemand hem gezien hebben en een ambulance geroepen hebben. Deni zou ongetwijfeld een verhaal over hem hebben geschreven en haar vader zou geweten hebben als het aan de sheriff was gemeld.

Beth maakte haar route af en overwoog allerlei mogelijkheden, maar de waarschijnlijkste was deze: de moordenaar was teruggekomen om de lichamen op te halen en alleen hij wist waar ze waren.

Tweeëntwintig

Kay was in de keuken bezig toen Beth thuiskwam en door de kamer heen schoot met Jeffs honkbalpetje diep over haar ogen getrokken.

'Beth, waar was je? Ik dacht dat je op je kamer zat.'

'Ik heb mijn kranten rondgebracht,' zei ze.

Kay glimlachte. Dat was toch een goed teken dat Beth vandaag niet op haar kamer zat te kniezen? Beth trok de pet van haar hoofd en Kay zag dat het zweet uit haar kortgeknipte haar drupte. Ze droeg anders nooit een pet van haar broers. Waarom deed ze dat?'

Ze mocht dan wel weer het huis uitgaan, maar ze gedroeg zich nog lang niet normaal.

'Liefje, ik wil met je praten,' zei Kay.

Beth wilde de keuken al weer uit lopen. Ze draaide zich om. 'Waarover?'

'Ga zitten.'

Beth keek een beetje bang alsof ze ergens op betrapt was.

Kay fronste haar voorhoofd toen Beth naar de tafel liep en er een stoel onderuit trok. 'Kind, is er iets wat je me wilt vertellen?'

Beth ging langzaam zitten. 'Wat dan?'

'Een of ander geheim dat je tot nu toe voor je gehouden hebt.'

Beth's blik ging naar buiten, waar haar vader en broers in de tuin aan het werk waren. 'Nee, ik denk het niet.'

Teleurgesteld ging Kay tegenover haar zitten. 'Beth, je gedraagt je de laatste tijd niet normaal en ik maak me zorgen over je.'

'Je hoeft je nergens zorgen over te maken, hoor. Alles is onder controle.'

'Alles is onder controle? Waar heb je het over?'

'Nou, ik bedoel gewoon dat je je geen zorgen hoeft te maken.'

Dat klonk niet erg logisch. 'Kind, ik wil dat je iets voor me doet. Ik weet dat je het de laatste tijd erg druk hebt gehad met het schrijven van je toneelstuk en dat je dit weekend met de rolverdeling begint. Ik wil geen beslag op je vrije tijd leggen want ik weet dat je daar al je tijd voor nodig hebt. Maar ik heb met een hulpverlener gepraat over jou en over wat je de laatste tijd allemaal hebt meegemaakt.'

'Allemaal hebt meegemaakt?' Beth keek haar strak aan.

'Ja, die traumatische ervaringen. De dingen waarvan je getuige was.'

'Heb je haar dat verteld?' Beth sprong op. 'Ik heb *niets* gezien. Je had haar niet mogen vertellen dat ik dat wel heb gezien.'

De uitbarsting verraste Kay. Het was alsof ze het over twee verschillende dingen hadden. 'Beth, rustig!'

Beth barstte in tranen uit. 'Mam, ik wil niet dat je allerlei dingen over mij gaat rondstrooien!'

'Ik ga niet zomaar wat dingen over jou rondstrooien, Beth. Ik heb met een hulpverlener gepraat om met je om de tafel te gaan zitten en *jou* te laten praten. Het was vertrouwelijk.'

'Wat bedoel je daarmee?'

Kay zuchtte. 'Het betekent dat ze er met niemand over zal praten. Ze heeft een beroepsgeheim. Ze moet alles wat ze te horen krijgt voor zich houden.'

Beth ontspande zich een beetje. Ze keek in haar hand naar iets wat ze erin geschreven had.

Kay nam haar hand en las het.

'Wat is dat voor adres?'

Beth trok haar hand terug. 'Iemand die een abonnement op de krant wil.' Ze veranderde van onderwerp.

'Wat die hulpverlener betreft, ik wil wel met haar praten, maar ik weet niet wat u wilt dat ik zal zeggen.'

'Ze wil gewoon zien of ze je kan helpen. Je bent de laatste tijd nogal depressief, liefje.'

'Ik wil niet dat mensen achter mijn rug om over mij praten.'

'Dat doen we niet. Maar er is het afgelopen jaar veel gebeurd. Het gaat nu wat beter. We zien licht aan het eind van de tunnel. Iedereen is erg opgewonden, maar jij blijft maar depressief.'

Ze kreeg tranen in haar ogen. 'Ik wil alleen maar… Ik wil niet dat iemand van ons kwaad wordt gedaan.'

'Je doet ons geen kwaad, liefje. We lijden met je mee. We willen graag dat je hieroverheen komt.' Ze raakte Beth's bezwete gezicht aan en liet haar naar haar opkijken. 'Wil je met haar praten? Ze heet mevrouw Latham en ze woont een paar straten verderop.'

'De moeder van Benny Latham?'

'Ja, dat denk ik.'

'Hij heeft in een van mijn toneelstukjes meegespeeld,' zei Beth. 'Ik ken haar wel. Ze is aardig. Ze heeft meegeholpen met het maken van de rekwisieten toen we dat stukje met Kerst opvoerden.'

'O ja?' Misschien zou dit allemaal beter uitpakken dan Kay dacht, als Beth haar al kende en een zeker vertrouwen in de vrouw had die haar zou helpen. 'Er is nu geen school meer. Wanneer ga je het stuk repeteren? We kunnen de uitnodigingen gaan versturen.'

Beth legde haar hand onder haar kin. 'Ik heb besloten het toneelstuk niet te doen.'

'Wat zeg je? Waarom niet? Je hebt het script al geschreven.'

'Ik heb zo veel te doen met al die kranten en zo. Ik heb het script aan Cher gegeven. Logan heeft het haar gisteravond gebracht. Ze zal het zonder mij moeten doen.' Ze stond op. 'Mag ik nu naar mijn kamer?'

Kay probeerde haar teleurstelling te verbergen. 'Ja. Goed.'

Kay keek Beth na toen ze uit de keuken vertrok. Wat was er aan de hand? Beth was gek op toneel. Ze vond het prachtig om scripts te schrijven, het stuk te leiden en de rolfiguren te vinden. Het gaf de kinderen wat afleiding van al het zware werk dat ze iedere dag moesten doen. Het was een uitlaatklep voor hen en het was een bron van vermaak voor de hele omgeving.

Beth hield van de loftuigingen die ze kreeg voor al het werk dat ze ervoor deed. Iedereen was erg trots op haar geweest toen ze ermee begonnen was. Dus wat was er gebeurd? Het moest met de posttraumatische depressie te maken hebben. De gevolgen van het trauma, waar ze allemaal mee te maken hadden gekregen, zogen het leven uit haar weg. Haar kind had hulp nodig, en gauw. Misschien zou ze vanavond even naar Anne Latham toe kunnen gaan om een sessie voor morgen af te spreken.

Drieëntwintig

Vroeg of laat zou hij haar vinden. Het kind dat Beth heette en had gezien dat hij Tomlin had vermoord zou op zeker moment haar gezicht laten zien en dan zou hij haar uit de weg ruimen. Sinds vrijdag had hij naar haar gezocht en had hij alle wijken in het oosten van Crockett af gefietst – de richting die ze was ingeslagen toen ze voor hem vluchtte. Af en toe had hij kinderen gevraagd of ze een meisje kenden dat Beth heette, lang, blond haar, zo'n jaar of twaalf. De meesten hadden niet met hem willen praten. Er was tegenwoordig veel misdaad en ze waren op hun hoede.

Maar een paar kinderen, die hem wel aardig vonden, hadden hem antwoord gegeven.

In de wijk Broadmoor kende niemand ene Beth en in Bradford Terrace was er een maar die was zes. In Pecam Grove waren twee meisjes met de naam Beth – maar hij had hen beiden gezien. De een had rood haar en was een jaar of zestien en de andere was vier.

Er waren nog een aantal wijken die langs de lange landweg kilometers ver van elkaar lagen. Hij reed Oak Hollow binnen en probeerde de indruk te wekken dat hij hier thuishoorde. Mensen waren in hun tuin aan het werk, waren aan het wieden of groenten aan het planten. Het was duidelijk een welgestelde buurt. Hij nam aan dat ze allemaal geld op de bank hadden dat ze hadden kunnen opnemen. En ze hadden er niemand voor hoeven te vermoorden.

Hij fietste in de wijk rond, keek naar de hoofden van de kinderen en zocht naar zijn Beth. Hij kwam bij een put waar een aantal buurtbewoners met elkaar stonden te praten. Hij stopte bij de stoep, zette een voet op de grond en zei: 'Hallo allemaal. Misschien kunnen jullie me helpen. Ik zag gisteren een kind bij een groentestalletje dat haar kettinkje liet vallen. Het kettinkje moet gebroken zijn. Ik probeerde haar erop attent te maken toen ik het zag, maar ze was al verdwenen. Het lijkt mij een duur kettinkje en daarom wil ik het aan haar teruggeven. Op de rugzijde van haar trui stond de naam "Beth".'

Een van de vrouwen kwam naar hem toe en bekeek het kettinkje. 'Aardig van u om het terug te willen geven. De meeste mensen zouden dat niet doen.'

Hij glimlachte. 'Ach weet u, het is waarschijnlijk een cadeautje van iemand geweest.'

'We hebben hier minstens vier meisjes die Beth heten,' zei een van de jongens.

Zijn vader kneep hem in zijn schouder waardoor hij zijn mond hield. 'Geef het kettinkje maar aan ons, dan zoeken wij wel uit van wie het is.'

Hij lachte kort. 'Hoe weet ik dat u het terug zult geven?'

'Je zult ons moeten vertrouwen, makker.'

Hij liet het kettinkje weer in zijn zak glijden. 'Nee, dank je wel. Ik weet niet eens zeker of ze in deze wijk woont. Vertel mij maar waar die meisjes wonen, dan zoek ik dat zelf wel uit.'

De jongen genoot er kennelijk van dat hij zo goed op de hoogte was. 'Er woont hier een Beth Crebbs, een Beth Owens, een Beth Branning…'

Zijn vader kneep opnieuw in zijn schouder waardoor hij zijn mond hield. Hij had het kunnen weten. Hij kon maar beter niet met een groepje praten als er volwassenen bij waren.

'Kom op, mensen. Dat meisje wil vast graag haar kettinkje terug hebben. Jullie kennen haar waarschijnlijk. Een aardig kind. Blauwe ogen, lang blond haar. Een jaar of elf, twaalf, misschien iets ouder. Wijs mij haar huis maar aan. Ik geef het wel aan haar ouders.'

De vrouw schudde haar hoofd. 'Ik wil liever geen namen noemen. Geef ons het kettinkje of houd het.'

Hij gaf het op en besloot nog eens terug te komen als hij alleen met de kinderen kon praten.

Hij fietste de wijk uit met het voornemen om morgen weer terug te komen. Een ding was wel duidelijk. Ze had nog niets over hem tegen de politie gezegd, want dan had er wel iets over in de kranten gestaan of was het op de mededelingenborden aangeplakt geweest. En Blake Tomlin werd nog steeds als vermist opgegeven.

Beth Crebbs, Beth Owens en Beth Branning. In gedachten herhaalde hij hun namen een paar keer. Als hij thuis was, zou hij in het telefoonboek kijken om achter hun adressen te komen. Dan zou hij haar ongetwijfeld kunnen vinden.

Vierentwintig

De stapel dossiers op Marks bureau op het kantoor van de sheriff scheen te groeien, hoe hard hij ook werkte. Een groep gevangenen die in het cellenblok opgesloten zat, zou vandaag naar de districtsgevangenis overgebracht worden en hun papieren moesten bijgewerkt worden en in orde zijn. Deze werkzaamheden waren aan Mark en Doug toebedeeld en Mark was bang dat ze niet op tijd klaar zouden zijn.

'Ik heb mijn hele leven nog niet zo hard gewerkt,' mompelde Doug terwijl hij een van de dossiers sloot en op de afgewerkte stapel legde. 'In vergelijking hiermee was effecten verhandelen een peulenschilletje.'

'Ja, en het werd beter betaald.' In feite zou iedere betaling beter zijn dan het salaris dat ze mee naar huis brachten. Ze hadden zich als vrijwilligers voor de baan aangemeld zonder dat ze er enige betaling voor verwachtten. Maar nu ze een paar maanden dienst gedaan hadden, had de sheriff hen op de loonlijst gezet. Soms kon het district hun betalen – soms ook niet. Mark had geleerd niets te verwachten en als er dan wel werd betaald, was het als gevonden geld. Het ging hem er in de eerste plaats om dat de misdaad aan banden werd gelegd, hoewel het haveloze groepje niet-opgeleide hulpsheriffs niet al te veel kon doen.

Mark sloot een dossier af en opende een ander. 'En... heeft Craig al een huis gevonden waar hij kan gaan wonen?'

'Nee,' zei Doug. 'Hij doet er volgens mij ook weinig moeite voor.'

Mark keek naar hem op. 'Je weet waarom.'

'Ja, dat weet ik. Maar ik wil hem er niet uitgooien. Hij is een nieuwe christen – ik wil niet dat hij gaat denken dat hij niet op de gemeente van Christus kan rekenen als hij ons nodig heeft.'

Mark kon zich niet meer concentreren op het dossier dat voor hem lag. Hij keek Doug aan. 'Denk je dat hij het echt meent? Denk je dat hij echt christen geworden is?'

Doug keek hem strak aan. 'Ik heb met hem gepraat en ik denk dat hij het serieus meent. Maar uiteindelijk is dat iets tussen hem en God. Het is niet aan ons om daar een oordeel over uit te spreken. Het is onze taak om hem verder te leiden.'

'Prima, maar moet je dat doen terwijl hij in jouw huis is? Hij kan zich toch wel een huis permitteren om zelfstandig te gaan wonen?'

'Zeker, en ik denk dat hij binnenkort wel iets zal vinden. Ik probeer hem nog steeds over te halen om het huis van Eloise te huren.'

Mark wilde ook niet dat hij tegenover de familie Branning zou gaan wonen. Als Craig zo nodig in Crockett moest wonen, dan moest hij maar aan de andere kant van de stad een huis zien te vinden.

Hij maakte met de perforator wat gaatjes in een stapeltje papieren en legde de uitspraak van de rechter bovenop met daaronder het politierapport en de getuigenverklaringen. Weer een dossier af.

Hij dacht aan Craig en aan zijn doop. Doug had gelijk. Het paste hem niet om aan de oprechtheid van een andere christen te twijfelen. Als iemand bekeerd werd, werd hij niet meteen een volmaakte navolger van Christus. Heiliging kostte tijd en groei in het geloof.

Misschien moest hij wat meer geduld met de man hebben. Mark was voor de mannen die hem halfdood geslagen hadden vriendelijker geweest. Hij had hen in zijn hart vergeven, had zelfs hun cellen en vuile toiletten schoongemaakt, zodat ze tijdens hun gevangenschap niet als dieren hoefden leven. Maar zijn verbittering tegenover Craig zat diep en beheerste zijn gedachten.

Hij dacht terug aan de preek die Doug onlangs gehouden

had. *Wij weten, dat wij overgegaan zijn uit de dood in het leven, omdat wij de broeders liefhebben.* In zijn bitterheid had hij het alleen op Craig toegepast en niet op zichzelf. Maar ook hij werd opgeroepen om de broeders lief te hebben.

Hij hoefde voor Craig geen toiletten schoon te maken, maar zoals Doug gezegd had, Craig had wel leiding nodig.

Als hij eens vrede met hem sloot en hem aan zou bieden Bijbelstudie met hem te doen, zou Craig dat dan accepteren? Misschien zou hij te trots zijn om de uitdaging af te slaan.

Hij ving dan twee vliegen in een klap – hij zou erachter kunnen komen of Craig het serieus meende en hij zou natuurlijk gehoor geven aan de grote opdracht om discipelen te maken.

Toen zijn plan vastere vormen begon aan te nemen, verdween zijn bitterheid een beetje. Hij zou hem vanavond, meteen na zijn werk, aanbieden Bijbelstudie met hem te gaan doen. Dan zou hij erachter komen wie Craig Martin echt was.

Vijfentwintig

Beth had zich nog nooit zo ellendig gevoeld. Ze vond het maar raar dat de moeder van Benny Latham haar gedachten moest onderzoeken om na te gaan of er iets mis met haar was. Misschien zou ze van het hele gedoe af kunnen komen door toe te geven dat er inderdaad iets met haar mis was. Ze was blij dat de therapeute besloten had om haar moeder bij de eerste sessie aanwezig te laten zijn, zodat Beth er niet alleen voor stond.

Ze hadden haar betaald met een mandje eieren. Haar moeder vond het een eerlijke ruil om Beth ervoor te behoeden dat ze gek zou worden.

De stem van mevrouw Latham was honingzoet, zoals die van een kleuterschooljuf. Ze had kortgeknipt bruin haar en ze was nog niet oud genoeg om grijze strepen in haar haar te hebben. 'Ik wil met je praten, Beth, over de schokkende dingen waarmee je het afgelopen jaar te maken hebt gehad. Ik zou graag willen dat je me vertelt welke dingen de grootste indruk op je hebben gemaakt.'

Beth wist niet waar ze beginnen moest. 'Toen ik mijn onderwijzeres en haar man dood aantrof, denk ik. Deni's verdwijning. Dat de kleine Sarah ontvoerd werd. Dat papa werd neergeschoten.'

'Vind je het moeilijk als je die gebeurtenissen in gedachten opnieuw beleeft? Moet je er steeds weer opnieuw aan denken?'

'Soms. Maar ik probeer er niet aan te denken. Soms lukt me dat niet. En ik droom erover.'

'Wil je me iets over die dromen vertellen?'

Beth wilde dat eigenlijk niet. Ze was moe en zenuwachtig. Ze was er nog steeds niet helemaal zeker van of ze niet was gevolgd toen ze hierheen was gegaan. 'Moet dat?'

Mevrouw Latham en haar moeder keken elkaar even aan. 'Natuurlijk niet. Alleen maar als je het wilt.'

'Ik wil het niet.'

'Oké.' Ze zei het op een toon alsof ze het niet erg vond. 'Beth, soms kunnen traumatische gebeurtenissen blijvende gevolgen in ons lichaam veroorzaken. Heb je lichamelijke klachten? Maagpijn, duizeligheid, slapeloosheid?'

'Hoofdpijn,' zei ze. 'Ik heb vaak hoofdpijn. Nu ook.'

Mevrouw Latham scheen blij te zijn. Ze maakte een aantekening en knikte. Beth keek in de kamer om zich heen en probeerde zich te concentreren op de inrichting. Ben was kennelijk de ster van het huis. Er was een hele muur gewijd aan zijn honkbalcarrière, een foto van hem met een rood, wit en blauw Uncle Sam-pak aan. Schoolfoto's vanaf de kleuterschool tot aan de derde klas.

Tegen de muur stond een piano en het muziekboek was opengeslagen bij *Mary had a little lamb*. En boven de bank hing een ingelijst schilderij dat Ben gemaakt moest hebben. Óf hij moest het geschilderd hebben, óf het was van een van die gekke vroegere schilders die miljoenen verdienden met hun kleurrijke vlekken die op een creatieve manier op het doek waren gesmeten.

Mevrouw Latham legde haar aantekenboekje weer neer. 'Beth, laten we afstappen van de nare dingen die je allemaal beleefd hebt en nu alleen maar over jou praten. Wat wil je later worden als je volwassen bent?'

'Ik weet het niet,' zei ze.

'Je kunt heel goed toneelstukken schrijven, hè? En je bent een goede regisseur en toneelspeelster. Zou je graag actrice willen worden?'

Beth haalde haar schouders op. 'Niet echt. Ik denk dat ik daar overheen ben.' Vanuit haar ooghoek zag ze de schaduw van iemand die langs het raam liep. Ze sprong overeind.

Mevrouw Latham keek uit het raam. 'Dat is mijn man, Beth.

Heeft hij je aan het schrikken gemaakt?'

Haar hart bonsde. 'Nee, hoor. Ik voel mij prima.'

'Ze is erg zenuwachtig,' zei Kay. 'De laatste tijd schrikt ze van allerlei dingen.'

Mevrouw Latham nam haar op. Beth stelde zich voor dat ze nu in gedachten de bladzijden van een handboek omsloeg. 'Pagina 133, Patiënt die uit haar vel springt.'

'Beth, verwacht je dat er iets ergs met je gebeurt?'

Beth keek weer naar de therapeute. 'Misschien.'

'Vertel me er eens iets over.'

Ze had te veel gezegd. 'Er gebeuren heel veel nare dingen.'

'Maar ben je dan niet blij dat de pulsaties voorbij zijn? Kijk je er niet naar uit dat je weer elektriciteit zult hebben. Allerlei technische dingen? Tv?'

Ze wilde wel dat ze de gordijnen voor de ramen trokken. Het zweet brak haar uit, op haar gezicht, onder haar armen. 'O ja, ik denk het wel. Als we die dingen ooit weer zullen krijgen, maar dat zal nog wel even duren.'

Ze had medelijden met de therapeute. Ze frustreerde haar waarschijnlijk. Maar ze was bang dat ze, als ze te veel zou zeggen, zou gaan huilen. En dan zou ze niet meer op kunnen houden.

'Je hebt een mooi kapsel,' zei mevrouw Latham. 'Het staat je goed.'

Beth raakte haar haar aan. 'Dank u.'

'Vind je het zelf ook leuk?'

Ze had er bijna net zo'n hekel aan als aan de reden waarom ze het had gedaan. 'Niet echt, maar het groeit wel weer.'

'Waarom heb je het dan afgeknipt?'

Ze keek naar haar moeder. Had ze dit tevoren met mevrouw Latham besproken? Het was duidelijk dat haar moeder dacht dat het een gevolg was van haar abnormale gedrag. Ze vroeg zich af of er in het handboek van mevrouw Latham ook een hoofdstuk stond waarin kapsels besproken werden.

'Het was warm,' zei ze. 'En het zag er zo sliertig en vuil uit.' Zo. Dat klonk toch normaal? Konden ze uit haar woorden opmaken dat ze probeerde zich te vermommen, zodat de moordenaar haar niet zou kunnen vinden? Misschien begreep mevrouw Latham toch de menselijke geest niet zo goed.

Mevrouw Latham stuurde haar ten slotte naar buiten om op haar moeder te wachten. Beth dacht dat ze haar erg verveeld had. Ze zat in de schaduw van de garage en hield de straat in de gaten waar de moordenaar misschien op zoek was naar haar en erachter probeerde te komen in welk huis ze woonde. Misschien had hij het al ontdekt.

Misschien moest ze naar de politie gaan. Als ze dat deed, zouden ze de moordenaar misschien kunnen opsporen en hem opsluiten voordat hij naar haar toe zou komen. Maar het was natuurlijk ook mogelijk dat hij niet gekomen was omdat hij zich aan zijn woord hield. Een moordenaar met een geweten. Hij had gezegd dat hij haar familie alleen maar zou doden als ze zou praten.

Door te zwijgen zou ze misschien haar leven en het leven van de mensen van wie ze hield kunnen redden.

En dat zou alle therapie van de wereld niet kunnen veranderen.

In de woonkamer van de familie Latham veegde Kay haar tranen weg. 'Het spijt me dat ze niet wat opener was. Ik weet dat je niet veel wijzer van haar geworden bent.'

Anne keek naar haar aantekeningen. 'Eigenlijk ben ik meer te weten gekomen dan jij denkt. Kay, ik denk dat je zorgen over posttraumatische depressie zeer terecht zijn. Beth vertoont er een aantal symptomen van.'

'O ja?'

'Ja, ze heeft fysieke verschijnselen, een gevoel van onheil en ze is niet in staat om aan de toekomst te denken omdat ze het gevoel heeft dat ze er dan niet meer zal zijn. De dromen die ze over deze traumatische gebeurtenissen heeft, haar onvermogen om zich te concentreren. Haar zenuwachtigheid alsof ze voortdurend bang voor iets is. Gebrek aan belangstelling voor de dingen die ze vroeger wel belangrijk vond. Dat er een eind aan de pulsaties gekomen is, kan haar weinig schelen.'

'En wat kunnen we doen om haar te helpen?'

Anne sloot haar dossier. 'Kay, dit is waarschijnlijk een angststoornis en er zijn een paar medicijnen die haar zouden kunnen helpen. Dokter Morton zou mijn aanbevelingen over kunnen nemen en haar iets kunnen geven als we besluiten dat dit de beste benadering is. Maar ik wil eerst nog een paar sessies met haar alleen hebben. Ik hoop haar aan het praten te krijgen over de dingen die haar getraumatiseerd hebben en misschien kunnen we haar gedachtepatroon veranderen, zodat ze de dingen weer aan kan. Intussen moet je haar vertrouwen in haar vaardigheden en talenten versterken, vriendinnen uitnodigen om haar gedachten van deze gebeurtenissen af te leiden en proberen haar te laten ontspannen en plezier te laten hebben.'

'Goed, ik zal mijn best doen.'

'En probeer haar ook weer op de toekomst te richten. Op het herstel en de goede dingen waarnaar ze uit kan kijken.'

Kay was niet helemaal voldaan. 'Wat denk je ervan dat ze haar haar afgeknipt heeft? Is dat ook een gevolg van de posttraumatische depressie?'

'Zou kunnen, maar ik begrijp nog steeds niet goed waarom dat ze dat gedaan heeft. Misschien wilde ze alleen maar een verandering.'

'Niet op die manier. Dat zou mijn ijdele kleine Beth nooit doen. Ze was erg trots op haar lange blonde haar. Om het zomaar ineens zonder enige waarschuwing af te knippen...'

Anne dacht erover na. 'Dat is verwarrend. Ik zal blijven proberen daar achter te komen. Maar posttraumatische depressie veroorzaakt soms vreemd gedrag.' Ze keek in haar agenda. 'Zullen we een afspraak maken voor volgende week?'

Kay maakte de afspraak en toen ze naar buiten liep, vroeg ze zich af of ze wel goed bezig was. Had Beth echt therapie nodig? Had ze medicijnen nodig? Of alleen maar meer gebed? Misschien hoefde ze alleen maar wat meer tijd met haar door te brengen.

Ze liet het idee om een baantje bij het herstelteam aan te nemen, varen. Nee, Beth had haar nodig. En ook Logan en Jeff.

Ze zag dat Beth bij de garage zat en de straat aftuurde. Haar sombere, bleke gezicht bevestigde alleen maar wat Anne Latham had gezegd.

Beth had hulp nodig. En Kay zou er alles aan doen om die voor haar te krijgen.

Zesentwintig

Doug had zich verzet tegen Kay's verlangen om een deel van hun kostbare geld te gebruiken om er instantkoffie mee te kopen, maar zij had gewonnen. Terwijl hij op de vroege maandagmorgen aan de keukentafel zijn koffie dronk, herinnerde hij zich wat een luxe het was. Hij moest het zwart drinken, aangezien hij voet bij stuk had gehouden ten aanzien van het kopen van suiker en melk. De geur, de smaak en de warmte op zijn tong brachten herinneringen aan het leven van voor de stroomstoring terug. Zou het leven echt weer normaal worden?

Van slapen kwam niet veel als hij nachtdienst had gehad op het kantoor van de sheriff. Om zijn gezin de komende maanden te voeden moest hij hout hakken en in de tuin aan het werk. En dan moest hij ook zijn preken nog maken en mensen in zijn gemeente gaan opzoeken die hulp en zorg nodig hadden. In zijn vrije tijd werkte hij aan het ombouwen van de motor van zijn Expedition. Hij moest weer draaien als hij brandstof kon krijgen. Er was zo veel te doen en er was niet genoeg tijd.

Het was vijf uur in de morgen en er was nog niemand op, en terwijl hij bij het licht van een olielamp zijn koffie dronk, probeerde hij te bedenken wat hij tegen Craig zou zeggen over het vinden van een huis om erin te gaan wonen. De jongeman had nog geen enkele poging gedaan om er een te vinden.

Eloise's huis stond leeg en was helemaal gemeubileerd. Toen ze overleden was, had haar zoon Doug gevraagd het zo mogelijk te verhuren. De buren gebruikten haar achtertuin om er konijnen in te fokken en iemand had een paar planken van de achterkant van haar huis gestolen aangezien het moeilijk was om aan timmerhout te komen. Maar afgezien van het stof en de spinnenwebben was het huis verder in goede staat. Hij moest tegenover Craig voet bij stuk houden en hem overhalen met hem mee te gaan om een kijkje te nemen.

Hij hoorde iemand de trap af komen en toen hij opkeek zag hij Craig, helemaal aangekleed om naar zijn werk te gaan. Hij droeg een grote tas op zijn schouder.

'Je bent vroeg op.'

Craig keek hem met een nog wat slaperig gezicht aan. 'Ja, ik wil op de eerste dag dat ik aan het werk ga goed op tijd zijn. Er is verschrikkelijk veel te doen.' Hij keek in de keuken om zich heen. 'Ruik ik koffie?'

'Ja, wil je ook een kopje?' Doug stond op en pakte de ketel water die hij buiten op het vuur gekookt had. Hij schonk Craig een kop koffie in.

Craig pakte het aan en snoof de geur op. 'Fantastisch. Net wat ik nodig heb. Ik mis Starbucks.'

'Ja, ik ook. Wat heb je in die tas zitten?'

Craig ging aan tafel zitten en zette de tas op een andere stoel. 'Plattegronden en schema's en allerlei documenten die ik bestudeerd heb over de elektriciteitscentrales, de raffinaderijen en de strategische oliereserves. Dat soort dingen.'

Doug was gefascineerd. 'Ik moet er niet aan denken dat ik aan zoiets leiding zou moeten geven. Ik zou helemaal overweldigd worden.'

'Ik ook wel een beetje,' bekende Craig. 'Maar we doen het stap voor stap. Het eerste wat we moesten doen, was kantoorruimte vinden. Zaterdag heeft een van mijn teamleden die gevonden en we hebben het gebouw gehuurd dat voor de storing door Champland Insurance werd gebruikt.'

'Ik ken dat gebouw. Bij het schakelstation?'

'Ja, en aangezien we daar aan het werk moeten, kwam dat goed uit. Alle meubilair staat er nog en we kunnen er zo intrekken.'

'Ik neem aan dat Champland Insurance voorlopig niet terugkomt.'

'Dat zal nog wel even duren. Toen de pulsaties begonnen, stortte de hele verzekeringsindustrie in elkaar.'

'Wat gaan jullie als eerste herstellen?'

Craig nam een slokje van zijn koffie. 'Eigenlijk zijn de herstelwerkzaamheden al aangevangen zodra de pulsaties begonnen. Een aantal ministeries van de Verenigde Staten hebben samengewerkt met het Witte Huis om van tevoren zo veel mogelijk te herstellen.'

Doug hoorde de deur van zijn slaapkamer opengaan. Kay, gekleed in een korte broek en een T-shirt, kwam op blote voeten de keuken binnen. 'Goedemorgen. Willen jullie een paar eieren?'

'Dat klinkt goed,' zei Doug. 'Craig was mij net het een en ander aan het vertellen over de herstelwerkzaamheden. Dat ze daar al mee gestart zijn zodra de pulsaties begonnen.'

Kay was een en al belangstelling. 'Dus ze zijn er al klaar voor om ons van stroom te voorzien?'

'Nou, dat nu ook weer niet,' zei Craig. 'Nadat de pulsaties afgelopen waren, heeft het Congres een vergadering belegd om fondsen te werven voor de herstelteams en de plannen goed te keuren voor het herstel. Toen dat gebeurd was, is het herstelteam aan het werk gegaan om de vrachtwagens met generatoren weer aan de praat te krijgen, zodat ze klaar zouden zijn als wij klaar waren.'

'En hoe staat het met de tankwagens?' vroeg Doug. 'Je kunt geen vrachtwagens laten rijden als je geen brandstof kunt vervoeren.'

'Precies. Ze hebben de tankwagens omgebouwd. Het is de bedoeling dat we hier brandstof heenbrengen, zodat we een paar generatoren vuil kunnen opstarten.'

Kay brak wat eieren in een schaal en begon te roeren. 'Wat is vuil opstarten?'

'Een goede vraag,' zei Craig. 'Om eerlijk te zijn, een jaar geleden wist ik ook niet wat dat was.'

'Ik weet wel wat dat is,' zei Doug met een blik op Kay. 'Jaren geleden adviseerden mensen, die elektrische pulsaties bestudeerd hadden, om veranderingen in de elektriciteitsvoorziening aan te brengen. Dan zou er, in het geval dat er een atoombom of een neutronenbom in de atmosfeer tot ontploffing zou komen, waardoor elektromagnetische pulsaties zouden ontstaan, een manier zijn om elektriciteit op te wekken. Wie had kunnen voorspellen dat we met miljoenen elektromagnetische pulsaties te maken zouden krijgen die niet door de mens, maar door een ster veroorzaakt werden?'

'Niemand. Maar gelukkig luisterden de elektriciteitsbedrijven naar de aanbevelingen en ze verdeelden het net in eilanden, zodat, als er een gebied zou uitvallen, de andere zouden blijven functioneren.' Craig haalde een rol papier uit zijn tas en rolde die op de tafel uit. 'Hier staan de afzonderlijke netten in dit gebied op.'

Doug boog zich naar voren en bestudeerde het schema.

'Ieder net voorziet een bepaald gebied van stroom,' ging Craig verder. 'Als we die eilanden een vuile start geven betekent dat dat we kleine generatoren kunnen gebruiken om de grotere op te starten. Die kunnen dan op hun beurt de generatoren van de elektriciteitscentrales weer opstarten.'

Doug knikte. 'En de generatoren die ze vuil opstarten vereisen een heleboel brandstof.'

'Ja,' zei Craig. Hij was kennelijk in zijn element en Doug was onder de indruk van zijn kennis en passie voor zijn taak.

Kay hield op met roeren en kwam naar de tafel.

'Het probleem is dat het niet alleen de elektriciteit is die we moeten herstellen,' zei Craig. 'Alle siliconenchips in die centrales zijn vernietigd. Dus voor we ze een vuile start kunnen geven, moeten we de controlecircuits in de centrales zelf vervangen.'

Kay zag er verslagen uit. 'Dat gaat dus nog heel lang duren.'

Craig glimlachte. 'Valt wel mee. Maar het is een immense taak die we moeten uitvoeren. Het is de eerste keer in de geschiedenis van ons land dat de regering te maken krijgt met een ramp in alle districten van alle staten tegelijkertijd. Mensen uit het noorden kunnen mensen uit het zuiden niet te hulp komen, zoals anders vaak bij rampen het geval is. En er is geen enkel land dat er beter aan toe is. De hele wereld zit met hetzelfde probleem. De enigen die geen problemen hebben, zijn degenen die niet afhankelijk zijn van elektriciteit – de Amish bijvoorbeeld. Die hebben van de hele stroomstoring weinig last gehad.'

'Ik dacht altijd dat ze gek waren,' zei Kay. 'Maar nu denk ik dat ze erg verstandig zijn. Die hele storing heeft hun niets gedaan.'

'Nee. Ze gingen gewoon verder met waar ze mee bezig waren. En zij werden de deskundigen waar de maatschappij naar keek om te leren wat ze moesten doen. In Pennsylvania hebben ze bijeenkomsten gehouden om de mensen te leren hoe ze moesten leven. Ze hebben de mensen in dat gebied goed geholpen.'

'En hoe krijgen jullie de brandstof om die centrales weer op te starten?' vroeg Kay. 'Is dat wel mogelijk?'

'Ja, we hebben strategische oliereserves waarin bijna een miljard vaten ruwe olie ligt opgeslagen. De mechanische pompen om het door de pijplijnen te pompen zijn al hersteld. Maar eerst moeten we de raffinaderijen weer aan de praat krijgen.'

'Mensenkinderen,' zei Kay. 'Wat een organisatie. Ik zou er gek van worden.'

'Ja, het is een hele klus. Ik ben eigenlijk iemand die direct resultaten wil zien, maar ik zal heel wat geduld nodig hebben om dit allemaal voor elkaar te krijgen. Maar we doen het stap voor stap.'

Ze zette de schaal met roereieren neer. 'En moet jij dat allemaal regelen?'

'Niet helemaal. We hebben in ieder district een team met een directeur die door de staat benoemd is. Ik ben een van de mensen die belast is met het toezicht in Midden-Alabama. We doen het als team samen. We moeten ervoor zorgen dat eerst de raffinaderijen weer stroom krijgen om de ruwe olie te raffineren. De oliereserves van Alabama gaan eerst naar de raffinaderijen in Saraland, Mobile, Atmore en Tuscaloosa. Saraland heeft de grootste capaciteit. Voor de pulsaties produceerden ze 80.000 vaten per dag. Zij krijgen als eerste stroom.'

Doug keek op naar Kay. 'Dat betekent dat wij nog wel een poosje moeten wachten.'

'Misschien niet zo erg lang,' zei Craig. 'Maar er zijn nog heel veel dingen die we niet weten.'

Doug grijnsde spottend en knipoogde naar Kay. 'Wil je naar Saraland verhuizen?'

'Ik zal ook wat mensen in dienst moeten nemen om alle arbeiders te rekruteren en aan te nemen, ze toe te wijzen aan bepaalde gebieden waar hun ervaring en deskundigheid kunnen worden ingezet, en het werk te coördineren. Dus vertel iedereen die je kent dat we mensen huren. Bij de volgende FEMA-uitkering over een paar weken zullen we tafels opzetten om mensen aan te nemen. Maar daar beginnen we vandaag al mee. We zullen het in de kranten zetten, zodat het spoedig bekend wordt.'

Kay pakte de schaal met eieren om ze boven het vuur buiten te bakken. 'Geloof mij maar, dat nieuws verspreidt zich als een lopend vuurtje. Dit is Amerika. Mensen zullen graag willen helpen.'

'De elektriciteitsmaatschappijen zullen al hun werknemers weer in dienst willen nemen, dus de geschoolden zullen de leiding krijgen over de nieuwelingen. Het is vreemd, maar de blauwe boorden arbeiders zijn nu de meest waardevolle mensen. Aan witteboordenmensen hebben we niet zo veel.'

'Vertel mij wat,' zei Doug. 'Er is tegenwoordig weinig behoefte aan effectenmakelaars.'

'Hoe staat het met de mecaniciens en ingenieurs die je al hebt aangetrokken?' vroeg Kay.

'Zij moeten bij het herstel het voortouw nemen. Met name de ingenieurs en elektriciens. De monteurs blijven in de werkplaatsen om de voertuigen om te bouwen die we kunnen gebruiken. Ze krijgen hulp van timmerlui en bouwvakkers, architecten, communicatiedeskundigen en computertechnici en mensen met allerlei beroepen die bij het herstel kunnen helpen. Ook als de sollicitanten geen ervaring hebben, zijn er altijd wel dingen waarbij ze kunnen helpen. We schakelen ook de eenheden van de Nationale Bewaking in. We voeren oorlog, maar deze keer niet tegen mensen.' Hij dronk zijn kopje leeg en keek Doug

105

doordringend aan. 'Je kunt voor ons komen werken, Doug. En jij ook, Kay.'

Doug leunde achterover op zijn stoel. 'Ik heb het nogal druk met mijn werk voor het bureau van de sheriff, om dan nog maar niets te zeggen over mijn preken.'

'Maar word je ervoor betaald?'

Voor het preken kreeg hij niets aangezien de tienden die de gemeenteleden gaven, gebruikt werden om mensen om hen heen te helpen. En de sheriff had hem wel op de loonlijst gezet, maar er was dikwijls geen geld om de salarissen te betalen. 'Meestal niet. Maar er zullen toch mensen moeten zijn die de wet handhaven. Iemand zal dat toch moeten doen.'

'We betalen een dollar per uur voor de gemiddelde arbeider, een beetje meer voor de mensen met ervaring. Het is niet veel maar in onze huidige economie is het toch een aardig bedrag. Op die manier pompen we geld in onze infrastructuur en komen de geldstromen weer op gang.'

Doug moest toegeven dat het goed klonk. Veertig dollar per week was inderdaad een aardig bedrag. En als Kay en Deni dat ook zouden doen, zou dat 480 dollar per maand zijn. Een jaar geleden zou dat belachelijk geweest zijn, maar vandaag de dag was het een fortuin.

Maar hij had zijn diensten nu eenmaal aan het bureau van de sheriff aangeboden. Of hij er nu wel of niet voor werd betaald, hij moest zijn werk daar blijven doen.

Kay zat aan tafel en vroeg zich af wat voor werk zij zou kunnen doen. Terwijl Craig haar probeerde te verleiden met allerlei kantoorwerkzaamheden, nam Doug de schaal met eieren mee naar buiten om ze op de grill te bakken.

Hoe zou het zijn als Kay een baantje zou nemen? Hoe moest het dan met Logan en Beth? Het idee dat Jeff dan geen enkel toezicht meer had, stond hem niet aan, ook al was hij dan zestien. Beth en Logan moesten iemand thuis hebben. Maar als ze het graag wilde doen, zouden ze een regeling moeten treffen.

Hoewel hij de gevolgen van de pulsaties voor de maatschappij verschrikkelijk had gevonden, moest hij toegeven dat ze voor zijn gezin een zegen waren geweest. Door het gebrek aan technologie waren ze nader tot elkaar gekomen. In plaats van dat ieder zijn eigen leventje had geleid, televisie op zijn eigen slaapkamer gekeken had, computerspelletjes gedaan en naar een computerscherm gestaard had, hadden ze nu iedere avond in dezelfde kamer bij elkaar gezeten. Communicatie via telefoon en e-mail was uitgesloten geweest. Maar de communicatie binnen het gezin had er wel bij gevaren. Hij had met genoegen gezien hoe hard de kinderen in hun eigen baantje werkten en het geld afdroegen voor het gezin. Een jaar geleden zou het idee dat ze hun zuur verdiende geld aan het gezin zouden afdragen ronduit belachelijk zijn geweest.

En zijn relatie met Kay was hechter dan ooit. Ze hadden nooit eerder zo veel van elkaar genoten. Met elkaar lachen en praten was even natuurlijk geworden als ademhalen. Hij was bang voor de afstandelijkheid die een baan met zich mee zou brengen als ze weer stroom zouden hebben.

Het herstel van de infrastructuur was natuurlijk belangrijk. Maar het herstel van zijn gezin was een onverwachte zegen geweest. Hij wilde dat evenwicht en de goede harmonie die ze gevonden hadden, niet laten verstoren. Hij zou ervoor bidden om erachter te komen wat hij moest doen. Hij hoopte dat Kay dat ook zou doen.

Hij wierp een blik door het raam. Craig en Kay zaten enthousiast met elkaar te praten. Craig zou bij zijn werkzaamheden heel veel gebed nodig hebben. Geen wonder dat hij geen tijd had gehad om op zoek te gaan naar een huis. Misschien was het uiteindelijk toch niet zo slecht dat ze hem onderdak geboden hadden. Het was iets wat zij konden bijdragen aan het herstel.

Hij besloot het onderwerp van andere huisvesting zoeken niet aan te snijden. Nog niet.

Zevenentwintig

Toen Deni na donker thuiskwam van de krant zag ze Craigs Malibu op het garagepad geparkeerd staan. Daarnaast stond Marks fiets, met een ketting vastgelegd aan de lantaarnpaal op het gazon. Wat deden Mark en Craig hier samen? Dit beloofde weinig goeds.

Ze deed de garage open, zette haar fiets binnen en liep naar de keuken. Haar moeder was bezig met het avondeten. 'Mam, wat is er aan de hand?'

Kay grinnikte. 'Gewoon ons laatste familiedrama. Het voortgaande relaas van je liefdesleven.'

Ze kon de humor van haar moeder niet waarderen. 'Zijn ze *samen?*'

Kay kneedde het brooddeeg. 'Ja. Een paar minuten geleden is Mark hier gekomen. Ik zei hem dat je niet thuis was, maar hij zei dat hij niet voor jou kwam. Hij wilde met Craig praten.'

'En vond je dat goed?'

Kay liet haar ogen rollen. 'Deni, we hebben het wel over twee volwassen mannen. Ze hebben mijn toestemming niet nodig. Ik hoef ze niet uit elkaar te houden. Denk je soms dat Mark hem zal aanvallen of zoiets? Dat is niets voor hem.'

Deni keek de woonkamer in. 'Waar zijn ze?'

'Boven.'

Ze keek haar moeder geschrokken aan. 'Was Mark kwaad?'

'Nee, hoor. Hij was heel gewoon. Ga naar boven als je je zorgen maakt. Dan kun je horen waarover ze het hebben.'

'Waar hebben ze het dan over, denk je?' fluisterde ze schor.

Kay haalde haar schouders op. 'Misschien gooien ze kruis of munt.'

Deni hield haar adem in. 'Mam!'

Kay liet haar brooddeeg in de steek en kwam wat dichter naar haar toe. 'Deni, zij maken dat niet uit, jij zal de beslissing moeten nemen. Je weet wie je wilt. En als het Mark is, moet je Craig zeggen dat hij een huis voor zichzelf moet gaan zoeken.'

'Wat moet ik dan doen? Zijn koffers gaan pakken? Ik ben de hele dag druk bezig. Ik heb geen tijd om een huis voor hem te gaan zoeken.'

'Je bent al deze maanden verliefd geweest op Mark, kind. Je bent gelukkiger geweest dan ik je ooit gezien heb.'

'En daar is niets aan veranderd.'

'Nou, als Craig daar iets over te zeggen heeft, zal dat veranderen.'

'Dat heeft hij niet. Maar ik vind wel dat Mark hem niet lastig moet vallen. Wat wil hij eigenlijk? Wil hij hem misschien overhalen om in dat uitgebrande huis van zijn vader te gaan wonen?'

Kay grijnsde. 'Misschien nodigt hij hem wel uit om bij hem te komen wonen.'

'Ja, dat zou helemaal het einde zijn.' Deni liep door de woonkamer heen en keek langs de trap omhoog. Ze luisterde maar hoorde niets – geen geschreeuw of gebons. Langzaam en stil liep ze de trap op.

Ze zag Beth in haar roze slaapkamer op bed liggen, opgerold met haar knieën tegen haar borst. Ze wierp een blik in haar eigen kamer en daar waren Mark en Craig. Ze stonden zacht met elkaar te praten, gespannen als wolven die elkaar ieder moment zouden kunnen aanvallen.

Ze hadden haar niet gezien. Ze sloop Beth's slaapkamer binnen en bleef bij de deur staan luisteren.

Beth ging zitten en vroeg: 'Wat doe je?'

Deni keek even achterom. 'Ssst. Mark en Craig zijn in mijn kamer,' fluisterde ze. 'Ik wil horen wat ze zeggen.'

Beth trok haar benen onder zich. 'Deni, waar heb je vandaag aan gewerkt?'

Ze wuifde met haar hand om Beth tot zwijgen te brengen. Ze hoorde Craigs stem, kalm en laag. 'Ik ben niet van plan om met jou over Deni te gaan onderhandelen. Het is eerlijk. Dat de beste man mag winnen.'

'Deni?'

'Alsjeblieft,' fluisterde Deni. Ze zag hoe Beth weer ging liggen en sloop toen wat dichter naar de deur toe.

In Deni's kamer stond Mark, zijn armen over elkaar geslagen, met zijn rug naar het raam toe. Hij keek naar Craig en vroeg zich af of hij altijd in slappe clichés praatte. Deni had daar niets over gezegd. 'Ik ben niet naar je toe gekomen om over Deni te praten,' zei Mark. 'Ik ben naar je toe gekomen om je een aanbod te doen.'

'Een aanbod?' vroeg Craig. 'Wat heb jij dan dat ik zou willen hebben?'

'Een beetje kennis,' zei Mark.

Craig lachte schaterend. 'Volgens mij heb je niet eens je opleiding afgemaakt en ik ben summa cum laude afgestudeerd aan de universiteit van Georgetown. Ik betwijfel sterk of jij mij iets zou kunnen leren.'

Dat prikte. Mark aarzelde even en vroeg zich af of hij zijn plan wel door moest zetten. 'Man, ik ben helemaal niet naar je toe gekomen omdat ik denk dat ik slimmer ben dan jij. Wat opleiding betreft sta je ver voor.'

'Wat wil je dan wel?'

Mark liet zijn armen zakken. 'Het gaat over het christendom.'

Craigs harde gezicht werd wat zachter. 'Oké.'

'Ik dacht dat je misschien wel Bijbelstudie met mij zou willen doen. Er is nog veel te leren en dat kan voor iemand die pas tot geloof gekomen is weleens verwarrend zijn. Het is daarom goed om het met iemand samen te doen.'

Craig keek hem spottend aan. 'O, ik begrijp het al. Je wilt mij duidelijk maken dat ik op dit gebied nog een groentje ben. Dat er iets is wat jij wel en ik niet weet.'

Was Craig vergeten dat hij nog maar even geleden zichzelf laatdunkend over zijn opleiding had uitgelaten? 'Aan de voet van het kruis staan we allemaal op hetzelfde niveau,' zei Mark. Hij kromp bijna ineen van zijn eigen cliché, maar het was wel waar. 'Wat ik wil zeggen, is dat je geen bijzonder inzicht of een bijzondere opleiding nodig hebt om christen te zijn. Het enige wat je moet doen, is je leven in geloof overgeven aan Jezus, en dat heb je gedaan.'

'Ja, dat heb ik gedaan.' Craigs toon was nog steeds uitdagend.

'Maar in Spreuken staat: "Zoals men ijzer met ijzer scherpt, zo scherpt de ene mens de ander." Dat zouden wij ook kunnen doen. Elkaar scherpen.' Hij glimlachte. 'Geestelijk gezien dan.'

Craig staarde hem alleen maar aan alsof hij een addertje onder het gras verwachtte. 'Dus dit is geen grapje? Je wilt echt Bijbelstudie doen?'

'Ja. Voel je er wat voor?'

'En dit heeft niets met Deni te maken,' zei Craig.

Mark dacht erover om te ontkennen maar dat zou niet helemaal eerlijk zijn. 'Nou, om eerlijk te zijn, het heeft heel veel met Deni te maken. Ze zal uiteindelijk voor een van ons beiden kiezen, maar wie ze ook krijgt, we kunnen beiden nog wel wat groeien in het geloof.'

Craigs ogen vernauwden zich. 'Je maakt zeker een grapje.'

'Nee, dat doe ik niet. Zoals je zei, dat de beste mag winnen. De keus is aan Deni. Maar hoe dan ook, ze verdient een goede godvruchtige man. Als jij wint, dan wil ik dat je haar gelukkig maakt.'

'En daarom wil jij mij les geven.'

'Ik dacht dat we er beiden van zouden kunnen leren. Maar als je je er niet bij op je gemak voelt…'

'Je hoeft mij niet te vertellen hoe ik Deni gelukkig moet maken,' zei Craig. 'En ik wil ook niet dat je mij op de proef stelt om na te gaan of ik wel een oprecht christen ben.'

'Ik neem aan dat je dat bent,' zei Mark. 'Maar als je je bedreigd voelt, laten we het dan vergeten. Ik wil niet dat je dat gevoel hebt.'

'Ik voel me helemaal niet bedreigd,' zei Craig terwijl hij een paar stappen naar Mark toe kwam en zijn kin in de lucht stak. 'Ik denk dat het eigenlijk best een goed idee is.'

In zijn ogen was niets van blijdschap of genoegen te zien, maar een glinstering van wedijver. Hij stak zijn hand uit. Mark schudde hem de hand.

'Laten we het doen,' zei Craig. 'Wanneer wil je beginnen?'

'Wat denk je van 's morgens vroeg? In mijn huis. Laten we zeggen om zes uur.' Hij zag duidelijk dat Craig dat veel te vroeg vond, maar hij krabbelde niet terug.

'Goed. Waar beginnen we mee?'

'Laten we het evangelie van Johannes lezen voordat we morgenochtend bij elkaar komen.'

'Het hele evangelie?' vroeg Craig. 'In één dag?'

'Ja. Het zijn maar eenentwintig hoofdstukken. Maar als je meer tijd nodig hebt, nemen we alleen het gedeelte dat je wel gelezen hebt.'

Craig perste zijn lippen op elkaar. 'Ik lees het wel helemaal.'

'Het is beter om het in zijn geheel dan in gedeelten te lezen. Ik zie je dus morgenochtend om zes uur in mijn huis.'

'Goed, ik al er zijn.'

Toen Mark de kamer uit liep, zag hij tot zijn verrassing Deni uit Beth's kamer komen. Ze glimlachte, maar keek hem aan alsof ze hem niet helemaal vertrouwde. 'Wat ben jij van plan?'

Zijn hart begon sneller te kloppen toen hij haar zag. Hij pakte haar hand, trok haar tegen zich aan en drukte een kus op haar lippen.

Craig kwam de kamer uit met zijn handen in zijn zakken. 'Hoe ging het vandaag?' vroeg hij koel.

Deni trok zich terug en liet Marks hand los. Hij voelde zich teleurgesteld. Geen goed teken.

Ze keek Craig met een effen gezicht aan. 'Goed, hoor. Had jij ook een goede dag?'

'Geweldig,' zei Craig.

Er viel een gespannen stilte. Mark dacht erover om weg te gaan, maar het idee om haar alleen achter te laten met Craig, alsof die hier thuishoorde, stond hem niet aan. Dus hij bleef gewoon staan.

Beth kwam haar kamer uit. 'Deni?'

Deni keek niet eens naar haar. 'Ja, wat is er?'

'Ik vroeg me iets af,' zei Beth. 'Toen ik vandaag in de stad was, zag ik op een van de aanplakborden dat er een zekere Blake Tomlin vermist wordt. Heb je daar een verslag over geschreven?'

Deni draaide zich om naar Beth. 'Ja, dat bericht hebben we ontvangen. Ik heb zo het gevoel dat hij zijn geld van de bank heeft gehaald en dat hij er toen gewoon vandoor gegaan is.'

Beth kreeg een kleur. 'Dat klink nogal veroordelend. Stel dat er iets met hem is gebeurd.'

Ze haalde haar schouders op. 'Dat is mogelijk.'

'Het kan wel net zo'n geval zijn als toen Jessie Gatlin vermist werd. Je moet over hem schrijven zodat mensen naar hem uit kijken. Misschien weet iemand wat er met hem gebeurd is.'

'We zullen zien. Jij houdt wel van een mysterie, hè?'

'Nee, dat doe ik niet,' zei Beth. 'Ik heb medelijden met zijn gezin.' Ze brak haar gesprek af en ging in Deni's kamer weer voor het raam zitten.

Achtentwintig

Toen Chris langs kwam was Mark al naar huis gegaan. In plaats van haar verpleegstersuniform droeg ze een spijkerbroek die wat te groot was voor haar tengere gestalte en een helderblauwe bloes die precies bij de kleur van haar ogen paste. 'Ik hoop dat ik jullie niet stoor bij het eten,' zei ze tegen Deni. 'Nu jullie weer geld hebben, zullen jullie dat wel met een vijfgangenmenu gevierd hebben.'

'Dat hebben we gisteravond al gedaan.' Deni nam haar mee naar de keuken waar ze de vaat aan het doen was. 'Mijn ouders zijn het er niet over eens hoe ze het geld moeten besteden, dus we hadden het gebruikelijke eten – maïstortilla's. En die hadden we binnen vijf minuten op, dus maak je maar geen zorgen.'

'Dat is beter dan niets. Dan houd je tenminste wat vlees op je botten.' Chris liet haar stem zakken. 'Waar is hij?'

Deni stond in de bak afwaswater op het aanrecht een bord schoon te maken. 'Ik neem aan dat je Craig bedoelt.'

'Ja. Hij logeert hier toch?'

'Ja, helaas wel. Hij is boven.'

Er trok een glimlach over Chris' gezicht. 'Waar wachten we dan op. Laten we naar boven gaan.'

Deni waste de laatste vorken, spoelde ze in een tweede bak af en zette ze toen in het afdruiprek om te drogen. 'Wacht eens even. Heb je je daarom zo opgedoft. Ben je hierheen gekomen om hem te ontmoeten?'

Chris giechelde en bracht een vinger naar haar lippen. 'Aangezien jij hem toch niet wilt – ik misschien wel.'

Deni keek haar met open mond aan.

Chris leunde tegen het aanrecht. 'Dat vind je toch niet erg?'

'Nee, maar eh…' Ze kreunde. 'Jij probeerde mij er toch van te overtuigen dat hij een hark was?'

Ze grijnsde. 'Ik kan me niet herinneren dat ik dat woord gebruikt heb.'

'Nee, maar je vond hem niet geschikt voor mij. Waarom zie jij dan plotseling wel iets in hem?'

'Omdat hij veranderd is. En ik ben alleen.' Ze haalde haar schouders op. 'Niet dat ik met die vent wil trouwen. Ik wil alleen wat mannelijk gezelschap.'

Deni droogde haar handen af. 'Oké. Laat ook maar.'

Chris keek haar alleen maar aan. 'Dat vind je niet goed, hè?'

Deni's mond zakte open. 'Ik vind het best, hoor.' Ze keek door de woonkamer heen naar de trap en hoopte dat hij niet stond te luisteren.

Chris stak haar handen weer in haar zakken. 'Weet je wat? Laat maar zitten. Vergeet maar wat ik allemaal zei.'

Deni voelde zich een hark. Waarom zou Chris niet met hem mogen uitgaan? Dan zou hij Deni met rust laten. 'Nee, Chris. Echt, het kan mij niet schelen. Maar hij is gewoon geen goede man voor je. Ik wil niet dat je wordt gekwetst.'

'Weet je zeker dat je niets meer voor hem voelt?' fluisterde ze.

Deni stikte bijna. 'Ja, dat weet ik zeker.'

Chris grinnikte. 'Want als dat wel zo is, kan ik dan werk van Mark maken?'

Deni gaf haar een duw. 'Wat heb jij eigenlijk. Nee, jij mag Mark niet hebben.'

'Geweldig,' plaagde Chris. 'Welke zichzelf respecterende kerel fietst zomaar een beetje rond om een glimp van mij op te vangen? Waar zou ik zijn als ik geen genoegen zou nemen met jouw afdankertjes?'

'Mark is mijn afdankertje niet. Evenmin als Craig.'

'Maak je maar geen zorgen. Ik zal als een oude vrijster sterven.'

Wat een dramakoningin! Er liepen minstens tien kerels achter

Chris aan; maar niet een was er goed genoeg voor haar. 'Een oude vrijster? Chris, je bent drieëntwintig. Je moet het niet gekker maken, zeg.' Ze liep naar de trap. 'Kom op. Laten we naar boven gaan.'

Ze nam Chris mee de trap op en ze vonden Craig op Beth's kamer. Hij zat achter haar bureau dat bezaaid was met papieren.

'Wauw, ziet dat er even belangrijk uit,' zei Chris toen ze binnenkwam.

Craig leek blij te zijn haar te zien. 'Hallo, Chris. Hoe is het?'

'Goed.' Ze keek over haar schouder. 'Maken die papieren je duidelijk hoe je ons weer van stroom moet voorzien?'

'Nee, ze maken me duidelijk waar ik de mensen moet inzetten die ik gehuurd heb om in de elektriciteitscentrales aan het werk te gaan.'

Chris liet zich op Beth's bed vallen. 'Nou, het is goed om te weten dat er iemand aan werkt. Je kunt er zeker niet voor zorgen dat we woensdag weer stroom hebben?'

Hij lachte. 'Nee, dat denk ik niet. Waarom woensdag?'

'Omdat ik besloten heb om dan een feestje te geven om te vieren dat de supernova is opgebrand. Woensdag is mijn vrije dag, weet je?'

Deni ging in het fauteuiltje naast het bed zitten. 'Maar Oak Hollow geeft al een feest.'

'Nou en? Hoe meer feesten hoe beter. Het feest is in mijn huis en iedereen in de twintig is welkom – getrouwd of vrijgezel – gewoon om gezellig bij elkaar te zijn, wat ontspanning en wat plezier. O, en ik denk dat ik je broer met zijn band zal uitnodigen om te spelen, gewoon voor een beetje achtergrondmuziek.'

'Dat lijkt me leuk,' zei Deni.

'Mooi,' zei Chris. 'Hoe staat het met jou, Craig? Heb jij het te druk om een poosje met vrienden op te trekken?'

Craig schonk Chris zijn charmante glimlach. 'Daar maak ik gewoon tijd voor.'

Chris' ogen schitterden en Deni schudde haar hoofd. Haar vriendin legde het er wel erg dik bovenop. 'Wat kan ik meebrengen?' vroeg Deni. 'Ik heb alle bronwater dat je maar zou willen hebben.'

Chris lachte. 'Maak je maar niet druk over het eten. We hebben appels in overvloed. We hebben appelgebak, appelvoorgerechten, appelcider... Zeg ik nu net zoiets als die vent in *Forest Gump* met zijn garnalen?'

'Een beetje wel.' Deni was lange tijd jaloers geweest op de appelboomgaard van Chris' familie. 'Dat zal een groot trekpleister zijn.'

'Dan zal ik er dat in de uitnodigingen bij zetten. Ik hang een bericht op het mededelingenbord en jullie vertellen het tegen iedereen die je tegenkomt.' Ze liep naar Craig toe en boog zich over het bureau heen. 'Je ziet dus hoe belangrijk het is dat we dan weer stroom hebben.'

Craig grinikte. 'Ik zal zien wat ik doen kan.'

Negenentwintig

Als Mark niet hoefde te werken kwam hij altijd iedere avond langs. Deni wachtte tot tien uur maar hij was niet gekomen. Met spijt besefte ze dat ze naar hem toe had moeten gaan. Het was duidelijk dat hij over Craig piekerde en hij moest gerustgesteld worden. Maar het was nu te laat om nog veilig naar hem toe te kunnen gaan.

Uitgeput door het vele werk bij de krant besloot ze om naar bed te gaan. Toen ze een blik in Beth's kamer wierp, zag ze Craig aan Beth's bureautje zitten. Bij het licht van een olielamp zat hij over de bijbel gebogen.

Hij draaide zich om. 'Hoi.'

Ze bleef bij de deur staan en leunde tegen de deurpost. 'Ik ga naar bed.'

Craig stond op en liep naar haar toe. 'Ik had gehoopt wat meer tijd vanavond met je te kunnen doorbrengen. Maar het lijkt erop dat je het net zo druk hebt als ik.'

Ze knikte. 'Sinds we van een weekblad een dagblad zijn geworden, heb ik het vreselijk druk gekregen. Ik moet heel wat verhalen schrijven.'

'Ik ken dat gevoel.'

'Ja, dat neem ik aan. Maar jouw werk is op dit moment wel even belangrijker.'

'We kunnen je hulp gebruiken. Kom morgen eens langs, dan kun je onze aanpak zien. Als je een bericht maakt dat we mensen nodig hebben, zou dat zijn nut kunnen hebben.' Zijn stem was zacht, intiem.

'Ja, ik heb al te horen gekregen dat ik daar een verhaal over moet schrijven. Ik kom morgenochtend langs.' Ze keek langs hem heen. 'Wat ben je aan het doen?'

Hij keek naar de bijbel. 'Ik ben het evangelie van Johannes aan het lezen. Mark heeft mij gevraagd het voor morgen te lezen.'

'Het hele boek?'

'Ja. Ik heb een commentaar van je vader geleend en ik zit het nu door te werken.'

Ze probeerde niet te glimlachen. Mark was niet van plan dit makkelijk voor hem te maken. 'Weet je, je hoeft dit niet te doen. Je kunt ook nee zeggen.'

'Waarom zou ik dat doen?' Hij stak zijn kin in de lucht. 'Ik zal me heus niet door hem laten inpakken.'

'Ja, dat weet ik wel, maar het is niet nodig. Ik begrijp niet eens waarom hij het je voorgesteld heeft.'

'Ik wel.'

Ze wilde wel dat ze er nooit aan begonnen waren. Wat had Mark eigenlijk gedacht? 'Johannes is vrij goed te begrijpen. Je hebt er eigenlijk geen uitleg bij nodig.'

Hij liep terug naar het bureau en ging weer zitten. 'Is dat zo? In het eerste hoofdstuk loop ik al vast. Bij het eerste vers eigenlijk al. "In den beginne was het Woord en het Woord was bij God en het Woord was God." Dat begrijp ik niet zo goed.'

Ze aarzelde even en vroeg zich af of ze er wijs aan deed om erop in te gaan. Het was waarschijnlijk alleen maar een trucje om haar erbij te betrekken. Maar het was toch niet verkeerd om hem te helpen Gods Woord te begrijpen?

'Johannes spreekt hier over Jezus.'

'Jezus?' vroeg Craig. 'Waar maak je dat uit op?'

Ze liep naar hem toe, boog zich over het bureau heen en wees naar het vers. 'Kijk naar de context van het hoofdstuk. Vers veertien zegt dat Hij – het Woord – vlees geworden is en onder ons gewoond heeft. Wie deed dat?'

'Dat deed Jezus.'

'Juist. Er staat: "Wij hebben zijn heerlijkheid gezien, een heerlijkheid als van de eniggeborene van de Vader." Wie was de eniggeborene van de Vader?'

'Weer Jezus.'

'Ja. Dus als het Woord Jezus is, kun je de tekst als volgt lezen: In den beginne was Jezus en Jezus was bij God en Jezus was God.'

Craig las de teksten nog eens door. Het was alsof hem een licht opging. 'Oké, ik begrijp het nu.'

Ze draaide zich voldaan om en wilde de kamer uit lopen.

'Ik heb nog een vraag,' zei hij.

'Welke?'

'In vers zes staat dat de man die door God gezonden was Johannes was. Dat is toch de man die het evangelie geschreven heeft, hè?'

Ze begreep waarom hij in verwarring gebracht werd. 'Nee, hij bedoelt hier Johannes de Doper. Johannes, de apostel, is degene die dit evangelie schrijft.'

'Er zijn dus twee Johannessen. Dat is verwarrend.' Craig ging rechtop zitten en draaide in zijn stoel naar haar toe. 'Ik ben als de beste van mijn jaar voor rechten geslaagd en ik heb een fotografisch geheugen. Maar dit begrijp ik niet. Het is moeilijk. En ik wil het begrijpen.'

Ze kreeg wat zachtere gevoelens voor hem. Hij scheen het echt te proberen. Misschien was het toch geen trucje.

'Hoe weten jullie dat allemaal. Heb je dat allemaal op de zondagsschool geleerd?'

Ze glimlachte. 'Ten dele. Maar ik ben pas het laatste jaar de Bijbel echt gaan begrijpen. Je moet gewoon door blijven lezen. Het tweede hoofdstuk is niet zo moeilijk. Het gaat over de wonderen die Jezus deed, beginnend met dat Hij water in wijn veranderde. Ik denk niet dat je daar verdere uitleg bij nodig hebt. Lees het hardop dan dringt het beter tot je door.'

Craig sloeg een bladzijde om en nam het hoofdstuk door. 'Oké. Ik zie het.'

'Je moet je er niet zo druk over maken, Craig. Deze Bijbelstudie is geen competitie met Mark. Zo is hij niet.'

Hij keek naar haar op. 'Ja, zo is hij wel, Deni. We hebben beiden dezelfde doelstelling. Hij heeft mij niet aangeboden om Bijbelstudie met hem te doen om goede maatjes te worden.'

'Hij heeft echt de bedoeling niet om jou de indruk te geven dat je stom bent.'

'Wat probeert hij dan wel te doen?'

'Misschien dat hij je echt wil helpen om in je geloof te groeien. Je bent pas christen geworden. En het kan daarom best lastig zijn om te begrijpen wat je leest.'

'Wat kan hem dat schelen? Het is nogal duidelijk waarom ik juist hier aan het werk wilde. Ik kwam hier naartoe om jou terug te krijgen.'

Ze keek hem aan en herinnerde zich weer waarom ze eerder verliefd op hem geworden was. Ze herinnerde zich ook waarom ze dat niet meer was. In gedachten hoorde ze weer wat Mark tegen Craig had gezegd – dat hij er zeker van wilde zijn dat Deni een godvruchtige man zou krijgen.

Dat was net iets voor Mark. Craig was wel vijf jaar ouder, maar lang niet zo volwassen.

'Maar ik doe dit wel,' zei Craig, 'en als het zijn bedoeling is om mij de indruk te geven dat ik een onwetende hark ben, nou goed, dan bid ik dat ik inmiddels het een en ander zal leren. Ik wil dit echt leren begrijpen.'

'Dan bid ik dat de Heilige Geest je daarbij zal leiden. Het is allemaal goed nieuws. Iedere nieuwe ontdekking zal je opwinden.'

Craig boog zich weer over de bijbel heen en ze zag het licht van de petroleumlamp over zijn gezicht dansen toen hij de openingsverzen met nieuwe ogen las. Hij keek naar haar op. 'Wil je blijven en mij hierbij helpen?'

Ze dacht erover om ja te zeggen, maar deze intimiteit was een beetje te verontrustend. Ze kon dit beter aan haar vader en Mark overlaten.

'Ik ben echt moe,' zei ze. 'Je moet gewoon verder lezen. De Heilige Geest zal je onderwijzen.'

Hij spreidde zijn armen. 'Denk je? Ik kan echt wel wat hulp gebruiken.'

'Je kunt altijd naar mijn vader gaan als hij nog op is.'

Hij zuchtte. 'Oké.'

Ze liep naar de deur. 'Nou, welterusten. Je moet nog heel wat lezen.'

'Ja,' zei hij en ze hoorde de holle melancholie in zijn stem. 'Ik hoop dat ik er vanavond nog doorheen kom.'

Dertig

Mark stond vroeg op en bakte buiten op de grill wat roereieren zodat hij Craig iets aan te bieden had. Terwijl hij er mee bezig was, vroeg hij zich af of Craig de vorige avond kans had gezien Deni alleen te spreken. Waren de gevoelens die ze vroeger voor hem had weer teruggekomen? Hadden ze zachtjes en teder met elkaar gepraat over vroeger?

Het was stom geweest om gisteravond pruilend thuis te blijven zitten. Hij had hun de kans niet moeten geven om samen te zijn.

Hij ging aan de patiotafel zitten. Het was nog donker en er trok een koele bries door zijn haar. Hij moest zijn haar eens laten knippen en moest zich ook beter scheren. Hij zou zijn shirts in zijn broek steken en hij moest die spijkerbroek met dat gat in de knie afdanken. Misschien moest hij wat geld gebruiken om een nieuwe auto te kopen. Als Deni onder de indruk was van een Malibu, zou hij misschien een Mercedes of een Porche kunnen kopen met alle toeters en bellen.

Hij moest gek zijn. Gemeten naar de huidige maatstaven was hij niet arm, maar hij kon zich een dergelijke luxe niet permitteren. Wat was hij toch een sufferd. En als hij Deni terug moest winnen door Craig te overtroeven, kon hij maar beter meteen de handdoek in de ring gooien.

Toen hij geklop op de voordeur hoorde, liep hij door het huis heen om Craig binnen te laten. Mark moest toegeven dat hij stipt op tijd was.

Craig stond voor de deur met zijn bijbel in de hand. Die leek gloednieuw en nog zelden gebruikt. Het zilver op de papierranden glinsterde nog. Mark schudde hem de hand en liet hem binnen. 'Als je wat wilt eten, ik heb roereieren gemaakt,' zei hij. 'En koffie.'

'Koffie? Hoe ben je aan koffie gekomen?'

'Ik heb wat instantkoffie gekocht met het geld dat ik van de bank gehaald heb. Het is een cadeautje voor mijn moeder op moederdag, maar ze zal het niet erg vinden als wij er wat van gebruiken.'

Mark bracht hem naar de achtertuin waar hij twee lantaarns had aangestoken. Het begon al een beetje licht te worden. Het vuur in de barbecueput brandde nog en verspreidde een zwak licht. De zon zou spoedig opkomen.

'Je woont hier dus met je moeder?'

Mark gaf niet meteen antwoord. De vraag klonk als kritiek. Hij schepte de eieren uit de pan op een bord en zette het voor Craig neer. 'Ja, ik woon hier met mijn moeder en stiefvader. Het zijn moeilijke tijden en je hebt elkaar nodig om te kunnen overleven.'

'Woonde je voor de storing ook bij hen?'

Het vuur was heet op zijn gezicht. 'Ja, ik probeerde wat geld te sparen om een huis te kunnen kopen.'

'Je zat in de bouw, hè?'

'Inderdaad.' Hij werd ondervraagd en het stond hem niet aan. Hij nam het initiatief en zei: 'En, heb je Johannes gelezen?'

'Ja, dat heb ik gedaan.' Craig at zijn eieren en dronk zijn koffie. Hij zette zijn mok op tafel en zei: 'Ik liep gisteravond een beetje vast maar Deni heeft me geholpen eruit te komen.'

Mark kreeg een branderig gevoel in zijn maag. Het was niet zijn bedoeling geweest dat deze Bijbelstudie Craig de kans zou geven om contact met Deni te krijgen. Samen Bijbelstudie doen schiep een zekere intimiteit en hij wilde niet dat ze die met Craig zou hebben. Hij hoopte dat ze niet samen gebeden hadden.

Hij vertrouwde zijn stem niet helemaal en richtte daarom zijn aandacht op de eieren. Hij schepte zijn eigen bord vol en ging toen tegenover Craig zitten. De eieren smaakten naar rubber. Ze waren al koud.

In een gespannen stilte aten ze verder. Toen ze klaar waren legde Craig zijn vork neer en vouwde zijn handen op tafel. 'Laten we even eerlijk zijn, Mark. Je denkt toch zeker niet dat je mij voor de gek kunt houden?'

Mark tuitte zijn lippen en staarde in zijn koffie.

'Je wilt helemaal geen Bijbelstudie met me doen. Je wilt me gewoon de loef afsteken. Je wilt gewoon laten zien dat je veel geestelijker bent dan ik. Dit gaat helemaal niet om Jezus. Dit gaat om Deni.'

Mark zette zijn mok neer en keek hem in zijn harde ogen. 'Als je dat denkt, waarom ben je dan gekomen?'

'Zal ik eerlijk zijn? Omdat ik niet wil dat Deni denkt dat ik me terugtrek.'

'En dat je tot geloof gekomen bent, is dat echt waar. Of is dat je laatste tactiek?'

Craig boog zich naar hem toe. 'Stel me maar op de proef?'

Dit was bepaald geen goed begin. 'Het is niet mijn taak om je op de proef te stellen. Ik moet aannemen dat je het echt meent. Als het alleen maar een rookgordijn is, is dat iets tussen jou en God.'

'Dat lijkt me ook, ja.' Craig leunde weer achterover. 'Maar intussen waardeer ik de uitdaging. Ik heb nog nooit zoiets als het evangelie van Johannes gelezen. Toen ik christen werd, ben ik bij het begin begonnen. Tot nu toe heb ik Genesis tot Spreuken gelezen.'

'Niets in het Nieuwe Testament?'

'Alleen een gedeelte hier en daar. Dat heb ik gemist. Misschien had ik daarmee moeten beginnen.' Hij sloeg zijn bijbel open en keek op naar Mark. 'Dus mijn gelukwensen. Wat de Bijbel betreft ben je superieur.'

Mark mocht de man voor geen meter. 'Ik neem aan dat dat een oxymoron is en dat je dat niet letterlijk bedoelt. Je kunt niet de Bijbel kennen en begrijpen en je tegelijkertijd superieur voelen.'

Craig keek hem zelfvoldaan aan. 'Oxymoron zei je? En ik dacht nog wel dat je geen ontwikkeling genoten had.'

Mark stond op. 'Weet je, achteraf gezien was het misschien toch niet zo'n goed idee.'

'Misschien niet,' zei Craig. 'Maar wat zeggen we tegen Deni?'

Mark stelde zich voor dat hij Deni zou vertellen dat Craig een te grote hark was. Dat hij te zelfingenomen was om ook maar iets te leren. Dat zijn arrogantie een te grote hindernis was om overheen te springen.

'We vertellen haar gewoon de waarheid,' zei hij. 'Dat we niet met elkaar overweg kunnen. Dat die tekst van ijzer scherpt men met ijzer niet werkt als het om twee kerels gaat die dezelfde vrouw willen hebben.'

'Maar jij hebt het toch helemaal niet nodig om gescherpt te worden?'

'Natuurlijk wel,' zei Mark. 'Ik heb nog net zo veel van Bijbelstudie te leren als jij. Ik zit je geen les te geven, weet je. Ik wilde het evangelie van Johannes vers voor vers doornemen om te zien wat God ons beiden kon leren.'

Het leek erop dat Craig eindelijk door zijn arsenaal van sarcastische opmerkingen heen was.

Mark schoof zijn stoel onder de tafel en leunde op de tafel. 'Een van ons zal uiteindelijk Deni krijgen. Het kan voor ons beiden geen kwaad als we onze Bijbelkennis aanscherpen. Zoals ik al zei, ze verdient een godvruchtige echtgenoot.'

'En jij denkt dat je dat bent? Godvruchtig?'

Mark moest bijna lachen. 'Om eerlijk te zijn, als je mij beoordeelt naar het gesprek dat we zojuist hadden, nee, dat ben ik niet. Evenmin als jij. We zijn twee egoïsten die elkaar proberen beentje te lichten. Maar als we van onze verheven hoogten naar beneden komen, zouden we samen misschien iets kunnen leren.'

Craig staarde naar zijn bijbel en beet op zijn lip. Heel even dacht Mark dat hij zou opstaan en weggaan. Hij hoopte er bijna op.

Maar Craig speelde hem de bal weer toe. 'Oké,' zei hij. 'Laten we met het eerste hoofdstuk beginnen.'

Eenendertig

Deni fietste naar het Champland Insurance gebouw dat de regering gekocht had voor het commandocentrum van het herstelteam. De parkeerplaats stond nog steeds vol met auto's die daar al een jaar lang stonden. Achter een rij auto's zag ze Craigs Malibu dubbel geparkeerd staan, een paar andere auto's met regeringsnummerplaten en vijf vrachtwagens met generatoren.

Ze was jaloers op de chauffeurs. Had ze ook maar weer een auto, dan zou ze veel meer tot stand kunnen brengen. De helft van haar werktijd ging verloren om van de ene plaats naar de andere te komen.

Een jaar geleden had ze zich net een kind gevoeld dat op een fiets reed. Maar ze was het gaan waarderen. Haar benen waren sterker geworden en ze kon kilometers fietsen zonder buiten adem te raken. Ze kon zich door de stad heen vrij snel verplaatsen op haar fiets met tien versnellingen.

Maar ze verlangde er niettemin hevig naar om weer in een auto te kunnen rijden.

Ze haalde de ketting uit haar rugzak en zette haar fiets vast aan de portierhandel van een van de gestrande auto's. Omdat het gebouw, sinds de pulsaties waren begonnen, niet meer gebruikt was, hadden ze nog geen fietsenrekken geplaatst. Er waren nog meer fietsen aan auto's vastgemaakt, zodat ze dacht dat niemand er bezwaar tegen zou hebben. Het was een goede manier om ervoor te zorgen dat je fiets niet gestolen werd omdat die auto's toch nergens meer heen konden.

Terwijl ze haar fiets met de ketting vastmaakte, hoorde ze achter in het gebouw een generator zoemen. Nadat ze haar klembord uit haar rugzak had gehaald, liep ze het gebouw binnen.

De bedrijvigheid verraste haar. Vanaf de parkeerplaats was niet te zien geweest hoeveel mensen hier waren. Maar nu zag ze zo'n tien mannen en vrouwen in de wachtruimte zitten. Aan de andere kant van de grote, met schotten verdeelde ruimte zag ze een glazen conferentiezaal waar een aantal mensen zat te luisteren naar een man die op een groot schoolbord stond te schrijven en te tekenen. De dagen van PowerPointpresentaties waren allang verleden tijd.

Ze liep tussen de afgeschoten ruimten door tot ze Craig zag, die met een aantal mannen stond te praten. Ze trok zijn aandacht en wuifde.

Zijn gezicht lichtte op.

Wat vreemd dat hij zo op haar reageerde. Hoewel het uit was tussen hen deed het haar hart toch goed. Toen ze nog verkering hadden, had ze maandenlang naar zijn aandacht verlangd. Zelfs op de avond waarop hij de ring aan haar vinger had geschoven, was hij daarna weer onmiddellijk aan het werk gegaan. Ze had zeker niet bovenaan zijn prioriteitenlijstje gestaan.

Hij beduidde haar dat ze even moest wachten en maakte toen een eind aan zijn gesprek. De mannen liepen met hem mee toen hij naar haar toe kwam. Hij schudde hun hand en zei: 'We zien jullie morgenochtend om acht uur weer graag verschijnen.'

De mannen waren kennelijk blij toen ze het gebouw verlieten.

'Hoi, liefje,' zei Craig, zich naar haar toe buigend om haar te omhelzen.

Ze werd nijdig om het woord *liefje*. 'Zo moet je me niet noemen,' zei ze, maar ze aanvaardde zijn omhelzing en klopte hem vriendschappelijk op de rug. 'Heb je tijd voor een interview over het aannemen van personeel?'

'Natuurlijk,' zei hij. 'We moeten het bericht zo gauw mogelijk verspreiden.' Hij keek even naar de andere mensen die zaten te wachten en zei tegen hen: 'Er komt zo iemand bij u.'

Hij leidde haar door het gebouw. 'Dat waren sollicitanten. Ze beginnen al te komen. En daar' – hij wees naar de glazen conferentiezaal – 'geven ze voorlichting aan de werknemers van de elektriciteitsmaatschappij. Er is nog heel veel te doen, maar de zaak komt in beweging.'

Toen ze haar pen pakte, keek hij naar haar om. 'Ik ben echt blij je hier te zien. Misschien kan ik je ertoe overhalen om hier te komen werken.'

Ze glimlachte. 'Ik heb al een baan.'

'En wat verdien je ermee?'

Niet veel, dacht ze. Ze kreeg een dollar per dag en af en toe kreeg ze van haar baas bij de *Crockett Times* wat eten – een pot bonen, een krop sla, een zak pinda's. Haar baan was meer liefdewerk dan dat ze er iets mee verdiende. Het was genoeg om haar familie ermee te helpen, maar niet genoeg om er zelfstandig van te kunnen leven. Maar dat wilde ze Craig niet laten weten. Aangezien ze pas een paar maanden geleden met haar verslaggeving begonnen was, zou hij er de spot mee drijven. 'Genoeg hoor,' loog ze.

'Maar je kunt meer dan genoeg verdienen. We geven ons personeel een dollar per uur.'

'Wat zeg je?'

'Ja. Hebben je ouders je dat niet verteld?'

'Ik heb ze gisteravond nauwelijks gesproken. Een dollar per uur? Echt?'

'We kunnen je hier goed gebruiken. Je kunt op kantoor werken en de dingen mee helpen coördineren. Ik kan je een aardige functie en veel verantwoordelijkheid geven.'

Ze moest toegeven dat het erg verleidelijk klonk. 'Wat voor banen zijn er beschikbaar?'

'We nemen mensen voor allerlei functies aan. Maar ik denk dat jij buitengewoon geschikt zou zijn om de leiding van onze communicatieafdeling op je te nemen. We hebben mensen nodig voor public relations, mensen die persberichten schrijven, vragen van journalisten beantwoorden en het publiek informeren. Dat stelt misschien nu allemaal nog niet zo veel voor, maar geloof mij, dat wordt een enorme klus. En ik zou je goed kunnen gebruiken om dat samen met mij te organiseren en me te helpen met het aantrekken van personeel.'

Ze keek hem doordringend aan. 'Meen je het echt, die dollar per uur?'

'Voor die baan zal het waarschijnlijk zoiets als 1 dollar 25 per uur zijn. Kom op, Deni. Dit is net iets voor jou. Een baan die je op het lijf geschreven is. Je zult als een van de eerste van alles op de hoogte zijn. En je helpt er je land mee.'

Hij kende haar maar al te goed en hij roerde een gevoelige snaar aan.

'En het zal natuurlijk een aanwinst voor je cv zijn. Een goede aanloop voor de carrière die je voor ogen staat. Na zo'n baan is je kostje gekocht.'

Ze keek om zich heen naar alle bedrijvigheid. Wat zou ze graag die vergadering van de elektriciteitsmaatschappij bij willen wonen. De gedachte dat ze bij alle regeringsbeslissingen, die zo belangrijk voor het land waren, aanwezig zou zijn, deed haar hart sneller kloppen. En dan het salaris. Hoe zou ze dat kunnen afslaan?

'Ben jij degene die beslist wie er aangenomen wordt?'

'Ja. En, liefje, ik bied je die baan aan.'

Ze zuchtte. 'Als je mij geen liefje meer noemt, zal ik erover nadenken.'

Hij liet zich er niet door van de wijs brengen. 'Je moet wel gauw beslissen. Ik kan die baan niet lang voor je open houden. We hadden eigenlijk gisteren al iemand nodig.'

Ze wilde niets liever dan die baan aannemen, maar ze wilde er eerst met Mark over praten of hij er geen bezwaar tegen had. Bij de gedachte dat ze het tegen Harriet zou moeten vertellen, voelde ze zich schuldig worden. Wat moest de krant zonder haar doen?

'Ik wil minstens een paar uur de tijd hebben om erover na te denken.'

Craig haalde zijn schouders op. 'Goed, maar niet langer. En nu je artikel. Waarvan wil je bericht doen?'

'Ik wilde eigenlijk een aantal artikelen schrijven. Een over het aannemen van personeel natuurlijk. Maar ik denk dat onze lezers ook graag iets willen horen over wat er allemaal bij komt kijken om de elektriciteitcentrales weer operationeel te maken. Moeten de transformatoren ook allemaal omgebouwd worden?'

'Nee, dat hoeft niet. Transformatoren kunnen wel wat hebben want ze zijn van allerlei beveiligingen voorzien, zodat ze waarschijnlijk door de pulsaties niet beschadigd zijn. Maar de controlecircuits moeten wel hersteld worden.'

Hij legde haar uit hoe alles werkte en ze maakte ijverig aantekeningen om er een goed en correct artikel over te kunnen schrijven.

'Begrijp je nu waarom ik iemand moet hebben die de pr voor mij doet?' zei hij. 'Ik heb voor iedere verslaggever een uur nodig om uit te leggen hoe dit allemaal werkt en wat we doen om alles te herstellen. En dit heeft dan alleen nog maar betrekking op elektriciteit. Er zijn nog tientallen andere aspecten van ons werk waar mensen nieuwsgierig naar zijn. Ik heb geen tijd om dit een aantal keren per dag te doen. En wie deze taak ook gaat doen, hij zal hard moeten werken. We moeten nu meteen beginnen.'

Ze stond ijverig te schrijven om het allemaal op papier te krijgen voor ze het zou vergeten.

'Kom op, Deni. Help me alsjeblieft. Ik heb je hier nodig.'

Ze hield op met schrijven en keek naar hem op. 'Je begrijpt toch wel dat ik het meteen zou doen als jij het niet was die mij dit vroeg. Maar ik denk dat het bijzonder lastig zal worden om met jou samen te werken. Ik hoor nu bij Mark en ik wil hem niet voor het hoofd stoten.'

'Mark.' Hij sprak de naam uit alsof hij een zure smaak in zijn mond kreeg. 'Best een aardige vent, hoor, maar niets voor jou.'

Ze lachte even. 'Dat geeft niet. Als ik het maar zie zitten. Dat is het enige wat belangrijk is.'

Ze zag de spanning op zijn gezicht toen hij langs haar heen keek. Hij slikte moeizaam. 'En bovendien, als hij echt om je geeft, zal hij willen dat je deze baan neemt. Iedereen zou die kans met twee handen grijpen.'

Dat was waar. Maar ze wilde geen enkele verplichting aangaan voordat ze met hem had overlegd.

Maar anderzijds, hij had ook niet met haar overlegd toen hij dat baantje bij het bureau van de sheriff had aangenomen. Ze had hem in feite gesmeekt om het niet te doen, maar hij had geen rekening met haar wensen gehouden.

Ze zag nu in dat hij de juiste beslissing genomen had. Het district had hem nodig. Maar op dat moment had ze zich verraden gevoeld. Ze was erg bang geweest voor het gevaarlijke werk dat hij zou gaan doen.

Craig keek haar nog steeds aan en wachtte. 'Ik zal het waarschijnlijk wel aannemen, Craig. Ik weet dat het een mooie kans is en ik denk dat ik het erg leuk zal vinden. Maar als ik het doe, dan wil ik wel de verzekering van je krijgen dat dit alleen maar zakelijk is. Uitsluitend professioneel. Ik zou hier niet voor jou komen. Ik zou *ondanks* jou komen.'

Hij legde zijn hand op zijn hart. 'Je weet wel hoe je een man moet kwetsen, hè?'

Bij het zien van de blik in zijn ogen voelde ze zich ellendig. 'Het is niet mijn bedoeling om je te kwetsen, Craig. Echt niet.'

Hij liet zijn handen zakken. 'Laat maar zitten. Neem die baan nu maar aan. Ik zal je geen "liefje" meer noemen en ik zal je als een collega behandelen en niet als de vrouw op wie ik wanhopig verliefd ben.'

Als dat een aanwijzing was hoe het in de toekomst zou gaan, was het geen goed begin. Niettemin glimlachte ze. 'Oké dan,' zei ze. 'wanneer moet ik beginnen?'

Tweeëndertig

Kay hield op haar fiets vier blikken bakolie van elk vier liter in evenwicht – twee aan iedere kant. Het gewicht in haar fietstassen was bijna te veel voor de banden, maar ze had niet minder willen kopen omdat ze bang was dat ze later niet meer te koop zouden zijn.

De olie was haar geheime wapen geworden waarmee ze haar gezin in leven hield.

Toen de pulsaties waren begonnen, had ze zich zorgen gemaakt over hun voeding. Maar in de loop van de winter toen voedsel steeds schaarser werd, had ze zich gerealiseerd dat haar kinderen schrikbarend mager werden. Mevrouw Keegon, een van haar oudere buren in Oak Hollow, had voorgesteld dat ze het eten in olie moest gaan bakken, zodat ze meer calorieën zouden binnen krijgen. Het had voorkomen dat haar gezinsleden er als skeletten uit gingen zien en het had hun de energie verschaft om al het zware werk uit te voeren dat gedaan moest worden. De extra olie had weinig voedingswaarde, maar als je probeerde te overleven, stond goede voeding laag op het prioriteitenlijstje. Waar het in eerste instantie om ging, was dat ze geen hongergevoel en voldoende energie zouden hebben.

Nu de winter voorbij was, waren er in de kraampjes langs de kant van de weg meer producten te koop. Maar die kraampjes waren dikwijls uitverkocht voordat ze er was. Nu de banken weer open waren, had ze verwacht dat ze meer eten zou kunnen kopen, maar de voedselvoorraden in de winkels en de stalletjes waren snel uitverkocht en daarom moest ze haar toevlucht weer nemen tot de vertrouwde bakolie.

Ze had haar hele leven nog niet zo hard gewerkt. Kruidenierswinkels waren in geen maanden open geweest, maar de kraampjes wel. Ze had geleerd hoe waardevol het was om maïs te kopen die voor paarden bedoeld was. Van oudere vriendinnen leerde ze hoe ze van maïs allerlei eetbare producten – maïspap, tortilla's, maïsbrood, meelballetjes en koekjes – kon maken. Voor de storing had ze vaker kant-en-klaarmaaltijden gekocht die ze in de magnetron opwarmde, dan dat ze zelf gekookt had. Maar nu had ze geleerd hoe ze haar gezin voor slechts een paar centen per dag kon voeden.

Ze kon ook tortilla's maken van meel, water en bakolie. Het was goedkoop en toen ze eenmaal geleerd had hoe ze die boven de grill kon bakken, was gebleken dat het snel en makkelijk was. Er waren zelfs dagen geweest dat ze haar jongens warm water met een lepel bakolie erin had laten drinken. Daardoor hadden ze nog meer calorieën binnen gekregen, zodat ze in staat waren te werken zonder uitgeput te raken.

Ze had het verhaal over de calorieën echter voor zichzelf gehouden. Haar dochters zouden het niet leuk vinden, ook al waren hun kleren dan te wijd geworden. Ook haar kleren hingen te wijd om haar heen. Grappig dat ze voor de pulsaties drie keer in de week naar het fitnesscentrum was gegaan om ervoor te zorgen dat ze niet te dik zou worden. Nu was ze mager en vond ze dat niet leuk. Door het gewichtsverlies had ze meer rimpels in haar gezicht gekregen. Ze moest wat meer make-up gebruiken om ze weg te werken. Kay vond het niet erg dat ze eruitzag als een vrouw van zesenveertig, maar ze wilde er geen dag ouder uitzien.

Ze hoorde een auto achter haar aankomen en keek over haar schouder. Mark in zijn patrouillewagen claxonneerde even en kwam langzaam naast haar rijden. 'Stap in,' zei hij. 'Ik breng je wel even thuis.'

Dankbaar stapte ze van haar fiets af. Mark kwam de auto uit en zette hem op de fietsendrager achter de auto. Ze hadden alle patrouilleauto's van fietsendragers voorzien aangezien de mensen die ze arresteerden dikwijls een fiets bij zich hadden. Ze waren te waardevol om ze zomaar ergens achter te laten. 'Bakolie, hè?'

'Ja, het ging zo hard dat ik gepakt heb wat ik mee kon nemen.'

Hij zette de fiets vast en hield het portier voor haar open. 'Sorry dat ik de laatste tijd niet meer op jacht kan om jullie wat eten te brengen. Ik heb er geen tijd meer voor.'

Ze stapte in. 'O Mark, het is niet jouw taak om ons van eten te voorzien.'

'Dat weet ik wel, maar ik doe het graag.'

Ze zag hem om de auto heen lopen en instappen.

'En, kun je het nogal volhouden nu Craig hier is?'

Hij lachte kort. 'Ik wilde jou hetzelfde vragen.'

'Jij eerst.'

Hij haalde zijn schouders op. 'Ik red me wel, hoor. Niet dat ik het zo leuk vind, maar wat kun je eraan doen?'

'Dat weet ik. Heb je de ring nog?'

Hij stak zijn hand in zijn zak en haalde hem eruit. Ze pakte hem aan en glimlachte bij het zien van de steen. Deni zou hem prachtig vinden.

'Ben je nog steeds van plan hem haar te geven?'

'Ja, dat doe ik nog een keer, maar niet nu.'

'Waarom niet?'

'Als ze ja zegt wil ik niet dat ze haar opwinding moet onderdrukken uit piëteit voor Craigs gevoelens.'

Kay gaf hem de ring weer terug en keek toe toen hij hem weer in zijn zak stopte. 'Geef het maar toe, Mark. Je hebt zo'n hekel aan hem dat je hem graag een pak slaag zou willen geven, niet?'

Hij reed de wijk in. 'Ja, eigenlijk wel. Maar niet voldoende om het te doen.'

Ze zagen Deni in de garage. Ze draaide zich om en zwaaide.

Mark reed het garagepad op. De zachte glimlach op zijn gezicht toen hij naar Deni keek, deed Kay's hart smelten. 'Bedankt voor de lift, Mark. En luister eens…'

Hij keek haar aan.

'Je moet niet te lang wachten. Craig blijft hier nog wel een poosje. Ik wil niet dat hij een voet aan de grond krijgt.'

'Heeft hij nog geen plannen om te gaan verhuizen?'

'Nee, maar ik ga vandaag of morgen naar Eloise's huis om het schoon te maken. Zijn werk is erg belangrijk en hij heeft geen tijd om aan een andere behuizing te denken. Dat we hem nog steeds in huis hebben, is onze bijdrage aan de herstelwerkzaamheden, denken we.'

Mark zuchtte diep. 'Hij zal er niets van krijgen om zijn koffers naar de andere kant van de straat te brengen. Desnoods help ik hem wel.'

Kay glimlachte. 'Dat weet ik. We zullen het binnenkort ter sprake brengen.'

'Intussen blijft hij gewoon zitten tot iemand hem eruit schopt, zodat hij dicht bij Deni kan blijven.'

'Ik zal zien wat ik doen kan.'

Deni kwam naar de auto, en glimlachte terug naar Mark. Ze boog zich naar Marks raampje toe en keek naar haar moeder. 'Hé, mam, probeer je mijn vriendje af te pikken?'

Het was duidelijk dat Mark haar plezier aanvoelde. Kay stapte uit en wilde wel dat hij Deni de ring zou geven.

Drieëndertig

Beth veranderde haar route zodanig dat de krantenautomaat in Magnolia Park de laatste was waar ze haar kranten in moest stoppen. Ze kwam er tegen drie uur aan, waarna ze op de schommel ging zitten om naar het huis van de familie Tomlin te staren. Ze hoopte dat ze een glimp op zou vangen van de weduwe, die niet wist dat haar man vermoord was. Haar behoefte om de vrouw van Blake Tomlin en zijn zoontje te zien was groter dan haar angst dat de moordenaar haar zou zien. Gisteren had ze een glimp van hen opgevangen, samen met een ouder echtpaar, dat eruitzag of ze zijn ouders hadden kunnen zijn. Ze waren waarschijnlijk gekomen om naar hun zoon te gaan zoeken.

In het park was het vandaag drukker dan gewoonlijk. Beth keek naar het huis en vroeg zich af hoe de Tomlins het konden verdragen om op een dag als deze in hun huis opgesloten te blijven zitten, de gordijnen gesloten en geen enkel raam open. Het moest daar binnen erg warm zijn, om nog maar niets te zeggen over het donker.

Op de bank achter haar zaten twee vrouwen rustig te praten terwijl hun kinderen aan het spelen waren. Door de zachte bries werden hun stemmen verder gedragen dan ze wisten.

'Blake zou er niet zomaar vandoor gaan.'

Beth hield haar adem in en keek even om. Blake's vrouw – dezelfde vrouw die ze vanuit de verte gezien had – zat daar met een vriendin. Beth had haar niet eerder opgemerkt omdat de vrouw haar haar nu opgebonden had in een paardenstaart. Beth's hart bonsde in haar keel. Ze hield op met schommelen en luisterde.

'Misschien vergis je je,' zei de vriendin.

Beth draaide zich op de schommel om en keek naar de vrouw. Ze was knapper dan ze uit de verte had geleken. Haar blik ging naar de kleuter, die een paar meter verder in de zandbak met een schepje aan het spelen was.

'Danny mist hem zo erg,' zei de vrouw. 'Hij blijft maar uit het raam naar hem uitkijken.'

'Ik weet zeker dat alles goed met hem is. De hark is er gewoon met het geld vandoor gegaan.'

Beth had diep medelijden met de vrouw van Blake. Wat een vriendin.

'Dat is niet waar,' zei de vrouw. 'Waarom zeg je zulke dingen?'

'Omdat ik hem ken. Ik wil alleen maar zeggen dat alles waarschijnlijk wel goed met hem is. Hij zit gewoon ergens, levend en wel. Geld doet rare dingen met mensen. Ik kende eens een gezin waarvan de man een dubbelleven leidde. In een andere staat had hij nog een gezin. Hij was altijd op reis.'

'Hij heeft geen ander gezin!' De vrouw spuwde de woorden uit en Beth keek opnieuw naar haar. Ze had een hoogrode kleur. 'Ik heb je steun nodig, Sharon. Geen vermoedens dat mijn man wel een hark zal zijn. Ik zeg je dat er iets met hem gebeurd is en de politie doet helemaal niets.'

'Het spijt me. Ik wilde je niet van streek maken. Ik probeerde je juist hoop te geven door te zeggen dat alles wel goed met hem zal zijn.'

Het is niet goed met hem, wilde Beth schreeuwen. *Hij is dood. Een man liet hem knielen en schoot hem toen door het hoofd, alleen maar omdat hij zijn geld wilde hebben.*

Tranen sprongen in haar ogen, maar ze knipperde ze weg. Ze zag de boze jonge moeder opstaan en naar de zandbak lopen. Ze haalde het jongetje eruit en zei: 'Kom op, schat, we gaan naar huis.'

Heel even wilde Beth het gras over rennen en alles vertellen, om de schade die de andere vrouw had aangebracht, ongedaan te maken. Maar zou mevrouw Tomlin, als ze haar zou vertellen dat haar man was vermoord, zich echt beter voelen?

'Hé, Beth, zit je hier?'

Beth schrok hevig en draaide zich snel om. Jimmy Scarbrough was aan komen fietsen en hij leunde nu met een voet op de grond.

'Jimmy!'

Hij keek haar met open mond aan. 'Heb je je haar afgeknipt?'

Ze keek over haar schouder naar Tomlins vrouw. Ze had zich omgedraaid en keek nu naar Beth. Geweldig.

Beth liep naar haar fiets en ging erop zitten.

'Beth?'

Ze wierp Jimmy een boze blik toe. 'Wat is er?'

'Waarom heb je je haar afgeknipt? Je lijkt wel een jongen.'

Ze voelde dat ze zou gaan huilen. 'Omdat ik dat wilde, goed? Ik hoef niemand te vragen of ik mijn haar af mag knippen als ik dat wil.'

Ze zag dat Jimmy geschrokken naar haar keek. Ze was nog nooit tegen hem tekeer gegaan, 'Neem me vooral niet kwalijk,' zei hij.

Ze voelde zich ellendig. 'Het spijt me. Ik wilde je niet kwetsen.'

Hij kwam dichter naar haar toe. 'Ik was naar je op zoek. Ik heb je route af gefietst.'

Er was een tijd dat ze dat fantastisch had gevonden, maar nu had ze andere dingen aan haar hoofd.

'Heb ik je aan het huilen gemaakt?' vroeg Jimmy.

Beth schudde haar hoofd en keek over haar schouder heen naar de vrouw. Ze had het kind nu op de arm.

'Nee, ik huil niet. Ik moet gaan.' Ze fietste weg, langs een wagen heen die door twee paarden getrokken werd en om een hoop die een ander paard op de weg had achtergelaten.

Jimmy zou waarschijnlijk nooit meer tegen haar willen praten. Waarom zou hij dat willen nu ze haar haar afgeknipt had en er zo uitzag?

'Beth, wacht even!'

Ze voelde de tranen over haar wangen glijden en veegde ze

snel weg. Ze reed de parkeerplaats van een verlaten warenhuis op en bleef bij de stoeprand staan. Jimmy kwam op zijn fiets naast haar staan.

'Ik wilde je echt niet kwetsen. Ik was alleen maar verbaasd. Je ziet er best grappig uit. Ik vind het leuk.'

De tranen stroomden nu sneller over haar gezicht. 'Nee, je vindt het helemaal niet leuk.'

'Echt waar. Kom op, zeg. Wat heb je?'

Ze keek naar het park en onderdrukte een snik. 'Ik eh... er is veel wat me dwars zit.'

'Wil je erover praten?'

'Nee,' zei ze. 'Dat kan niet. Als ik dat zou doen, zou iemand anders er voor moeten boeten.'

Hij keek haar verbaasd aan. 'O.'

Daar zat ze dan, jankend als een klein kind en zich afvragend waarom ze dat gezegd had. Zoiets had ze nog tegen niemand anders gezegd.

Maar ze moest met iemand praten. Kon ze hem vertrouwen? Hij was per slot van rekening de zoon van de vroegere sheriff. Hij had heel veel gezien en gehoord en geweld was niet nieuw voor hem. Zijn vader lag nog steeds met een schotwond waaraan hij bijna bezweken was, in het ziekenhuis.

Jimmy stapte van zijn fiets en legde hem op de grond. Hij kwam naar haar toe en pakte haar hand. 'Ga zitten en praat met mij.'

Ze zette haar fiets op de standaard en liet zich door hem mee-voeren naar de stoeprand. Ze gingen beiden op het gras zitten. Ze huilde nog steeds, legde haar armen om haar knieën en liet haar hoofd erop zakken.

Hij raakte haar rug aan en klopte erop. 'Beth, zit je in moei-lijkheden?'

Ze knikte. 'Ik kan er niet over praten.'

'Vertel het mij maar,' zei hij. 'Zo erg kan het niet zijn. Wat heb je gedaan?'

De vraag bracht haar van haar stuk. 'Ik heb niets gedaan.'

'Waarom zit je dan in moeilijkheden?'

'Iemand anders heeft iets gedaan.'

Hij trok zijn wenkbrauwen op. 'Die vent die bij jullie in huis zit?'

Beth keek naar hem op. 'Craig? Hoe weet je dat hij bij ons in huis is?'

'Omdat ik een paar dagen geleden een paar keer langs jullie huis heb gefietst en zijn auto zag staan. Ik zag Cher en vroeg haar wie het was. Heeft hij je iets gedaan?'

'Nee, Craig niet. Hij is het niet.'

Jimmy knielde naast haar neer en keek haar doordringend aan. 'Wie dan wel?'

Ze wilde het hem vertellen. Ze moest erover praten, maar als ze hem vertelde wat er werkelijk gebeurd was, zou hij het ongetwijfeld aan zijn vader vertellen. En *zijn* vader zou het aan *haar* vader vertellen, en dan aan sheriff Wheaton, en voor ze het wist, zou de moordenaar het weten.

Ze legde haar hoofd op haar knieën en was niet in staat een eind aan de tranenstroom te maken. 'Het gaat... het gaat om die mevrouw daar in het park.'

'Welke mevrouw?'

'De mevrouw van wie haar man verdwenen is. Ik heb op het aanplakbord gelezen dat hij vermist wordt. Ik heb zo'n medelijden met haar.'

Hij staarde haar alleen maar aan. 'Is dat het? Ben je zo van je stuk gebracht omdat een man zijn vrouw in de steek gelaten heeft?'

Ze wist dat het niet erg aannemelijk klonk. 'Ze hebben een zoontje. Ik denk van een jaar of twee.'

'Ken je hen?'

'Nee, maar ik zie ze soms buiten op het garagepad. Ze wonen aan de overkant van het park.'

'O, ik begrijp het.'

Maar hij begreep er niets van. Hij begreep er helemaal niets van. Ze haalde een keer diep adem en had door dat ze al te veel gezegd had. 'Ik moet naar huis. Mijn ouders zullen ongerust worden.'

Hij bleef in verwarring gebracht zitten. Hij zou wel denken dat meisjes erg vreemd en gecompliceerd waren, dat ze volkomen van de kaart waren vanwege het verdriet van iemand die ze niet eens kenden.

'Het spijt me voor die mevrouw,' zei hij.

Ze knikte. 'Mij ook.' Ze stond op en pakte haar fiets.

'Gaat het weer een beetje? Zal ik met je meefietsen naar huis?'

'Ja,' zei ze snel. Ze zou zich veiliger voelen als er iemand bij haar was. 'Wil je dat?'

'Natuurlijk. Ik heb mijn kranten al rondgebracht, dus ik kan best met je mee.' Hij stapte op zijn fiets en kwam naast haar staan. 'En hoe vind je het dat de pulsaties voorbij zijn? Ik heb gehoord dat ze al bezig zijn met het repareren van het elektriciteitsnet.'

Beth knikte alleen maar terwijl hij honderduit over de toekomst babbelde. Ze was bang dat ze er dan niet meer zou zijn.

Vierendertig

'Je zei dat je het goed vond dat ik die baan nam.'

Dat was waar, dacht Mark. Toen Deni, opgetogen over haar nieuwe baan, naar hem toe gekomen was, had hij zijn bedenkingen voor zich gehouden en geprobeerd haar enthousiasme niet onderuit te halen. Wat deed zijn mening er eigenlijk nog toe? Ze had de baan toch al aangenomen.

Terwijl ze een nieuw blad in haar typemachine draaide, nam hij haar kalm op, in de hoop dat het brandende gevoel in zijn maag niet op zijn gezicht zichtbaar was.

'Maar in feite vind je het niet goed, hè?' Ze zette haar ellebogen op het bureau en keek hem strak aan. 'Kunnen we erover praten?'

'Wat valt er nog te praten? Je hebt goed gehandeld. Als ik die baan bij de sheriff niet had zou ik zelf ook gaan solliciteren.'

'Je hoeft je over Craig echt geen zorgen te maken. Hij heeft mij beloofd strikt zakelijk te blijven.'

Hij lachte bitter. 'Je weet dat hij loog.' Hij liet zich in een stoel tegenover het bureau van haar vader vallen en legde zijn voeten op de sofa. Hij hoopte dat hij een ontspannen indruk maakte, hoewel iedere spier in zijn lijf gespannen was.

'Zelfs als hij loog, doet dat er niet toe.'

'Weet je het zeker? Hij is tamelijk belangrijk. Macht kan erg verleidelijk zijn.'

'Jij hebt meer macht over mij dan hij. Mark, je moet me vertrouwen.'

Hij vertrouwde haar. Hij vertrouwde Craig ook – dat hij al het mogelijke zou doen om haar terug te winnen. Hij wilde haar eigenlijk vertellen dat ze die baan niet aan moest nemen. Ze zou misschien zelfs luisteren en gewoon bij de krant blijven. Maar wat schoot hij daarmee op?

Hij kon haar niet tegenhouden. Dit was een geweldige mogelijkheid om carrière te maken, en waarom zou ze daar van af moeten zien? Als Craig haar baas niet zou zijn, zou Mark het toegejuicht hebben dat ze de baan aannam. Nee, Mark wilde Deni niet in de weg staan bij het verwezenlijken van haar dromen. Maar hij wilde alleen niet dat Craig degene was die ze waar maakte.

Op de houten vloer in de gang hoorden ze gehaaste voetstappen en Chris verscheen in de deuropening. 'O, zijn jullie hier?' Ze was buiten adem. 'Deni, je moet me helpen. Het feestje begint over drie uur en ik kan niet alles tegelijk doen.'

Deni stond op. 'Maar ik moet nog drie verhalen schrijven en ik wil me ook nog omkleden.'

'Deni, alsjeblieft. Je kunt me niet in mijn hemd laten staan. Jij ook Mark. Ik heb jullie hulp dringend nodig.'

Mark vond het wel leuk om Chris zo over haar toeren te zien. Het was nogal amusant. 'Ik kan je nu niet helpen, Chris. Ik kwam maar even langs. Ik moet weer aan het werk.'

Ze streek met haar handen door haar haar. 'Je laat me toch niet in de steek, Mark? Stel dat er niemand komt. Stel dat ik blijf zitten met een heleboel appelgebak en al die kaarsen.'

'Maak je maar geen zorgen,' zei Mark. 'Ik kom. Ik werk tot zeven uur.'

'Maar het *begint* om zeven uur.'

'Ik zal er zijn,' zei hij.

Deni lachte en legde haar arm om de schouders van haar vriendin. 'Het komt wel goed. Iedereen praat erover.'

Chris keek haar aan. 'Echt?'

'Ja, echt waar. En ik kom je nu wel helpen. Ik ga me wel verkleden als we klaar zijn en ik blijf vannacht op om mijn verhalen te schrijven, maar maak je daar maar niet druk over.'

'Dankjewel!' Ze pakte Deni's hand en trok haar mee naar de deur.

Mark stond op en volgde hen. 'Deni, ik kom je om zeven uur ophalen.'

Ze schudde haar hoofd. 'Kom me maar niet ophalen. Ik ga wat eerder en zie je daar wel.' Ze trok zich los van Chris, ging op haar tenen staan en kuste hem. 'Tot straks. Wees voorzichtig.'

Hij kon niet nalaten om hen beiden te lachen toen hij terug-liep naar zijn auto.

Vijfendertig

Beth's beste vriendin Cher stond in de garage van de familie Branning op haar te wachten toen ze thuiskwam van het rondbrengen van de kranten. Beth's maag trok samen toen ze de garage in fietste. Ze wilde niet praten omdat ze bang was dat ze te veel zou zeggen. Ze had Jimmy al veel te veel verteld.

Cher zat met gekruiste benen op de grond met een katje te spelen dat nog maar een paar weken oud leek. 'Is ze niet schattig? Ik heb haar Sproetje genoemd. Ze is een van de kittens van de poes van Allen. Mijn moeder vindt het goed dat ik haar houd.'

Beth stapte van haar fiets af en ging naast Cher op de grond zitten. Ze pakte het grijze poesje op en keek naar haar kopje. Het poesje jankte en krabde haar en probeerde weer los te komen. Ze zette een hoge rug op tegen Cher.

'Als je wilt kun je er ook een krijgen. Ze hebben er nog drie over.'

'We hebben al genoeg dieren,' zei Beth.

'Konijnen en kippen tellen niet mee. Die zijn om op te eten.'

'Ik weet niet wat we een kat te eten moeten geven. Hoe dan ook, ik wil er geen hebben.'

Cher liet het katje los en keek toe toen het door de garage dartelde. 'Raad eens wie ik gisteren gezien heb?'

Beth was niet geïnteresseerd. Ze wilde naar binnen gaan en op bed gaan liggen. 'Wie dan?'

'Jimmy. Hij rijdt bijna iedere dag langs je huis alsof hij je even wilt zien. Komt hij weleens aan?'

Beth haalde haar schouders op. 'Nee. Maar ik heb hem vandaag gezien.'

'Hij is gek op je. Ben je niet blij?'

Beth's ogen volgden een fietser die langsreed. 'O, hij is best aardig, hoor.'

'Best aardig? Beth, wat heb je?'

Ze wilde de garagedeur dichtdoen, zodat iemand die langsreed, haar niet kon zien. Stel je voor dat de moordenaar langsfietste en haar hier zou zien zitten. 'Ik moet naar binnen,' zei ze.

Cher stond op en liep achter haar katje aan. 'Wil je niet spelen?'

'Nee, ik voel me niet zo lekker.'

'Ben je ziek?'

Beth liep geërgerd naar de deur. 'Misschien. Ik weet het niet. Ik zie je later wel weer. Goed?'

Cher voelde zich gekwetst. Ze pakte haar katje op en drukte het tegen haar borst. 'Goed. Dan ga ik maar. Als je wilt spelen, kom je maar naar me toe.'

'Dat zal ik doen.' Beth deed de deur open en wilde naar binnen lopen.

'O ja, nog iets.'

Beth draaide zich om. 'Wat dan?'

'Er was een man die naar je zocht.'

Beth's longen leken dicht te klappen en ze kon geen lucht meer krijgen. Ze stapte de garage weer in. 'Welke man?'

'Een man die jouw halskettinkje had. Weet je wel, dat kettinkje met dat kruisje eraan.'

Beth's hand ging naar haar keel. Dat was hij. Het kettinkje was gebroken. Haar borst deed pijn; ze dacht dat ze flauw zou vallen. 'Heb je hem verteld waar ik woon?' fluisterde ze.

'Ik heb hem niet gezien,' zei Cher. 'Mijn vader en mijn broer waren zondag bij de put toen hij stopte en ernaar vroeg. Mijn vader zei hem dat hij het wel aan jou zou geven, maar de man vertrouwde hem niet.'

Beth zoog lucht naar binnen en kon niet meer uitademen. In paniek rende ze naar de garagedeur en trok die dicht.

'Wat doe je nu? Ik moet er nog uit.'

Beth trok de metalen deur met een klap op de grond. 'Ga maar door het huis.' Het was donker in de garage. Beth deed de deur open en stapte de keuken binnen.

'Wat hebben ze hem verteld?'

'Wie?'

'*Die man!*' Beth huilde nu. 'Wat heeft je vader tegen die man gezegd?'

'Dat weet ik niet precies, maar hij heeft hem niet je adres gegeven. Dat weet ik wel. Beth, wat is er?'

Beth wist niet wat ze zeggen moest. 'Ik wil niet dat mensen over mij praten.' Ze kon niet uitademen en begon duizelig te worden.

'Ben je aan het hyperventileren of zoiets?'

Beth greep zich aan het aanrecht vast omdat ze bang was dat ze zou vallen.

Cher rende om het aanrecht heen en greep een papieren zak vol spijkers. Ze gooide de spijkers eruit en gaf de zak aan Beth. 'Hier, je moet erin ademen.'

Beth nam de zak aan en ademde erin, blies de zak op, ademde in... uit... in...

Ze kon nu weer beter ademhalen. Zwetend legde ze de zak neer. 'Hebben ze hem... hebben ze hem mijn achternaam gegeven?'

'Misschien,' zei Cher. 'Hij kan de naam waarschijnlijk in het telefoonboek opzoeken en dan ook je adres vinden. Maak je maar geen zorgen. Je zult je kettinkje heus wel weer terugkrijgen.'

Ze hoorde haar moeder door de achterdeur binnenkomen. 'Cher! Leuk je weer eens te zien, kind.'

Cher glimlachte. 'Ik ben blij dat u er bent. Beth had moeite met ademhalen.'

Haar moeder keek haar verschrikt aan en pakte haar vast. 'Gaat het weer?'

Ze haalde nog steeds moeizaam adem.

'Ik heb haar die zak gegeven om in te ademen.'

'Was ze aan het hyperventileren?'

Haar moeder maakte zich nu helemaal zorgen over haar en Beth wilde niet dat iemand zich met haar bemoeide. Ze wilde alleen maar gaan liggen.

'Liefje, hoe kwam dat?'

'Ik weet het niet.' Cher zou haar moeder vast gaan vertellen over de man die naar haar op zoek was. Haar moeder zou het aan haar vader vertellen en die zou het weer tegen de sheriff zeggen. En wat dan? Ze probeerde krampachtig iets te verzinnen. 'Ik eh… ik besefte plotseling dat ik mijn kettinkje verloren had. Het kruisje.'

'Kind, dat geeft niet. Dat is toch niet zo erg.'

Cher deed haar mond open om iets te gaan zeggen. Beth greep Chers hand, waardoor ze bijna haar poesje liet vallen. 'Cher moet weg. Ja toch, Cher?'

Cher keek haar verbijsterd aan maar speelde niettemin mee. 'Ja, ik heb mijn moeder beloofd om meteen thuis te komen.'

Beth bracht haar naar de deur, deed hem open en wachtte tot ze zou vertrekken.

'Je doet wel raar, zeg,' fluisterde Cher scherp. 'Wat heb je?'

'Ik zei je toch al dat ik me niet zo lekker voelde.' Cher liep de veranda op en Beth deed de deur achter haar dicht. Ze zwaaide door het raam naar haar en keek haar na toen ze naar huis liep.

'Beth, liefje, nu moet je me toch echt vertellen wat er aan de hand is.'

'Ik heb koorts,' zei ze. 'Ik moet een poosje gaan liggen.' Ze rende de trap op.

Zesendertig

Toen ze er zeker van was dat Chris alles onder controle had, haastte Deni zich naar huis om zich voor het feestje van haar vriendin te verkleden. Het was een warme dag geweest en aangezien ze die dag de hele stad door was gefietst, had ze een bad nodig. Wat zou ze niet overhebben voor warm stromend water.

Nu ze voor Craig ging werken, zou dat misschien sneller gerealiseerd kunnen worden.

Ze knoopte een handdoek om haar hoofd en liep naar haar kamer om alles op te ruimen. Ze wilde er vanavond goed uitzien en ze hoopte dat haar haar snel zou drogen.

Ze trok een bloes aan die ze het afgelopen jaar nauwelijks gedragen had, zodat hij er nog nieuw en schoon uitzag. En ze trok een oude spijkerbroek van Beth aan. Hij was nu voor haar dertienjarige zus te groot, maar paste haar uitstekend. Hij was wat te kort maar ze vouwde de pijpen een beetje op zodat het een driekwartbroek leek. Je moest nu eenmaal een beetje improviseren.

Toen ze voor de spiegel stond, vond ze dat ze erg mager geworden was. Ze had nooit gedacht dat ze dat nog eens van zichzelf zou vinden. Maar de winter was zwaar geweest en ze zag er nu wat hoekig uit alsof ze aan anorexia leed. Tijdens de eerste jaren op de universiteit had ze haar best gedaan om er zo mager mogelijk uit te zien. Nu had de voedselrantsoenering bewerkstelligd wat ze met een hongerdieet niet voor elkaar gekregen had. Wat was dat stom. Voortdurend honger lijden om er maar zo slank mogelijk uit te zien. Waarom zou iemand die voldoende eten had honger moeten lijden?

Dat was een van de dingen die de pulsaties haar duidelijk hadden gemaakt.

Onderaan de trap hoorde ze Craigs stem en ze liep de gang op toen hij naar boven kwam. Hij zag er moe en afgetobd uit. 'Hé, ga je ook naar het feestje?'

Hij glimlachte toen hij haar zag. 'Welk feestje?'

'Chris geeft een feestje, weet je nog?'

Hij sloeg zich tegen het voorhoofd. 'O ja. Ik heb het zou druk gehad dat ik het helemaal vergeten was. Ja, ik kom ook een poosje. Daarna moet ik weer terug naar kantoor. Ik pauzeerde alleen maar even.'

'Ik stond op het punt om te vertrekken.' Ze had geen lippenstift meer en pakte daarom wat vaseline om op haar lippen te smeren. Daarmee zou ze het moeten doen.

Hij leunde tegen de deurpost aan en keek naar haar. De intimiteit ervan trof haar en ze draaide zich van de spiegel af.

'Je ziet er mooi uit,' zei hij.

'Dank je.' Ze liep naar de deur maar hij ging niet opzij. Ze keek naar hem op. 'Ik eh... ik moet mijn tasje halen.'

Ten slotte deed hij een stap opzij. 'Wacht even dan ga ik met je mee.'

Ze liep haar slaapkamer in en terwijl ze naar haar tasje keek, vroeg ze zich af of ze hem zou vertellen dat ze liever alleen ging. Het laatste wat ze wilde, was dat iemand zou gaan denken dat ze weer samen waren. Maar aangezien ze naar dezelfde plaats gingen, zou het dwaasheid zijn dat hij tien minuten zou moeten wachten om er dan alleen heen te gaan.

Onderaan de trap wachtte ze op hem en binnen een paar minuten was hij klaar. 'Zullen we mijn auto nemen?'

Ze keek er even naar toen ze buiten kwamen. 'Ik dacht dat je zuinig met benzine moest zijn?'

'Dat ben ik ook, maar het is niet ver.'

'We kunnen lopen.'

'Weet je het zeker? Het is lang geleden dat je in een auto gezeten hebt.'

'Niet echt. Mark rijdt in een politieauto. Hij laat me wel eens meerijden.'

Hij grijnsde. 'Die goeie ouwe Mark.'

Ze lachte even.

'Ben je bereid om maandag te beginnen?' vroeg hij toen ze op weg gingen.

'Ik ben er klaar voor. Ik kan nauwelijks wachten. Maar ik vond het wel vervelend om het tegen mijn baas te vertellen. Ze is erg van mij afhankelijk.'

'Dan zou ze je beter moeten betalen.'

'Ze betaalt me wat ze zich kan veroorloven.'

'Dan kan ze zich jou dus niet veroorloven.'

Deni keek naar hem op. 'Het ging bij deze baan niet om geld, weet je? Ik vond het heerlijk om het te doen. Voor ze mij in dienst nam, deed ik het op vrijwillige basis.'

'Ja, maar liefdewerk brengt je niet veel verder op de maatschappelijke ladder. Je moet carrière maken. Echt werk dat goed betaald wordt.'

De manier waarop hij erover praatte, stond haar niet aan, maar ze liet het zitten. 'En, hoe loopt het allemaal? Maak je vorderingen?'

'We nemen nog steeds mensen aan en proberen voldoende arbeidskrachten te krijgen om de elektriciteitsnetten in de centrales te repareren. En we boeken vooruitgang met het opstarten van de raffinaderijen. Als alles volgens schema verloopt, zullen sommige raffinaderijen over een paar dagen weer stroom hebben, neem ik aan.'

'En kunnen we, als die weer werken, brandstof krijgen?'

'Ja. Het is een soort domino-effect. Je kunt het een niet doen zonder het ander.'

Ze voelde zich weer opgewonden worden. Ze zou er allemaal middenin zitten. Deelnemen aan het herstel. Er voor zorgen dat alles weer ging draaien.

De voordeur van Chris' huis stond wijd open en Deni hoorde binnen stemmen en gelach. Ze nam Craig mee naar binnen en glimlachte bij het zien van de transformatie die het huis in het laatste uur had ondergaan. Overal stonden kaarsen en Chris begroette iedereen bij de deur. Haar blonde krullen hingen los in een kapsel dat haar een gedistingeerd en elegant uiterlijk gaf. Ze zag eruit om door een ringetje te halen. Deni was onder de indruk.

Toen ze de woonkamer in liepen, voelde ze Craigs bezitterige hand in haar rug. Ze probeerde sneller te lopen om wat afstand tussen hen te scheppen, maar hij hield gelijke pas met haar. Ze keek om zich heen in de hoop dat ze Mark zag, zodat ze gauw een eind aan alle schijn dat ze bij Craig hoorde, zou kunnen maken. Maar Mark was er nog niet.

Jeff, Deni's broer, was er al en speelde samen met zijn vriend Zach gitaar waardoor zachte achtergrondmuziek opklonk.

Mensen stonden in groepjes bij elkaar te praten en te lachen. Deni zag Amber, haar buurvrouw. Ze vergat soms dat Amber niet veel ouder was dan zij. Omdat ze alleen drie kleuters opvoedde, leek ze soms veel ouder. Ze zat op een barkruk met Will Truman en George Mason te praten, die beiden bij de ambulancedienst van de stad werkten. Will had een meisje bij zich dat Deni niet kende, maar George had alleen maar aandacht voor Chris terwijl ze rondfladderde om de gasten te begroeten.

Deni besloot haar een beetje te helpen. Ze haalde een bekertje water, hield het omhoog alsof het een cocktail was, en ging bij hen staan. 'Jullie hebben alles mooi opgeruimd, jongens. Amber, wat heb je een mooie bloes aan.'

Amber keek naar zichzelf alsof ze niet kon geloven dat iemand haar een complimentje gaf. Ze was best mooi als ze wat aandacht aan zichzelf besteedde, maar ze had nog steeds die droevige blik in haar ogen die Deni eraan herinnerde dat ze nog altijd om haar weggelopen echtgenoot treurde.

'Leuk feest, hè? Ziet Chris er niet geweldig uit?'

George grinnikte. 'O ja? Dat was mij nog niet opgevallen.'

'Leugenaar,' zei Will. 'Je kunt je ogen niet van haar afhouden.'

'Als je belangstelling hebt,' zei Deni, 'kun je maar beter beslag op haar leggen. Er lopen hier heel wat geschikte vrijgezellen rond.'

Amber nam een hapje van een punt appeltaart. 'Heb je weer verkering met die kerel?'

Deni keek om naar Craig. Chris stelde hem aan iedereen voor alsof hij een beroemdheid was. 'Nee, ik ga nog steeds met Mark. Craig is nu alleen maar een vriend.'

'Dat moet een rare ervaring zijn om hem om je heen te hebben terwijl jullie verloofd zijn geweest.'

Deni zuchtte en dempte haar stem. 'Dat is het inderdaad. Maar het is maar tijdelijk.'

Amber zuchtte. 'Wees maar voorzichtig. Als je de verkeerde kiest, loopt het net zo met je af als met mij.'

Deni kromp een beetje in elkaar. 'Heb je nog iets van Mike gehoord sinds de banken weer open zijn gegaan?'

'O ja,' zei ze. 'Hij heeft scheidingspapieren bij me gebracht. Ten aanzien van het geld probeert hij de rechtbank aan zijn kant te krijgen. Maar Brad heeft mij een pro-Deoadvocaat toegewezen, zodat we er zeker van zijn dat ze te weten komen dat hij een vriendin heeft en mij in de steek gelaten heeft.' Ze keek naar haar glas en kreeg tranen in haar ogen. 'Maar ik wil eigenlijk helemaal niet scheiden.'

'Dat weet ik.'

'Maar wat kan ik doen als hij zomaar vertrekt?' Amber haalde een keer diep adem en depte haar ogen. Ze keek naar de menigte en knikte naar Derek en Cathy Morton. 'Ik hoop dat iemand *dat* huwelijk kan redden.'

Deni's blik ging door het gezelschap naar Derek Morton, de dokter die bij hen in de buurt woonde, en zijn vrouw Cathy. Cathy zag er in haar goudkleurige bloes geweldig uit. Deni had haar zelden zonder haar baby gezien sinds die zeven maanden geleden geboren was. Cathy's ogen schoten heen en weer alsof ze er een andere vrouw op wilde betrappen die naar Derek keek. Het probleem was dat ook zijn blik ronddwaalde. Hopelijk was er hier niemand die zijn belangstelling beantwoordde.

Deni hoorde op de deur kloppen en toen ze zich omdraaide zag ze Mark binnenkomen. Haar hart maakte een sprongetje toen ze hem zag. Hij droeg een spijkerbroek en een zwart

T-shirt met de afbeelding van een globe met een pijl waarbij stond: 'U bevindt zich hier' – een sterk contrast met Craigs kakibroek en keurige overhemd. Ze glimlachte en wachtte tot hij haar zou zien.

Ten slotte ving hij haar blik op. Hij knipoogde en zonder ook maar even aan Craig te denken liep ze naar hem toe. Ze pakte zijn hand en toen ze op haar tenen ging staan om hem te kussen, zag ze de blijdschap in zijn ogen. 'Waar bleef je zo lang? Ik dacht dat je nooit zou komen.'

'Ik moest me eerst nog even verkleden. Hij keek om zich heen en zag Craig staan, omringd door mensen die hem met vragen bestookten over de herstelwerkzaamheden. 'Ik wilde niet in uniform komen en ben daarom eerst even naar huis gegaan.' Hij boog zich naar haar toe en fluisterde: 'Waarom ben je hier gelijk met Craig naartoe gegaan. Mijn moeder zag jullie langskomen.'

'Ik was er en hij was er en we gingen op hetzelfde tijdstip hierheen. Maar maak je maar geen zorgen. Ik hoor bij jou. En dat zal ik iedereen duidelijk laten zien.'

Hij keek haar doordringend aan en ze hoopte dat hij zag dat ze het oprecht meende. Hij had een gebruind gezicht en zijn haar was een beetje langer dan normaal. Ze vond dat het hem goed stond.

'Je ziet er geweldig uit,' fluisterde hij tegen haar. 'En je ruikt heerlijk.'

De haartjes in haar nek gingen rechtop staan. 'Wil je ook een watercocktail?' vroeg ze

Hij grinnikte. 'Maak er een dubbele van.'

'En appeltaart die ik mee heb helpen bakken?'

'En dat is je zo te zien goed gelukt.'

Ze pakte zijn hand en nam hem mee naar de keuken.

Later op de avond zag Deni kans om Mark mee te trekken van de anderen vandaan en ze gingen in de achtertuin – nu een groentetuin – samen op een bank zitten. Hij zag er niet zo mooi meer uit als hij voor de storing was geweest, maar het was er rustiger dan in het luidruchtige huis en ze waren nu samen.

'Eindelijk alleen,' zei hij terwijl hij zijn arm om haar heen sloeg en haar haren streelde. 'Ik begon de moed al te verliezen dat dat ooit nog zou gebeuren.'

'Er is niets veranderd.'

'Alles is veranderd,' zei hij. 'Meneer de regeringsfunctionaris komt weer terug in de stad, vastbesloten om je terug te winnen, en hij neemt zijn intrek in jullie huis.'

'Hij is niet vaak thuis. Mijn moeder is Eloise's huis voor hem aan het schoonmaken. Ik hoop dat hij gauw verhuist.'

'Dat gebeurt niet.'

Deni fronste haar wenkbrauwen. 'Waarom niet?'

'Omdat hij waar hij nu zit onmiddellijk op ieder tijdstip toegang tot je heeft. Hij kan zien wat je doet en hij kan al het mogelijke doen om onze relatie kapot te maken.'

Ze zuchtte. 'Mark, hij heeft veel meer aan zijn hoofd dan mij. Hé, je hebt mij nog niet verteld hoe de Bijbelstudie met hem ging.'

Hij lachte kort. 'Als je de waarheid wilt weten, het was meer een schaakwedstrijd.'

'Schaken? Wat bedoel je? Maakten jullie ruzie over de Bijbel?'

'Nee, we maakten ruzie over jou. Hij beschuldigde mij ervan dat ik hem gevraagd had om deze Bijbelstudie te doen om hem in een kwaad daglicht bij jou te stellen.'

Ze keek op. 'En, is dat zo?'

'Nee, ik dacht echt dat het een goed idee was. Maar om eerlijk te zijn, ik vind het niet leuk dat jij...' – hij maakte met zijn vingers aanhalingstekens in de lucht – 'hem hielp met het bestuderen van het evangelie van Johannes. Ik heb natuurlijk niet de bedoeling gehad dat jullie dat samen zouden gaan doen.'

'Mark, wat had ik dan moeten doen? Hij bestudeerde de Bijbel en hij begreep het niet. Dit was wel jouw idee, weet je nog?'

'Dat weet ik. Ik heb er daarna voortdurend spijt van gehad.'

'En ik dacht nog wel dat je hem echt verder wilde helpen.'

'O, maar hij wil niet verder geholpen worden,' zei Mark. 'Daardoor zou ik superieur zijn en dat wil hij tot elke prijs voorkomen.'

'Dus jullie gaan er niet mee door?'

'Volgende week komen we weer bij elkaar.'

Ze kon niet nalaten te lachen. 'Ik snap jullie niet. Als jullie zo'n hekel aan elkaar hebben, waarom gaan jullie er dan mee door?'

'We hebben geen hekel aan elkaar, Deni. Het gaat alleen maar om jou. Er staat veel op het spel.'

Op de een of andere rare manier was dat wel aardig, vond ze. 'Nou, maak je maar niet ongerust. Ik heb *hem* toch niet meegetrokken van het feestje vandaan? Ik heb je verschrikkelijk gemist. Ik heb je de laatste tijd nauwelijks gezien.'

'Je moet mij een paar uur geleden nog gezien hebben.'

'Dat was maar een halfuurtje.' Ze leunde tegen hem aan. 'Dat was niet genoeg.'

Hij likte langs zijn lippen en keek op haar neer. Ze zag de twinkeling in zijn ogen alsof haar woorden hem goedgedaan hadden. Ze streelde zijn gezicht en hij pakte haar hand en kuste haar vingers. 'Je geeft me kippenvel,' zei hij.

Zijn woorden maakten haar blij. Een zachte bries deed de bladeren ritselen en uit het huis klonk zachte gitaarmuziek. Ze zou hier zo uren kunnen blijven zitten.

Hij kuste haar en ze vergat Craig en de infrastructuur van het land, de pulsaties en de problemen. In plaats daarvan genoot ze van het gevoel van volmaakte veiligheid, zekere liefde en de blijdschap dat Mark zijn armen om haar heen geslagen had.

Toen ze weer naar binnen gingen, was de dynamiek van het feestje veranderd. Craig zat in de luie stoel waar Chris' vader gewoonlijk in zat en aller aandacht was op hem gericht.

Chris zat aan zijn voeten op de grond en keek vol aandacht naar hem op.

'De derdewereldlanden zullen waarschijnlijk eerder telefoon hebben dan wij,' zei Craig. 'Ze gebruikten dikwijls onze ouderwetse apparatuur en veel van die landen gebruiken nog mechanische schakelingen. De pulsaties hebben die niet aangetast. De ontwikkelde landen zijn jaren geleden overgegaan op elektronische schakelingen en die zijn allemaal uitgevallen.'

'Hoe staat het met de kleinere steden die nog geen moderne apparatuur hadden?' vroeg Max Lamb. 'Sommige van die steden hebben nog steeds mechanische schakelingen.'

'Dat is juist,' zei Craig. 'Ze zullen waarschijnlijk eerder lokale telefoon hebben dan wij.'

'En hoe staat het met interlokaal?' vroeg Amber. 'Ik zou graag mijn ouders in Tuscaloosa willen bellen.'

'Ik ben bang dat interlokaal bellen heel wat meer tijd zal vergen dan lokaal. En als iemand van jullie nog van die oude telefoontoestellen op de vliering heeft staan, dan kun je die maar beter naar beneden halen. Die zullen met een schakelbord goed werken en dan heb je eerder telefoon. En toestellen met een draaischijf zullen weer eerder werken dan toestellen met druktoetsen.'

'Hoe kun je dit allemaal bijhouden?' vroeg Cathy Morton.

'Ik heb er maanden aan gewerkt,' zei hij. 'Echt, mensen, we moeten duizenden mensen in dienst nemen.'

'Heb je ook behoefte aan verpleegsters?' plaagde Chris.

'Je lacht,' zei hij, 'maar we hebben verbindingspersonen met de ziekenhuizen nodig als we eenmaal zover zijn.'

'Voor dat soort dingen hebben we al ziekenhuisdirecteuren,' zei ze. 'Ik denk dat jullie met die mensen moeten samenwerken. Niet met verpleegsters.'

'Als we eenmaal voldoende personeel hebben dat aan het werk is, zullen we een ziekenafdeling nodig hebben. Kom eens langs om te praten.'

Chris haalde haar schouders op. 'Ik weet het niet. Ik denk dat ik het best bruikbaar ben op de plaats waar ik nu zit.'

Deni was trots op haar dat ze zich door Craigs verkooppraatjes niet liet verleiden – al was ze er dan zelf wel voor bezweken. Ze zag dat Chris en George Mason elkaar even aankeken. De ambulanceverpleger scheen er ook zo over te denken. Ze voelden zich beiden geroepen tot wat ze deden en er was grote behoefte aan hen.

'Dus je wilt je land niet dienen door ervoor te zorgen dat de infrastructuur weer zo snel mogelijk op orde komt?' hield Craig aan.

Chris keek naar hem op en glimlachte. 'Ik dien mijn land al. Dat heb ik tijdens de hele storing gedaan.'

'Ja, maar je wordt er nauwelijks voor betaald.'

'Hoe kun je dat nu zeggen?' zei ze terwijl ze opstond. 'Afgelopen week kreeg ik vier potten honing als salaris. En de week daarvoor bracht ik een geit mee naar huis. Dus ik weet niet waar je het over hebt, meneer. Ik red me wel.'

Iedereen lachte en Chris veranderde van onderwerp. 'Wie wil er nog appeltaart?'

Zevenendertig

Deni werd, na verscheidene dagen van voorbereiding en training, ingewijd bij het herstelteam op de dag van de Fema-uitkeringen. Ze had richtlijnen ontvangen naar wat voor soort mensen zij bij die gelegenheid op zoek waren om aan te nemen en ze behoorde tot de stafleden die sollicitaties zouden behandelen. Mensen met ervaring konden ter plekke aangenomen worden – anderen moesten een sollicitatieprocedure volgen. De coördinatie van de data waarop nieuwe arbeidskrachten aan het werk gingen, was een van haar taken. Het zou onmogelijk zijn om duizend nieuwe werknemers op een en dezelfde dag aan te nemen, dus de dagen waarop mensen met hun werkzaamheden zouden beginnen, moesten zodanig ingedeeld worden dat ze het best aan de behoeften van de teams beantwoordden.

De werkzaamheden die voorafgingen aan de gebeurtenis waren slopend, maar niettemin vond ze het prachtig. Haar tijd die ze met Mark kon doorbrengen was zeer beperkt, maar ze hoopte dat ze na de uitbetaling en de aanvankelijke stroom sollicitanten, wat meer vrije tijd zou krijgen. Ze was echter voortdurend bij Craig en ze was onder de indruk van zijn competentie om alle werkzaamheden te regelen. Door zijn studie rechten was hij in staat om binnen korte tijd veel informatie tot zich te nemen en die te verwerken.

Hoewel er tal van vrouwen waren die kwamen solliciteren naar allerlei baantjes, scheen Craig toch alleen maar aandacht te hebben voor haar. Ze moest toegeven dat hij niet langer de afstandelijke verloofde was, die zelfs de moeite niet had genomen om tijdens de eerste maanden van de pulsaties contact met haar op te nemen.

Op de ochtend van de FEMA-uitbetaling ging Deni's wekker om drie uur af. De avond ervoor had ze tot elf uur gewerkt om het rugbyveld van de middelbare school klaar te maken voor de gebeurtenis. Nu moest ze er vroeg genoeg zijn om de menigte voor te zijn en haar teams op hun plaats te krijgen.

Ze hoorde Craig in Beth's kamer rondlopen toen ze opstond. Waar haalde hij zijn uithoudingsvermogen vandaan? Na een week haar nieuwe werkzaamheden uitgevoerd te hebben was ze al uitgeput.

Ze wierp een blik op haar bed en hoopte dat Beth door de wekker niet wakker geworden was. Maar het bed was leeg.

Ze streek een lucifer af en stak de olielamp aan. Terwijl de schaduwen op de muren dansten, zag ze haar zus in het raamkozijn van haar dakkapel zitten.

'Beth, waarom ben jij zo vroeg op?'

Beth's korte haar had een vlechtje aan de achterkant van haar hoofd. 'Ik kon niet slapen.'

'Waarom niet? Ik zou er alles voor over hebben om nog een paar uur te kunnen slapen.'

Beth staarde alleen maar het donker in. 'Ik zat net te denken aan de uitbetaling.'

'Hoezo?'

'Ik vroeg me af of pa en ma het goed zouden vinden als ik thuisbleef. Ik wil er niet heen.'

Deni deed haar kast open en begon zich aan te kleden. 'Je moet gaan want anders krijg je je vijfentwintig dollar niet.'

'Maar we hebben net al dat geld van de bank gehaald. Misschien kunnen we wel zonder.'

Deni trok het rode poloshirt aan waarop op de voor- en achterkant stond: 'Alabama Herstelteam.' 'Beth, dat is heel veel geld voor het gezin en je moet erheen om het te krijgen. Waarom wil je er eigenlijk niet heen?'

'Ik heb een enorme hekel aan een grote mensenmassa.'

Deni wierp een blik op haar. 'Daar had je anders nooit last

van. Je vond het altijd leuk.'

'Nu niet. Ik wil gewoon thuisblijven. Kun jij mijn geld niet op gaan halen? Je werkt nu toch voor de regering?'

'Nee, dat kan niet. Ik heb geen toegang tot het geld.' Ze ging op het bed zitten om haar sokken en schoenen aan te trekken. 'Je zult er gewoon heen moeten. Pa en ma zullen het heus niet goedvinden dat je thuisblijft.'

Ze liep de badkamer in en waste haar gezicht, poetste haar tanden en borstelde haar haar. Toen zette ze de witte zonneklep op die ze eens tijdens een schoolreisje in Florida had gekocht. Ze gebruikte het ding eigenlijk nooit, maar ze hoopte dat ze niet al te erg zou verbranden. Ze had al maanden geen zonnebrandcrème meer.

Toen ze de badkamer uit kwam, zag ze dat Craig al op haar stond te wachten. 'Je koets staat voor, mevrouw.'

Ze glimlachte en volgde hem naar de auto, blij dat ze in het donker niet hoefde te fietsen.

Achtendertig

Hoe chaotisch alle FEMA-uitbetalingen ook waren geweest, Beth dacht dat het nog nooit zo erg was geweest als nu. De nieuwe rij voor sollicitanten, waardoor er minder ruimte was voor de rijen die op hun uitbetaling stonden te wachten, maakte alles nog ingewikkelder. Alles ging nog langzamer.

En om te voorkomen dat mensen het personeel zouden aanvallen in een poging om het geld te stelen, waren de tafels op verhoogde platformen geplaatst, die omringd werden door mensen van de Nationale Beveiliging. Alleen het gezin dat op dat moment aan de beurt was, mocht maar op het platform komen, zodat alles wat ordelijker verliep.

Ze had een T-shirt van haar broer aangetrokken en een te wijde gymbroek, in de hoop dat ze er dan meer als een jongen uit zou zien. Ze hoopte dat de moordenaar haar door haar vermomming met de zonnebril niet zou zien. Ze stond nu in de rij en in de warme junizon droop het zweet van haar gezicht.

Beth speurde de menigte af en zocht naar het gezicht van de dubbele moordenaar die haar leven veranderd had. Als hij in Crockett woonde, zou hij hier vandaag zijn om zijn geld op te halen. Ze wist dat hij gek was op geld.

Ze zocht naar gezichten met een sik en grijze kraaloogjes, gezette mannen die hetzelfde figuur hadden als de moordenaar. Misschien stond hij ergens te loeren, te wachten tot hij iemands geld kon stelen. Misschien stond hij wel weer te wachten achter de Cracker Barrel.

Ze voelde zich schuldig. Omdat ze niet gemeld had wat hij

had gedaan, zou hij het weer kunnen doen. Maar wat moest ze doen? Hij kende nu ongetwijfeld haar naam en adres. Hij zou ieder moment op kunnen duiken. Hij wachtte er waarschijnlijk alleen maar op tot ze het tegen iemand zou vertellen. De enige reden dat ze nog leefde, was dat ze haar mond gehouden had.

'Alles goed met je, liefje?'

Beth keek op naar haar moeder en knikte.

'Je beeft. Waarom?'

Beth had het zich niet gerealiseerd. 'Omdat het zo warm is.'

'Je rilt meestal niet van de warmte.'

Ze haalde haar schouders op en boog zich naar voren om om zich heen te kijken. De afgelopen nacht had ze gedroomd dat hij haar te pakken had gekregen en dat ze niet kon schreeuwen. Zou ze nu wel kunnen schreeuwen?

Ze bleef midden tussen haar familie staan, verscholen achter de mensen om haar heen. Het was wel verstikkend, maar veilig. Misschien zou ze de dag door kunnen komen zonder dat hij haar zou zien.

Eindelijk stonden Beth en haar moeder en broers aan het begin van de rij en Deni en haar vader onderbraken hun werkzaamheden even om zich bij hun gezin aan te sluiten om de uitbetaling in ontvangst te nemen. Er stonden nog maar drie gezinnen voor hen en de familie Branning was de volgende die het platform op moest klimmen. Toen ze dichter bij het trapje kwamen, voelde Beth zich kwetsbaarder worden.

Beth volgde haar familie het trapje op. Ze voelde zich blootgesteld, te kijk staan en het leek wel of al die duizenden mensen naar haar keken. Toen ze op het platform stonden ging ze voor haar vader staan en tuurde ze vanaf de zijkant naar de zwetende menigte.

Ze zag een man met een sik en een zwart honkbalpetje achterstevoren op zijn hoofd. Hoewel ze zijn ogen niet kon zien, had hij hetzelfde gewicht en dezelfde lengte als de moordenaar.

De schrik sloeg haar om het hart.

Ze sprong van het platform af en rende door de menigte

heen. Achter haar hoorde ze haar moeder roepen: 'Beth, waar ga je heen?'

Nee, mam, niet mijn naam noemen!

'Beth!'

Ze bukte zich, dook onder armen en benen door en rende zigzaggend door de menigte heen naar de andere kant. Ten slotte bereikte ze bij de tribunes het eind van de menigte en dook ze tussen twee trappen door weg. Toen ze achter de tribunes gekomen was, holde ze naar de bomen toe.

Ze verborg zich achter een grote eik en tuurde er buiten adem omheen. Niemand was haar gevolgd.

Misschien was hij het niet geweest.

Maar stel dat hij het wel was. Ze moest hier weg.

Het zweet droop in haar ogen en doorweekte haar bloes. Haar longen vulden zich als ballonnen waaruit de lucht niet meer kon ontsnappen.

Ze draaide zich om en rende een wijk in, dwars door de tuinen heen. Ze zou door achterafstraten naar huis kunnen rennen.

Ze rende zo hard als ze kon de acht kilometer naar huis. Toen ze er aangekomen was, rende ze het huis binnen, de trap op en verstopte zich onder Deni's bed.

Negenendertig

Wat had ze plotseling?

Kay stond aan de rand van het platform en probeerde te zien welke kant Beth op gerend was. 'Doug, ik moet achter haar aan! Er is iets mis!'

Ze zag haar in de menigte niet meer.'

'We kunnen niet uit de rij, mam,' zei Jeff. 'We zijn al helemaal tot hier gekomen.'

Kay boog zich over de tafel heen. 'Geef mij een stempel. Hij heeft de papieren.'

De vrouw nam de tijd om de papieren aan te nemen.

'Alstublieft, ik moet achter mijn kind aan.'

De vrouw zuchtte en stempelde haar hand. Kay draaide zich om, rende het trapje af en drong zich door de rij wachtende mensen heen.

Misschien had de posttraumatische stoornis in alle hevigheid toegeslagen. Misschien beleefde Beth opnieuw een of andere traumatische ervaring.

Kay drong zich tussen de menigte door, duwde mensen opzij en kwam uiteindelijk bij de plek waar ze hun fietsen hadden vastgezet. Beth had het sleuteltje om haar fiets van slot te doen niet bij zich gehad, dus hij stond nog op de plaats waar ze hem had achtergelaten.

Ze draaide in een cirkel rond, overzag gespannen de menigte en probeerde Beth op te sporen.

Stel dat er iets was gebeurd met haar. Wat was de reden dat ze zo plotseling van het platform af gesprongen was? Waar was ze heen gegaan?

Ze drong zich opnieuw tussen de menigte door, zoekend en Beth's naam roepend. Ze rende, op zoek naar haar kind, langs de rij heen.

Maar er was geen spoor van haar te bekennen.

Ten slotte zag ze haar gezin van het platform af komen. Ze rende naar haar man toe. 'Er is iets gebeurd, Doug! Ik kan haar niet vinden.'

Doug keek terug naar het platform. 'Wij blijven hier zoeken en jij gaat terug naar huis om te zien of ze daarheen gegaan is.'

Kay knikte en zocht haar weg weer tussen de rijen door. Ze kwam weer bij de fietsen, maakte de ketting los, haalde haar fiets eruit en maakte de ketting toen weer vast. Zo snel als ze kon fietste ze over de lange landweg naar Oak Hollow.

Ze had een geweer mee moeten nemen, dacht ze onder het fietsen. Ook al had ze geen geld bij zich, hier alleen ongewapend over de weg fietsen, was zoiets als de vallei van de schaduw van de dood inrijden. Overal zaten bandieten en dieven te wachten op eenzame voorbijgangers om hun geld af te nemen. *Alstublieft, God, laat Beth veilig thuiskomen.*

Gelukkig ondervond ze geen moeilijkheden. Ze reed de wijk binnen en fietste naar hun huis. Ze liet haar fiets in het gras vallen en deed de garagedeur open. Nadat ze haar fiets in de garage gezet had, liep ze het huis binnen. 'Beth! Ben je hier?'

Ze zag vuile voetafdrukken op de keukenvloer. Die waren er eerder niet geweest en ze hadden de maat van Beth's schoenen. Ze moest thuisgekomen zijn.

Ze liep van kamer naar kamer en riep Beth's naam. Geen antwoord. Ten slotte ging ze Deni's slaapkamer binnen en zag de vuile voetstappen op het tapijt. Ze volgde ze naar het bed.

Maar Beth lag er niet in.

Langzaam liet ze zich op haar knieën zakken.

Beth lag opgerold als een bal rillend onder het bed.

'Beth, wat doe je?' Ze trok Beth onder het bed uit. Ze verzette zich en huiverde over haar hele lichaam. Kay sloeg haar armen om haar heen en hield haar stevig vast. 'Wat is er gebeurd, liefje? Heeft iemand je iets gedaan?'

Beth schudde haar hoofd en staarde alleen maar naar de deur.

Veertig

'Voor wie ben je bang?'

Beth schudde alleen haar hoofd. 'Voor niemand.'

Beth bleef naar de deur kijken. Kay pakte haar kin zodat ze haar moest aankijken. 'Beth, ik kan je niet helpen als je mij de waarheid niet vertelt.'

'Ik vertel de waarheid,' zei Beth met trillende stem.

Haar ontkenningen sneden als messen in Kay's hart. 'Waarom beef je dan zo? Wat houd je voor mij achter?'

'Ik weet het niet... al die mensen. Ik kreeg het gevoel dat ze mij allemaal aanstaarden...'

Nee, dat kon het niet zijn. Beth vond het maar wat leuk als mensen naar haar keken. Daarom hield ze er zo van om toneel te spelen. 'Je sprong van het platform af en rende acht kilometer naar huis. Dat deed je niet uit verlegenheid maar uit angst.'

'Ik zag een hondje,' mompelde Beth. 'Ik dacht dat iemand erop zou trappen, en daarom sprong ik van het platform af om het te helpen.'

Een hondje? 'Waar is het dan?'

'Waar is wat?'

'Dat hondje? Waar is dat hondje gebleven?'

'Ik... ik ben weggegaan nadat ik het had gered.'

'Maar ik heb je helemaal geen hondje zien redden, Beth. Ik zag je door de menigte wegrennen alsof je achternagezeten werd.' Frustratie en haar eigen angst brachten tranen in haar ogen, en Kay's gezicht vertrok. 'Beth, alsjeblieft, doe me dit niet aan. Ik moet de waarheid weten. Je bent mijn kind. Ik wil je helpen.'

Dat maakte het alleen nog maar erger. Beth's onderlip scheen op te zwellen toen ze een jammerklacht uitte. 'Niet huilen, mam. Alsjeblieft, niet huilen.'

'Ik maak me grote zorgen om jou!' Beth stak haar armen naar haar uit en Kay klemde haar tegen zich aan. Ze had het gevoel dat een of andere onbekende dreiging – reëel of denkbeeldig – haar kind van haar wegrukte. Hoe kon ze het tegenhouden als haar kind niet wilde praten? Misschien moest ze haar harder aanpakken. Eisen dat ze zou praten. Haar dwingen haar geheim te vertellen.

Maar Beth leek zo kwetsbaar. 'Ik ben alleen maar zenuwachtig. Dat is alles,' zei ze. 'Ik heb het gevoel dat het steeds erger wordt. Er gebeuren steeds weer nare dingen.'

'Maar er gebeuren toch ook goede dingen. Waarom heb je daar geen oog voor?'

'Omdat die verschrikkelijke dingen groter zijn.'

Over slachtoffer van een posttraumatische depressie gesproken. Was dit niet precies wat Anne Latham beschreven had? De gebeurtenissen van het afgelopen jaar hadden zich opeengestapeld, tot Beth zich aan de herinneringen voelde bezwijken. Misschien was dit allemaal psychisch. Geen fysieke bedreiging. Geen logische verklaring.

Beth had medicijnen nodig, antidepressiva. Waren die tegenwoordig wel beschikbaar?

Uiteindelijk kwamen ook Doug, Jeff en Logan thuis, opgelucht dat ze Beth aantroffen. Door haar gedrag fluisterden ze alleen maar zachtjes met elkaar en haar broers lachten haar niet uit en dreven niet de spot met haar.

Kay ging op Deni's bed zitten en hield Beth in haar armen terwijl ze huilde. Ze zocht krampachtig naar antwoorden.

Maar ze wist met geen mogelijkheid hoe ze haar kind zou kunnen helpen.

Eenenveertig

Beth sliep die nacht niet. Ze lag wakker in Deni's bed, staarde naar het plafond en vroeg zich af waar de moordenaar nu was. Aangezien hij niet gegrepen was, zou hij nog wel meer mensen kunnen vermoorden.

Ze dacht terug aan het gesprek dat ze in het park had gehoord. De vrouw van Blake Tomlin die haar man en haar huwelijk tegenover een gevoelloze vriendin verdedigd had. Zij zou waarschijnlijk ook niet kunnen slapen en liep nu biddend door het huis dat haar man thuis zou komen.

Iemand moest het haar vertellen. Beth stond op, liep naar het raam en keek de donkere nacht in. Er moest een manier zijn om het de vrouw te laten weten zonder de moordenaar te alarmeren. Ze zou haar een berichtje kunnen sturen en haar laten weten dat haar man dood was.

Niet dat mevrouw Tomlin zich daar beter door zou voelen, maar ze zou in ieder geval de waarheid weten. Een vrouw moest het weten als haar man dood was.

Beth besloot naar beneden te gaan en de vrouw een briefje te schrijven. Ze zou het morgen in de brievenbus van de familie Tomlin kunnen stoppen. Ze ging naar de studeerkamer van haar vader, stak een lamp aan, haalde een briefje uit een la en begon te schrijven.

Op de dag dat de banken weer opengingen zag ik dat uw man vermoord werd. Een man met een sik heeft hem achter de Cracker Barrel doodgeschoten. Ik weet niet wat hij met het lichaam gedaan heeft.

Ik wil niet dat u denkt dat hij ervandoor gegaan is. Ik zie op zijn foto dat het een aardige man was.

Ze keek naar haar krabbeltje en vroeg zich af of ze niet te veel gezegd had. Stel je voor dat mevrouw Tomlin de politie erbij zou halen, dat ze ermee naar de krant zou gaan en dat haar briefje gepubliceerd zou worden. De moordenaar zou weten dat zij het beschreven had. Hij zou ongetwijfeld achter haar aan gaan.

Nee, ze zou het overschrijven en dat gedeelte weglaten. Behoedzaam schreef ze een nieuw briefje.

Het was nog steeds gewaagd, maar ze hield zich voor dat ze moedig moest zijn. Ze verfrommelde het eerste briefje en liet het in de prullenmand vallen.

Angst joeg adrenaline door haar heen. Ze bad dat het briefje de weduwe op de een of andere manier zou mogen helpen. Wat was het woord ook al weer dat ze gebruikten om iets af te sluiten? Afsluiting? Dat was iets wat mevrouw Tomlin nodig had en verdiende.

Vermoeid ging ze weer naar bed, maar ze kon die nacht niet meer in slaap komen.

Tweeënveertig

Zorgen om Beth beheersten de volgende dag al Kay's gedachten. Haar dochter scheen nog steeds zwaarmoedig, net zo somber als het regenachtige weer. Ze zag er vermoeid uit alsof ze de hele nacht niet geslapen had. Nadat Beth haar karweitjes die ochtend had gedaan en ze vertrokken was om haar kranten rond te gaan brengen, ging Kay naar Dougs studeerkamer om te bidden.

Ze sprak vaak tot God, genesteld in een fauteuil in een rustig hoekje van het huis, gewoonlijk nadat ze eerst een gedeelte uit de Bijbel gelezen had. Het lezen van Gods Woord bracht haar in de juiste gesteldheid om nederig naar de Heer te gaan, dankbaar voor het verbazingwekkende voorrecht om door het voorhangsel rechtstreeks tot zijn troon te gaan.

Er waren echter ook momenten waarop ze op haar knieën viel.

Vandaag knielde ze op de vloer om in haar nood te vragen om bescherming en bevrijding van haar kind uit de boeien waarin ze verstrikt was geraakt. Posttraumatische depressie was voor God niet te groot.

Ze bad een poosje en legde haar angsten en zorgen aan God voor en toen ze gebeden had, wist ze dat haar gebed verhoord was. Ze bleef even op de vloer zitten, zich koesterend in de naglans van intens gebed.

Haar ogen vielen op een propje papier in Dougs prullenmand, waarop Beth's handschrift te zien was. Ze haalde het eruit en streek het glad. En terwijl haar ogen over de zinnen bewogen, was het alsof er een schok door haar heen ging.

*Op de dag dat de banken weer opengingen zag ik dat uw man ver-
moord werd. Een man met een sik heeft hem achter de Cracker Barrel
doodgeschoten. Ik weet niet wat hij met het lichaam gedaan heeft.*

Kay slaakte een gesmoorde kreet en bracht haar hand naar haar
mond. Plotseling viel alles op zijn plaats.

*Ik wil niet dat u denkt dat hij ervandoor gegaan is. Ik zie op zijn foto
dat het een aardige man was.*

Kay stond op, wankelend onder het gewicht van begrip, en rende door het huis. 'Doug! Jeff!'
Maar er was niemand thuis.
Ze rende de garage in en pakte haar fiets. Terwijl ze de straat
in fietste, smeekte ze God haar te helpen haar kind te vinden.

Terwijl ze haar kranten rondbracht bleef Beth vastbesloten dat
ze naar de Magnoliawijk moest gaan en het briefje in de brievenbus van de familie Tomlin moest stoppen. Ze probeerde niet
te denken aan wat er daarna zou kunnen gebeuren – dat de
politie erbij zou worden gehaald en dat ze naar het lijk zouden
gaan zoeken.
Zou de moordenaar er rekening mee houden dat ze tot nu
toe niets over hem gezegd had? Of zou hij uit wraak nu achter
haar aan komen? Het zou ongetwijfeld openbaar worden dat ze
de moorden bekend gemaakt had. En hij zou weten dat zij dat
gedaan had.
Uit angst begon ze te twijfelen. Nee, dit was stom. Als ze dat
briefje in de brievenbus zou doen, zou ze net zo goed tegen haar
vader kunnen vertellen wat ze gezien had. Als de politie erbij
betrokken moest worden, zouden ze de informatie nodig hebben die hen naar de moordenaar kon leiden.
Ze bracht haar kranten rond en ging, zoals ze de laatste dagen telkens had gedaan, als laatste naar het Magnolia Park. Het
regende dus was er niemand in het park. Ze trok het karretje
in het gras en zette het voor de automaat neer. Ze maakte hem

open, haalde de kranten van gisteren die waren overgebleven, eruit en legde de nieuwe erin.

Ze liet haar fiets staan en liep naar de schommels. Met het uitzicht op het huis van de familie Tomlin haalde ze het briefje uit haar zak en las het nog een keer.

Ze dacht aan de vrouw die daar op de bank gezeten had en die geprobeerd had haar vriendin ervan te overtuigen dat haar man geen rotzak was die zijn gezin in de steek had gelaten. Ze dacht aan het gezicht van Blake Tomlin, de afschuw die ze erop had gezien toen de moordenaar zijn pistool tegen zijn hoofd gedrukt had. De dakloze man van wie ze het gezicht niet eens duidelijk had gezien.

Niemand mocht sterven zonder begrafenis, zonder dat iemand wist dat ze gestorven waren.

Ze voelde zich een lafaard omdat ze niet eerder in actie was gekomen. Maar ze had nog steeds de moed niet. Dus bleef ze zitten, schommelde heen en weer en staarde naar het huis waar een jong gezin treurde zonder te weten waarom.

Drieënveertig

Hij kon zijn geluk niet op.

Het meisje naar wie hij zocht zat op de schommel alsof ze op hem zat te wachten, precies op de plaats waar hij haar, zo was hem verteld, rond drie uur in de middag iedere dag kon vinden.

Het had hem heel wat moeite gekost om haar op te sporen. Hij kon zich uiteindelijk beperken tot vier families in Oak Hollow met kinderen die Beth heetten. Toen hij door de wijk gefietst was en kinderen gevraagd had of ze haar kenden, had hij de naam Beth Branning gekregen.

Helaas was haar vader een hulpsheriff, waardoor zijn doel moeilijker werd. En er was altijd iemand om haar huis. Hoewel het erop leek dat ze hem nog niet had verraden, wist hij dat dit slechts een kwestie van tijd was.

Hij was niet geschikt voor de gevangenis. Hij zou nog liever sterven dan daarheen te gaan. Maar hij gaf er de voorkeur aan dat zij zou sterven.

Toen was hij erachter gekomen dat ze kranten rondbracht en dat ze gewend was om op de schommel te gaan zitten en naar het huis van de Tomlins te staren. Een betere kans kon hij niet krijgen.

Hij wachtte tussen de bomen naast de schommels, sloeg haar gade en hoopte op onweer zodat hij de kans zou krijgen weer ongemerkt een schot af te vuren; mensen in de omgeving zouden dan denken dat het een donderslag was geweest. Het regende er hard genoeg voor.

Maar hij kon het risico niet nemen.

Ze was klein en tenger. Hij zou haar gemakkelijk met zijn handen kunnen doden. Het verrassingselement was aan zijn kant. Ze zou zelfs niet weten wat haar overkwam.

Vierenveertig

Kay had er geen idee van voor wie Beth's brief bedoeld was. Was ze er nu heen op weg om het briefje af te leveren? Kay kon er niet zeker van zijn; ze wist niet eens zeker of er nog een briefje zou zijn. Misschien had Beth het weggegooid omdat ze van gedachten veranderd was.

Hoe dan ook, haar dochter zat in moeilijkheden en Kay moest haar helpen.

Had ze maar telefoon zodat ze het alarmnummer zou kunnen bellen. Maar in plaats daarvan racete ze door de stad in de hoop Doug nog op het politiebureau aan te treffen voordat hij op patrouille was gegaan. Op de parkeerplaats stonden nog twee patrouilleauto's. Ze zette haar fiets neer zonder hem op slot te zetten en rende de trap op en het gebouw binnen.

Doug stond in de deuropening van het kantoor van sheriff Wheaton. Hij draaide zich om toen ze binnenkwam.

'Doug, Beth heeft hulp nodig.'

'Wat is er dan?'

Kay kon nu niet gaan huilen. Ze moest bij haar positieven blijven. 'Ze heeft grote problemen. Ze heeft een moord gezien en op dit moment brengt ze iemand dit briefje!' Ze duwde hem het briefje in zijn handen terwijl de sheriff zijn kantoor uit kwam.

Doug trok wit weg toen hij het briefje las. 'O, God...' Hij overhandigde het briefje aan de sheriff en bracht zijn handen naar zijn hoofd. 'Ze zou vermoord kunnen zijn.'

De sheriff las het briefje. 'Denk je dat het om Tomlin gaat? De man die vermist wordt?'

Doug liep naar een mededelingenbord. Hij haalde er een aanplakbiljet van een vermist persoon af dat met een punaise op het bord was vastgeprikt.

'Zou kunnen. Ze had het over zijn foto. Misschien heeft ze een van die aanplakbiljetten gezien.' Hij keek op naar Kay. 'Ze bleef maar doorvragen over vermiste personen.' Hij wierp weer een blik op het biljet. 'Hier staat het adres.'

Kay rukte het uit zijn hand. 'Ik weet waar dat is.' Ze draaide zich om en liep naar de deur. 'Ik ga erheen.'

'Ik breng je wel,' zei Doug.

Kay draaide zich om. 'Nee, jij gaat naar de krant en haalt daar een lijst met de krantenautomaten langs haar route op. Volg die en pik haar op als je haar vindt. Ik ga naar de straat van de familie Tomlin om te zien of ze het briefje daar heeft achtergelaten. Als dat niet zo is, zal ik er zijn als ze komt.'

Wheaton kwam tussenbeiden. 'Ik rijd die krantenroute wel af. Doug neem jij je vrouw mee in de andere patrouillewagen. Breng Beth hierheen. We hebben haar verklaring nodig.'

Opgelucht volgde Kay Doug naar de auto en ze gingen op weg naar het Magnolia Park.

'Alles zal wel goed met haar zijn,' zei Doug terwijl hij de ruitenwissers aanzette. 'Ze fietst die route iedere dag en er is niets gebeurd. We vinden haar wel.'

Kay hoopte vurig dat hij gelijk had. Maar ze kon de kwelling over wat haar dochter had doorgemaakt en de angst die Beth al die tijd had doen zwijgen, niet van zich afzetten.

Vijfenveertig

Beth zag hem uit haar ooghoek en draaide zich om. De man die haar nachten lang had wakker gehouden, de man die haar met zijn bedreiging de stuipen op het lijf gejaagd had. Hij stormde op haar af, zijn lippen opgetrokken als een valse hond. Een kreet van angst, zwak en nutteloos, gorgelde in haar keel. Ze viel achterover van de schommel en probeerde overeind te krabbelen.

Hij greep haar en sloeg een hand voor haar mond om haar kreet te smoren. De kracht en omvang van zijn armen klemden haar vast en hij trok haar mee van de schommel naar de bomen. Ze schopte, probeerde zich los te rukken en probeerde zich alles te herinneren wat ze ooit op tv gezien had over verzet tegen aanvallers.

Ze beet in zijn hand en hoorde hem vloeken, maar hij liet haar niet los. Ze schopte achteruit, begroef haar nagels in zijn huid en sloeg met haar hoofd achteruit in zijn gezicht. Hij trok haar mee naar de rand van het park, tussen de bomen waar niemand hen kon zien. Ze trok haar benen op, zodat hij haar door haar gewicht zou moeten loslaten, maar hij klemde haar alleen maar steviger vast.

Weer beet ze zo hard mogelijk in zijn hand en toen hij die losrukte, gilde ze.

'Houd je bek, stomme dwaas!' Hij draaide haar om, greep haar nek met beide handen vast en drukte zijn vingers op haar keel. Haar handen gingen omhoog en in een poging zich los te rukken, krabde ze in zijn gezicht. Ze snakte naar adem en haar gezichtsvermogen werd wazig.

God, ik wil niet sterven.

Ergens in haar bewustzijn voelde ze dat hij haar optilde en haar achteruit gooide. Haar hoofd kwam tegen iets hards aan... Toen plonsde ze in een nachtmerrie van duisternis.

Zesenveertig

Tegen de tijd dat ze bij het Magnolia Park kwamen, was Kay wat kalmer geworden. Doug had gelijk. Beth was iedere dag kranten gaan rondbrengen en er was niets gebeurd. Alles zou wel goed met haar zijn. Ze zouden haar meenemen en haar dwingen alles te vertellen zodat ze de moordenaar zouden kunnen vinden.

Maar toen ze de Magnolia Drive in reden, de straat waar de familie Tomlin woonde, dwaalde haar blik over het park heen. Daar, naast de krantenautomaat, stond Beth's fiets met het karretje.

'Daar!' riep ze. 'Stop!'

Doug parkeerde naast de stoeprand en zette de motor af. Kay sprong eruit en schreeuwde: 'Beth! Beth! Waar ben je?'

Doug sloeg het portier dicht en liep naar de fiets. 'Ze zou haar fiets zo niet hebben achtergelaten. Ze moet hier in de buurt zijn.' Hij legde zijn handen om zijn mond en riep: 'Beth!'

Kay liep terug naar het trottoir en keek de straat af, op zoek naar een huisnummer van een van de huizen. Ze zag een nummer en telde verder tot ze het huis van de familie Tomlin zag. Misschien was Beth ernaartoe gegaan om met de weduwe te praten. Misschien was ze nu wel in het huis.

Ze draaide zich om en wilde het tegen Doug zeggen, maar zag dat hij naar de schommel liep. 'Doug, misschien...' Toen zag ze de geultjes in de modder. Het leek wel of iemand was weggesleept.

Haar borst trok samen en haar longen weigerden dienst.

Doug rende naar de bomen. Kay volgde hem, niet in staat om adem te halen.

Daar lag ze als een hoopje in de modder.
Kay slaakte een wanhopige gil en Doug knielde naast Beth neer.

Zevenenveertig

Hij hoopte dat het kind dood was, maar hij was er niet zeker van. Ze was zo licht als een veertje en haar wurgen was makkelijk geweest. Hij had niet geweten dat hij zo veel kracht in zijn handen had toen hij haar hoofd tegen de boom geslagen had.

Achttien jaar geleden had alles erop gewezen dat hij een modelburger zou worden. Nu had hij drie mensen vermoord, een met zijn blote handen. Waar was dat vandaan gekomen?

De angst had hem overmand en hem veranderd in iets wat hij niet wilde.

En toen had hij de auto gehoord en iemand haar naam horen roepen. Hij had haar daar in de modder laten liggen en had zich tussen de bomen teruggetrokken. De stroomstoring was vandaag zijn vriend. Als er mobiele telefoons en politieradio's waren geweest, zouden ze hem aan de andere kant van het park opgewacht hebben als hij tussen de bomen vandaan zou komen. Maar zoals het nu leek zou degene die achter het kind aan gekomen was, meer belangstelling hebben voor haar dan voor hem.

Hij hoopte alleen dat hij er geen rommeltje van gemaakt had. Het kind moest dood zijn.

Dan kon hij weer teruggaan naar zijn normale leven, zijn vrouw tevredenstellen en zijn kind houden. En niemand zou ooit weten waartoe hij echt in staat was

Dan zou hij een modelburger worden.

Achtenveertig

Doug controleerde haar pols en zag het plasje bloed op de grond.

'Is ze dood?' schreeuwde Kay terwijl ze op haar knieën in de modder viel. 'O, nee, ze ziet helemaal blauw!'

'Nee, ik voel haar pols.' Hij legde zijn hand onder haar hoofd. Zijn gezicht vertrok van woede toen hij naar de boom keek. 'Haar schedel... ingeslagen.'

'Beth! Beth!' Er kwam geen reactie. 'We moeten haar naar het ziekenhuis brengen.'

Hij wilde haar oppakken maar Kay probeerde hem tegen te houden. 'We moeten haar niet bewegen. Stel dat haar nek of rug gebroken is.'

'Er is geen tijd om een ambulance te halen.' Hij pakte haar op in zijn armen. Haar hoofd bungelde achterover en haar mond viel open. Ze renden naar de auto. 'Jij rijdt, Kay.'

Kay deed het portier voor Doug open en hij stapte in. Ze verzekerde zich ervan dat het portier Beth's benen niet zou raken. *O, God, wat is er gebeurd?*

Ze rende om de auto heen, liet zich achter het stuur van de auto glijden en startte de motor. Ze zette de zwaailichten en de sirene aan.

'Opschieten, Kay.'

Ze knikte en reed de drukke straat naast het park in. Er reed een door vier paarden getrokken wagen voor hen, maar ze zwaaide eromheen en miste maar net een fietser die van de ander kant kwam. Ze toeterde om de mensen aan de kant te krijgen. Zagen ze dan niet dat dit een noodgeval was? Dat iemand zou kunnen sterven als ze niet uit de weg gingen? Betekenden sirenes dan niets meer?

Ze zag dat Doug naast haar Beth's neus vasthield en in haar mond ademde. 'Ademt ze niet meer?'

Hij gaf geen antwoord.

Ze negeerde alle stopborden en scheurde door de stad. 'Ik breng haar naar Birmingham, het universiteitsziekenhuis.'

'Nee, Kay.' Dougs stem was schor en bang. 'Dat haalt ze niet. Breng haar naar het Medisch Centrum van Crockett.'

Dat idee stond haar niet aan. Het Medisch Centrum van Crockett was het vroegere bejaardenhuis dat was omgebouwd tot een ziekenhuis. Ze zouden er wel geen IC-afdeling of traumacentrum hebben. Ze wierp een blik op Beth. Het bloed droop langs Dougs arm op de bekleding van de bank.

Zou dat ziekenhuisje een traumapatiënt met zo'n hoofdwond kunnen behandelen?

Ze hoorde Doug plotseling hijgen. 'Haar hals. Er zitten schrammen op. Hij is gekneusd. Geen wonder dat ze niet kan ademen.'

Zweet doorweekte Kay's oksels, haar borst en het droop van haar kin. Er doemde weer een paard en wagen voor haar op en ze drukte de claxon in. 'Opzij!' schreeuwde ze terwijl ze er langs reed.

Het was nu niet ver meer. Opnieuw keek ze naar Beth. 'Haar hals… wat bedoel je?'

'Ik denk dat ze werd gewurgd.' Het woord brak in Dougs keel.

Hij raakte met zijn bebloede hand Beth's gezicht aan. 'Beth, word wakker, liefje. Houd vol. Alsjeblieft, ga nu niet van ons weg. Word wakker.'

Kay sloeg een hoek om; voor hen lag het ziekenhuis. 'Wie heeft dit gedaan, Doug?'

'Ik weet het niet,' zei hij, 'maar daar komen we wel achter.'

Het gebouw dat eens het Majestic Nursing Home was geweest, was L-vormig en bestond uit drie verdiepingen. De ingang bevond zich in de hoek van de L. Voor de deur kwam ze tot stilstand. De sirene loeide nog steeds en ze hoopte dat iemand vanuit het ziekenhuis hen te hulp zou komen.

Doug wachtte niet. Hij deed het portier open, legde zijn arm weer onder Beth's benen en stapte uit. Kay rende met hem mee.

Overal waren mensen die op bankjes onder het afdak buiten de deuren zaten. Op de parkeerplaats stonden paarden en rijtuigen en op het grasveld stond een lang fietsenrek met tientallen fietsen. Kay rende vooruit en hield de deur open. Toen ze Beth naar binnen brachten, schreeuwde Kay: 'Help! Help alsjeblieft!'

De wachtruimte was vol zieken en gewonden, maar niemand was er zo slecht aan toe als Beth. De verpleegster bij de receptie stond op, keek over de balie heen en zag het bloed op Dougs shirt.

'Ernstige hoofdwond. Patiënt ademt niet...' schreeuwde Doug met alle autoriteit van een politieagent. 'Hoofdwond met schedelfractuur, wurging...'

De verpleegster, nu helemaal betrokken, verliet haar post, riep om hulp en rende om de balie heen.

De ruimte om Kay heen scheen kleiner te worden en ze voelde zich zwak en misselijk worden. Ze verzette zich tegen haar misselijkheid. Iemand bracht een brancard, maar Doug wilde haar er niet op leggen. 'Haar schedel is ingeslagen. Ik durf haar niet neer te leggen. Dat zou nog meer schade kunnen veroorzaken.'

Kay voelde zich duizelig worden. Ze voelde dat ze flauw zou vallen en liep naar de muur om zich staande te houden. Alle stemmen schenen in haar hoofd samen te smelten, te veel en te plotseling. Toen ze haar hoofd schudde om de mist kwijt te raken, zag ze dat een dokter Beth van Doug overnam. Hij rende door de dubbele deuren met haar weg... weg van hen.

Doug bleef met lege armen staan, zijn shirt en de voorkant van zijn broek doorweekt met bloed.

'Waar... waar brengen ze haar heen?'

'Naar de operatieafdeling, zeiden ze.' Doug bleef roerloos staan, alle kleur was uit zijn gezicht weggetrokken. 'Ze kunnen geen röntgenfoto's nemen, geen CT-scans maken. Hoe kunnen ze haar redden?'

Kay deed een stap naar hem toe en de mist sloot zich om haar heen. Ze viel op de grond.

Negenenveertig

Mark keerde na gereageerd te hebben op een melding dat er bij het constructiebedrijf Camport & Zn. een inbraak was gepleegd weer terug naar het bureau. Aangezien het bedrijf geen last van de pulsaties had gehad, had het bedrijf zijn werkzaamheden gewoon hunnen voortzetten. Omdat er nu heel wat mensen waren die hun auto wilden laten ombouwen, groeide het bedrijf aanzienlijk. Als er geen onderdelen beschikbaar waren, maakte het bedrijf de onderdelen.

Bij de inbraak had iemand kans gezien het fietsenrek dat buiten stond uit elkaar te halen en alle fietsen te stelen die eraan vastgemaakt waren.

Hij was het afgelopen uur bezig geweest met het kalmeren van de boze slachtoffers, die nu naar huis moesten lopen, en het invullen van rapporten waarbij ook de beschrijving van een man met paard en wagen werd genoemd die in de straat was gezien. Mark was in de buurt gaan rondrijden, maar de dader was allang verdwenen.

Hij ging terug naar het bureau om te zien of er inmiddels nieuwe meldingen waren binnengekomen waarop gereageerd moest worden. Misschien zouden ze binnenkort weer radio's krijgen, zodat ze opgeroepen zouden kunnen worden als ze aan het werk waren en sneller zouden kunnen reageren. En telefoons, hoewel dat net zo'n ijdele wens leek te zijn als de wens dat sprookjes zouden uitkomen.

In een poging om wat frisse lucht binnen te krijgen stonden de glazen deuren open, maar de temperatuur buiten was bijna 35 graden. Hij betwijfelde of het hielp.

Hij keek om zich heen in de lege personeelskamer. Gewoonlijk zaten hier drie of vier agenten rapporten te schrijven of dingen voor de sheriff te doen. Er moest iets gebeurd zijn om ze allemaal tegelijk weg te sturen.

Toen hij wat geluid in het kleine keukentje hoorde, liep hij naar de deur en keek naar binnen. Harry Vickers, die zich eveneens als vrijwilliger had aangemeld, stond water in bekertjes te scheppen voor de gevangenen. 'Hoi, Harry. Waar is iedereen?'

Harry keek op en toen hij hem zag en draaide hij zich helemaal naar hem toe. 'Heb je het nog niet gehoord?'

'Wat gehoord?'

'Deni's zusje, Beth, is aangevallen.'

Zijn mond zakte open. 'Wat zeg je? Is alles goed met haar?'

'Kennelijk niet,' zei Harry. 'Ze hebben haar naar het ziekenhuis gebracht. Sheriff Wheaton hoorde de sirene en heeft hen daar gevonden. Ze heeft een hoofdwond, zei hij. Ze hebben haar meteen naar de operatieafdeling gebracht.'

Mark kon niet geloven dat niemand hem was gaan zoeken om het hem te vertellen. 'Hoelang geleden was dat?'

'Zo'n uur geleden, denk ik.'

'Wie heeft haar gevonden?'

Harry vertelde hem alles wat hij wist – dat Doug en Kay door een of ander briefje van Beth achter de moorden waren gekomen, dat ze naar het Magnolia Park waren gegaan en dat ze haar daar bewusteloos en bloedend hadden gevonden.

Dat kon niet waar zijn. Niet Beth.

Marks hart bonsde in zijn oren. 'Weet Deni het al?'

'Dat betwijfel ik, tenzij haar ouders iemand naar haar toe gestuurd hebben. Wheaton wilde allereerst naar de plaats van het misdrijf om te kijken of hij de dader nog te pakken kon krijgen. Hij zei mij dat ik iedere agent die binnenkwam, daar meteen heen moest sturen.'

'Ik moet het haar gaan vertellen. Zij en haar broers moeten het weten.' Hij liep naar de deur. 'Als Wheaton terugkomt, zeg je hem maar dat ik zo gauw mogelijk naar het park ga.'

Hij rende de trappen af en struikelde bijna bij de derde tree.

Binnen een paar seconden zat hij in de auto en scheurde weg. Hij reed naar het gebouw van het Herstelteam in de hoop haar daar aan te treffen. Op de parkeerplaats liet hij zijn auto stationair draaien en rende naar binnen.

Gelukkig was ze in het voorste gedeelte van de hal met een paar sollicitanten aan het praten. 'Deni, kun je even komen. Beth is gewond.'

Deni legde haar klembord neer en volgde hem, zonder tegen iemand te zeggen dat ze wegging. 'Wat is er gebeurd?' vroeg ze toen ze bij hem in de auto zat.

Hij vertelde haar het verhaal zoals hij het had gehoord.

'Breng me naar het ziekenhuis,' zei ze terwijl de tranen over haar wangen stroomden.

'Laten we eerst Jeff en Logan gaan halen. Zij zullen er ook heen willen.'

Deni kon niets zeggen. Ze knikte alleen maar. Mark zette zijn zwaailicht aan en reed naar het huis van de familie Branning.

Toen ze het garagepad opgereden waren, sprong Deni uit de auto en stormde het huis in. 'Jeff! Logan!'

Logan kwam de woonkamer uit. 'Wat is er?'

'Beth is gewond geraakt. Ze ligt in het ziekenhuis. We moeten erheen.'

Logan bleef roerloos staan. 'Wat is er gebeurd?'

'Dat vertel ik je wel in de auto. Waar is Jeff?'

'Achter in de tuin.'

Deni deed de deur open en zag Jeff geknield onkruid wieden. 'Jeff, Beth is aangevallen. Ze is ernstig gewond geraakt.'

Jeff kwam overeind en rende naar haar toe. 'Aangevallen? Hoe bedoel je?'

'Dat weet ik niet. Kom mee. We moeten naar het ziekenhuis.'

Terwijl ze zich naar de auto haastten, vertelde ze wat ze wist. Zodra de portieren dichtsloegen, reed Mark weg, het zwaailicht nog steeds aan.

'Heb je haar gezien, Mark?' vroeg Jeff terwijl hij zich naar voren boog.

'Nee. Ik weet zelfs geen bijzonderheden.'

'Waar is ze gewond geraakt?'

'Haar hoofd, geloof ik.'

'Haar *hoofd*?' Op Jeffs gezicht tekende zich grote bezorgdheid af. 'Zou ze kunnen sterven?'

Deni keek achterom. 'Dat weet ik niet.' Maar ze wist het wel. Een hoofdwond was erg. Beth zou al overleden kunnen zijn zonder dat ze het wisten. En hoe zouden ze haar, als ze nog leefde, kunnen helpen zonder röntgenfoto's en alle technologie?

Ze wierp een blik op Logan die stil op de bank zat. Aan zijn witte gezicht kon ze zien dat hij probeerde de ernst van de situatie te begrijpen.

'Het komt wel weer goed met haar, jongens.' Mark pakte Deni's hand even vast. 'We moeten voor haar bidden.'

Deni dacht dat er geen tijd te verliezen was. Terwijl Marks patrouillewagen door de stad vloog, ging Deni haar broers voor in gebed voor hun zusje.

Toen ze bij het ziekenhuis aankwamen, sprongen ze uit de auto en renden naar binnen. Deni liep naar de receptiebalie en drong zich langs de rij wachtende mensen heen. 'Alstublieft,' riep ze tegen de verpleegster. 'Mijn zus is hier binnengebracht – Beth Branning.'

De zuster keek haar met een zorgelijk gezicht aan. 'Ja, ze wordt momenteel geopereerd.'

Dat betekende dat ze nog leefde. Deni voelde een grote opluchting. 'Weet u waar mijn ouders zijn?'

De verpleegster keek alsof er iets was wat ze niet vertelde. 'Je moeder voelde zich niet zo goed en ze is naar onderzoekskamer 4 gebracht.'

Was haar moeder nu ook nog ziek? 'Wat bedoelt u met ze voelde zich niet zo goed?'

'Ze viel flauw.'

Deni staarde haar alleen maar aan. Was Beth's toestand zo slecht? 'Kunnen we naar haar toe?'

'Natuurlijk.' Ze overhandigde de man die vooraan in de rij stond een formulier om in te vullen en kwam toen om de balie heen. 'Het is daar achter die deuren.'

Deni draaide zich om naar haar broers en zag dat Mark de auto geparkeerd had en ook was binnengekomen. Ze volgden de verpleegster de deuren door en liepen de gang op. Deni zag een bordje aan de muur waarop stond: Onderzoekskamer 4.

'Daar zijn ze,' wees de verpleegster. Deni liep langs haar heen en liep haastig naar de kamer toe.

Toen ze bij de deur kwam, zag ze haar moeder op een brancard zitten. 'Mam!' Haar emoties werden haar te veel en ze barstte in tranen uit. 'Wat is er allemaal gebeurd?'

Voor haar moeder antwoord kon geven, zag ze haar vader van een stoel opstaan.

Hij zat helemaal onder het bloed.

Vijftig

Zodra Mark het hele verhaal van Doug en Kay gehoord had, verliet hij het ziekenhuis. Hij reed zo snel mogelijk naar het Magnolia Park waar hij de andere agenten vond. De moordenaar was al lang verdwenen en de meeste sporen waren door de regen weggespoeld. Er waren echter voetafdrukken, met een ongebruikelijk patroon, van een man en geultjes waar Beth van de schommel getrokken was. Er waren duidelijke sporen van een worsteling te zien. Buren werden ondervraagd, maar niemand had iets gezien.

Toen Mark het briefje zag dat Beth geschreven had, kreeg hij moordzuchtige gedachten. Wie het dan ook gedaan mocht hebben, hij zou evenveel lijden als Beth. Hij zou niet rusten voordat dat het geval zou zijn.

Toen ze van mening waren dat ze verder niets meer zouden kunnen ontdekken op de plaats van de misdaad stelden de sheriff en hij een onderzoek in op het terrein achter de Cracker Barrel, waar Blake Tomlin, volgens Beth's briefje, vermoord was. Ze vonden er alleen achtergelaten rommel. Maar naast het terrein stond een benzinestation dat sinds de pulsaties begonnen waren, gesloten was. Misschien was daar iemand die hetzelfde gezien had als Beth.

Mark stak het terrein van de Cracker Barrel over en klopte op de zijdeur. Er scheen niemand te zijn. Hij probeerde de deurknop – op slot.

Hij maakte kokertjes van zijn handen en keek door de vuile ruit naar binnen. Op de tafel naast de deur zag hij een doosje met patronen staan. Niemand zou zoiets rond laten slingeren, net achter het raam waar iedereen het zou kunnen zien. Munitie was tegenwoordig moeilijk te krijgen. Misschien was de moordenaar hier geweest en was hij na het begaan van zijn misdaad bang geweest om terug te komen.

'Ik heb iets,' riep hij. 'Hier.'

Sheriff Wheaton kwam haastig naar hem toe. 'Wat heb je gevonden?'

Hij wees naar het doosje met .38 patronen op de tafel.

'Het lijkt erop dat de moordenaar hier op zijn slachtoffer heeft zitten wachten.' Hij keek naar de deur en de ramen. 'Geen sporen van inbraak.'

Wheaton riep de andere agenten. 'Onderzoek de deurknop op vingerafdrukken.'

Zonder het geautomatiseerde vingerafdrukken identificatiesysteem, een computerbestand van vingerafdrukken van over het hele land, zouden ze een verdachte nodig hebben om te kunnen vergelijken. Maar het was in ieder geval iets. Misschien zouden ze de eigenaar van het Speedy Lube benzinestation op kunnen sporen. Het was mogelijk dat de eigenaar van de patronen tevens de dader was. Op momenten als deze wilde Mark wel dat hij meer opleiding had genoten. Omdat hij zich in februari gedwongen had gevoeld om dienst te nemen bij de politie, had hij nooit de gelegenheid gehad om een goede opleiding te krijgen. Hij had 's avonds alleen wat cursusjes gevolgd en wat boeken over beleid en procedures gelezen. Nu wilde hij wel dat hij wat meer wist om aanvallen op onschuldige meisjes tot een oplossing te brengen.

Maar niemand zou deze zaak met grotere toewijding op willen lossen dan hij. Al was het het laatste wat hij zou doen, hij zou de aanvaller van Beth vinden en ervoor zorgen dat hij zou boeten voor wat hij zijn vriendinnetje had aangedaan.

Ze ontdekten de naam van de eigenaar van het Speedy Lube benzinestation op de bedrijfsvergunning die ingelijst aan de muur hing en vonden toen een oud telefoonboek op een stoffige plank om zijn adres op te zoeken. 'Graham Morgan,' zei Wheaton. 'Laten we eens gaan kijken of meneer Morgan aan de beschrijving van de aanvaller voldoet.'

Marks hart klopte sneller toen ze naar Travis Road reden, waar de eigenaar van het benzinestation woonde. Wheaton zei niets toen ze ernaartoe reden en Mark maakte van de gelegenheid gebruik om voor Beth te bidden. Ze hadden geen tijd om bij het ziekenhuis langs te gaan om te vragen hoe ze het maakte. Was ze door de operatie heen gekomen of waren ze nog steeds bezig haar schedel weer te fatsoeneren?

Hij smeekte God haar te redden. Hij dacht terug aan de gesprekken die hij met haar had gehad over dood en sterven. Ze had hem eens gezegd dat ze wachtte tot er weer iets verschrikkelijks zou gaan gebeuren. Ze was vreselijk bang geweest dat zij het slachtoffer van een of andere gewelddadige misdaad zou worden. Hij had geprobeerd haar gerust te stellen, haar eraan herinnerd dat God zijn kinderen beschermde.

Waarom had God haar niet beschermd? Ze was getuige geweest van de gewelddadige beproevingen die Mark in zijn eigen leven ervaren had. Misschien bewezen christenen mensen een slechte dienst door hen te laten geloven dat God het nooit toestond dat zijn kinderen iets ergs overkwam. Het was een mooie gedachte, maar een gedachte die niet met de werkelijkheid overeenkwam. En hoeveel mensen gaven hun geloof op als die gedachte niet waar bleek te zijn?

Hij had Beth beter moeten voorlichten. Hij zou meer tijd hebben moeten nemen om haar de dingen uit te leggen in plaats van er luchthartig over te doen om haar een beter gevoel te geven.

Nu was haar ergste vrees bewaarheid geworden.

Alstublieft, God, wilt U haar genezen. Daal neer en raak haar hoofd aan. Wilt U het bloeden in haar hersens doen ophouden. Genees haar en help haar weer op te staan en te lopen. Mag dit iets zijn wat ons geloof versterkt in plaats van verzwakt.

Het huis van Morgan lag buiten de stad. Op het onverharde pad, dat bedekt was met een laag gele stuifmeelpollen, stonden twee auto's geparkeerd. De motorkap van beide auto's stond omhoog en de motoren waren eruit gehaald. Morgan probeerde de motoren waarschijnlijk zelf om te bouwen.

'Als hij monteur is, zou hij voor de regering kunnen werken,' zei Wheaton. 'Hij zal wel niet thuis zijn.'

'De persoon die Beth heeft aangevallen, werkte vandaag niet,' zei Mark.

'Daar heb je gelijk in.'

Mark wilde wel dat ze de tijd genomen hadden om een arrestatiebevel te gaan halen. Zoals het er nu voorstond konden ze alleen maar proberen wat informatie los te krijgen.

Maar als de kerel een sik had, zoals Beth geschreven had, wist Mark niet of hij zich wel zou kunnen beheersen. Maar als hij echt schuldig was, zou hij die sik er inmiddels wel afgeschoren hebben.

Hij hield zijn hand op zijn holster voor het geval hij zijn wapen zou moeten trekken. Wheaton klopte op de deur.

'Ze zijn er!' Het was de stem van een tienermeisje. Mark hoorde gegiechel achter haar.

De deur vloog open. Er stonden vier meisjes van een jaar of vijftien. Hun gezichten betrokken toen ze hen zagen.

'O, we dachten dat jullie... iemand anders waren.'

Wheaton stelde zichzelf voor. 'We zoeken een zekere Graham Morgan,' zei hij.

'Mijn vader,' zei ze. 'Ik zal hem halen.'

Ze bleven op de veranda staan wachten terwijl het meisje naar de achterdeur rende en haar vader in de achtertuin riep. De andere meisjes liepen giechelend achter haar aan. Uit hun giechelende gesprekken maakte Mark op dat ze een paar jongens verwacht hadden.

De achterdeur ging open en er verscheen een man met een volle bos rood haar, een gebruinde huid en een volle baard. Hij scheen zich volkomen op zijn gemak te voelen. 'Kom binnen, heren. Wat kan ik voor u doen?'

Dat ze uitgenodigd werden om binnen te komen was een goed teken, dacht Mark. Criminelen zouden hen waarschijnlijk aan de deur te woord staan. En er was geen tijd geweest om zo'n volle baard te laten groeien – dus hij beantwoordde niet aan de beschrijving.

'Bent u de eigenaar van het Speedy Lube benzinestation aan de Mulholland Road?'

'Ja, maar ik heb het laatste jaar geen druppel benzine kunnen krijgen en de ombouwfabrieken doen alle onderhoudsbeurten. Ik weet niet of ik mijn benzinestation ooit weer zal kunnen openen.'

Dat was meer dan ze wilden weten en Mark werd ongeduldig.

'We onderzoeken een incident dat een paar weken geleden achter de Cracker Barrel heeft plaatsgevonden. We zouden graag uw station doorzoeken. We hoopten dat u het voor ons wilt openen.'

Hij trok zijn wenkbrauwen op. 'Waarom?'

'We hebben redenen om aan te nemen dat de dader zich in het benzinestation heeft schuilgehouden. We zagen een doosje patronen op tafel liggen.'

'Is er ingebroken?'

'Zo te zien niet. Misschien is het iemand geweest die u kende.'

Morgan pakte zijn sleutels en liep naar de bestelbus. 'Laten we dat dan gaan uitzoeken.'

Morgan maakte de deur van de Speedy Lube voor hen open en ze gingen naar binnen.

Behoedzaam om geen eventuele sporen uit te wissen, liep Mark de werkplaats met de hydraulische autolift binnen. Tegen de muur bevonden zich lege, vuile planken waarop waarschijnlijk blikken motorolie en luchtfilters gestaan hadden. De ombouwfabriek had Morgans voorraad ongetwijfeld opgekocht.

Mark keek op de met olie bevlekte vloer om zich heen. Er waren wat voetafdrukken zichtbaar. Zouden die van de moordenaar kunnen zijn? Ze hadden een afgietsel gemaakt van de voetstappen op de plek waar Beth was aangevallen. Hij herinnerde zich de afdruk van de schoenen van de moordenaar – in de vorm van een paar bliksemschichten. De voetafdrukken die hij zag, leken overeen te komen.

Ze pakten het doosje patronen dat ze door het raam heen gezien hadden. 'Is dit van u?' vroeg Wheaton.

Morgan schudde zijn hoofd. 'Het is niet eens het kaliber dat ik gebruik.'

'Kunt u ons vertellen wie er nog meer toegang heeft tot dit station?'

Hij haalde zijn schouders op. 'Ik had twee assistenten die sleutels hebben. Maar die hadden geen enkele reden om hier te komen.'

'We willen graag de namen en adressen van deze mannen hebben,' zei Wheaton.

'Goed,' zei Morgan. 'Clay Tharpe en J.W. Cole. Maar het zijn aardige kerels. Ze hebben beiden een gezin. We kennen elkaar al een aantal jaren. Zoiets zouden ze nooit doen.' Hij nam hen mee naar zijn kantoortje en vond een adressenbestand. 'Hier hebben we hun adressen.'

Mark nam de kaartjes door. Het adres van Tharpe was in een wijk die slechts een paar straten van de Speedy Lube verwijderd was.

'Nog iets,' zei Wheaton terwijl hij de adressen noteerde. 'Heeft een van die mannen een baard?'

'Tharpe heeft een sik.'

Bingo. Mark keek naar Wheaton en Wheaton knikte.

'Wie is het slachtoffer eigenlijk?'

'Daar kunnen we geen mededelingen over doen.'

De man slikte en wreef over zijn gebruinde gezicht. 'Luister, ik weet niet wat er hier gebeurd is, maar ik kan u wel vertellen dat Clay noch J.W. een vlieg kwaad doen. Dat kan gewoon niet. Ik ken hen veel te goed. Ze zijn wel niet volmaakt, maar ze zijn niet gewelddadig.'

'Als ze echt onschuldig zijn, hoeven ze zich nergens zorgen over te maken,' zei Mark.

Maar als een van hen wel schuldig was, zou Mark hem hetzelfde kunnen aandoen als wat hij Beth had aangedaan.

Eenenvijftig

De wachtkamer van de intensivecareafdeling, waar de familie Branning moest wachten op nieuws over Beth, was geen geschikte plaats voor een familie die volkomen van de kaart was. Omdat het een minder belangrijke ruimte van het ziekenhuis was, was de wachtruimte niet aangesloten op de door de generator van het ziekenhuis opgewekte elektriciteit. Kay vond het niet erg. Ze wilde niets liever dan dat alle hulpmiddelen momenteel werden aangewend in de operatiekamer. Maar de sombere wachtruimte had in de hoek slechts één raam waar wat licht door viel. Het was maar goed dat er niet meer zonlicht tot het vertrek doordrong, vond ze, want het was er al verstikkend heet. Meer zonlicht zou dat nog erger maken.

Wat zou ze niet overhebben voor airco.

Doug liep in de wachtruimte heen en weer. Hij droeg nu groene operatiekleding die een vriendelijke verpleegster hem had gebracht. Zijn met bloed bevlekte kleren zaten in een tas die op de grond naast haar lag.

In de wachtkamer zat nog een groot aantal andere mensen te zweten op de met vinyl beklede ligstoelen waarop sommigen al dagen zaten te wachten. Mensen die dringend behoefte aan een bad schenen te hebben, zaten berustend voor zich uit te staren, wachtend tot ze iets over hun geliefden te horen kregen. Sommigen hadden waarschijnlijk in dagen niet gegeten. Anderen zwierven wat rond en leefden voor de paar minuten waarin ze om de paar uur hun geliefden even mochten zien.

Ze smeekte God dat Beth niet op de ic-afdeling zou moeten blijven tenzij Kay bij haar mocht blijven. Ze kon de gedachte niet verdragen dat ze haar kind zou moeten toevertrouwen aan het overwerkte en onderbezette medische personeel en de gedachte dat Beth helemaal alleen bij zou komen, was al helemaal ondraaglijk.

'Kay, ik ben naar je toe gegaan zodra ik het hoorde!'

Judith en Brad Caldwell kwamen haastig de wachtruimte binnen. Judith's gezicht glansde van het zweet en haar groene ziekenhuiskleding vertoonde zweetplekken zoals bij alle anderen die hier werkten.

Brad droeg een golfshirt en een nette broek. Sinds hij was benoemd tot openbaar aanklager van Crockett om de officier van justitie die ontslag genomen had, te vervangen, was hij wat nettere kleren gaan dragen. Hij zag er nu aanmerkelijk beter uit dan toen hij als vrijwilliger het uniform van hulpsheriff gedragen had. Ze waren allemaal blij geweest toen hij tot officier van justitie was benoemd.

Kay en Doug omhelsden hen beiden.

'Judith, kun jij erachter komen hoe het met haar is?'

'Ik heb al geïnformeerd. Ze zijn nog steeds met haar bezig. Maar ze wordt geopereerd door de beste neurochirurg die we hebben. Hij komt van het ziekenhuis van de universiteit. Toen dit ziekenhuis geopend werd, hebben we hem gekregen omdat zijn ouders in Crockett wonen. Hij besloot om te verhuizen, zodat ze dichter bij elkaar zouden zijn.'

'Dat is een ware zegen.'

'Dat kun je wel zeggen, ja.'

Brad ging naast Kay zitten. 'Kay, ik weet dat je een zware dag gehad hebt, maar kun je me vertellen wat er precies gebeurd is?'

Kay vertelde het verhaal opnieuw. Haar stem was schor door het schreeuwen in het park, maar ze ging door en vertelde hem alle details die ze wist.

Toen ze klaar was, leek Brad net zo woedend als Doug. 'Nou, het is nu in handen van het bureau van de sheriff.'

'Mis,' zei Judith. 'Het is in Gods handen.'

Brad was geen gelovige. Hoe vaak Doug en Kay ook met hem

over het geloof gepraat hadden, Brad had geen belangstelling voor God. Hij vond het goed dat zijn gezin naar de kerk ging, maar hij ging zelden mee.

'In wiens handen het dan ook is,' zei hij, 'als ze die vent vinden en hem mij in handen geven, zal hij ervan lusten.'

Judith keek naar Kay. 'Je hebt een plaatsje nodig waar jullie kunnen bidden. Ik weet wel een plekje.'

'Ja, graag,' zei Kay.

Judith sprong op. 'Pak je spullen en kom mee.'

Ze verzamelden hun spullen en volgden Judith door de gangen.

'Er is een vergaderkamer waar wat betere stoelen staan en waar jullie wat afzondering hebben. Ik kan niet beloven dat we er de hele dag gebruik van kunnen maken, maar hij is nu leeg.'

'God zij gedankt dat jij hier de weg weet,' zei Doug. 'Ik ben hier nog nooit eerder geweest.'

Als reactie op het toenemende aantal patiënten uit Crockett, die lange afstanden moesten afleggen om bij het enige ziekenhuis te komen dat in Birmingham open was, was dit ziekenhuis pas een maand eerder opengegaan. De regering had Crockett een lening verstrekt om dit oude bejaardenhuis te kopen, dat niet meer gebruikt werd, om het om te bouwen tot een ziekenhuis. Het had maanden geduurd voordat het klaar was, maar toen het eenmaal geopend was, waren de dokters in de omgeving, die tot dan toe praktijk aan huis hadden, erheen verhuisd.

Judith had voor Derek Morton in hun wijk gewerkt tot ook hij naar het ziekenhuis verhuisd was en toen was zij hier te werk gesteld. Ook Chris werkte hier.

Ze volgden Judith naar de vergaderkamer. Het was er donker maar in de hoek van het vertrek stond een olielamp. Judith stak hem aan en zette hem midden op de tafel.

De lamp verspreidde een warme gloed. Iedereen ging om de tafel zitten, Jeff naast Logan aan de ene kant en Kay en Deni tegenover hen aan de andere kant.

Doug ging aan het hoofd van de tafel zitten. 'Weten ze waar ze ons kunnen vinden als de operatie voorbij is?'

'Maak je maar geen zorgen,' zei Judith. 'Ik zal hun gaan vertellen waar ze jullie kunnen vinden.'

Brad bleef aarzelend bij de deur staan. 'Kan ik nog iets voor jullie doen?'

Kay schudde haar hoofd. 'Nee, bedankt, Brad.'

'Je kunt met ons mee bidden,' stelde Doug voor.

Kay verwachtte een of andere cryptische opmerking, maar Brad schudde alleen maar zijn hoofd. 'Nee, ik laat jullie alleen.'

Judith en Brad liepen het vertrek uit en Kay keek naar Doug. Hij had tranen in zijn ogen en zijn lippen trilden. Hij sloot zijn ogen en pakte de handen van zijn vrouw en zijn zoon. Ze gaven elkaar om de tafel heen een hand. Doug boog zijn hoofd en fluisterde: 'Heer, deze kamer is een zegen. Dank U voor Uw goedheid.'

Hij raakte zeer geëmotioneerd, maar bad verder, droeg Beth op aan de troon van de hemel, legde haar in de armen van God en smeekte Hem haar te genezen. Zelfs Logan, die gewoonlijk haperend in korte zinnetjes bad, praatte openlijk tot God en smeekte de Schepper van hemel en aarde Beth van de rand van de dood weg te halen.

Tweeënvijftig

Het huis van Clay Tharpe leek in niets op het huis van een moordenaar.

Hij woonde in een wijk die Mark, een paar jaar geleden toen hij in de bouw had gezeten, had meehelpen bouwen. Het waren aantrekkelijk woningen voor starters, gebouwd voor gezinnen met kleine kinderen. De wijk was goed onderhouden. Terwijl de meeste huiseigenaren een groentetuin aangelegd hadden, had Tharpe nog steeds een gazon.

Mark nam aan dat Tharpe bij de ombouwfabriek voldoende verdiende om eten te kunnen kopen. Het was voor een man die een van de weinige volle banen had die er tegenwoordig beschikbaar waren, moeilijk om voldoende tijd te vinden om een tuin te onderhouden.

De bestelbus van de sheriff had veel aandacht getrokken toen Mark en Wheaton de straat in waren komen rijden en de auto op het garagepad van Tharpe geparkeerd hadden. Tegen de tijd dat ze uitgestapt waren, was er al een vrouw naar buiten gekomen met een klein meisje op haar heup. Ze ontmoette hen in de tuin.

'Ik hoorde u aankomen. Is er iets?' vroeg ze toen ze uitstapten. 'Heeft mijn man een ongeluk gekregen?'

'Geen ongeluk,' zei Mark. 'Bent u mevrouw Tharpe?'

'Ja.' Ze raakte haar borst aan. 'O, gelukkig. Iedere keer als ik een bestelbus van de sheriff de wijk in zie rijden, ben ik er absoluut zeker van dat Clay iets is overkomen. Weet u, mensen denken wel dat het enige wat ze op de ombouwfabriek doen het ombouwen van motoren is, maar er zijn nog duizend-en-een dingen die verkeerd kunnen gaan. De afgelopen week raakte Fred Tipton zijn hand kwijt omdat hij bekneld raakte in een of ander apparaat waaraan hij werkte, en Jerome Novak heeft ernstige brandwonden opgelopen toen iets waaraan hij werkte in brand vloog.' Ze stak haar hand uit. 'Tussen haakjes, ik ben Analee. Waarom komen jullie hier?'

Ze was erg spraakzaam, dacht Mark. Daar zouden ze hun voordeel mee kunnen doen.

Wheaton sprak als eerste. 'Mevrouw Tharpe, we wilden u een paar vragen stellen over uw man. Uit wat u zegt maak ik op dat hij niet thuis is.'

'Dat klopt,' zei ze. 'Hij is naar zijn werk. Waar gaat het over?'

'Vindt u het goed als we even binnenkomen?'

Ze keek om zich heen naar de buren die vanaf de veranda's en het trottoir stonden toe te kijken. 'Ja, hoor. Komt u maar binnen.'

Ze hadden wel geen huiszoekingsbevel maar als ze binnen mochten komen, hadden ze de kans om rond te kijken of ze misschien dingen zagen die Clay Tharpe in verband met Beth, of misschien met de vermiste Blake Tomlin, brachten. Het huis was keurig opgeruimd. Zo te zien waren de Tharpes nette lui.

Op een tafeltje zag Mark een foto van een man – compleet met sik. Zijn maag trok samen.

'Waar gaat het over?' vroeg ze, met een uitnodigend gebaar naar de bank.

Wheaton ging zitten maar Mark bleef staan. 'Hebt u uw man vandaag nog gezien?' vroeg de sheriff.

'Natuurlijk. Ik heb hem vanmorgen gezien. Ik heb zijn ontbijt klaargemaakt voordat hij naar zijn werk ging.'

'Later op de dag ook nog misschien? Laten we zeggen rond lunchtijd.

'Hij is vandaag niet naar huis gekomen voor de lunch. Af en toe doet hij dat wel, maar meestal neemt hij zijn lunch mee. Ze hebben zo veel werk dat hij meestal geen tijd heeft om naar huis te komen. Dat is niet zo erg als we ook de vruchten van al zijn werk maar kunnen plukken. Wat zou ik er niet voor overhebben om weer een auto te hebben die rijdt. Ik kon mijn oren niet geloven toen ik hoorde dat de pulsaties gestopt waren. Misschien duurt het wel niet zo lang meer voor we er weer een hebben. Nu we het geld hebben dat nodig is, kunnen we er een kopen zodra er weer auto's beschikbaar zijn. Als ze tenminste niet te duur zijn. Maar dat zal wel niet, denk ik, want dan kan niemand zich een auto permitteren.'

Het was moeilijk er een woord tussen te krijgen, maar Wheaton probeerde het niettemin. 'Dus hij is vandaag niet thuisgekomen voor de lunch?' herhaalde hij. 'Mevrouw Tharpe, bij welke ombouwfabriek werkt uw man?'

Ze zette de baby in het kinderzitje. 'Hij werkt in de fabriek aan de Alabaster Road in Crockett.'

Dat kwam mooi uit. Er waren er vier in het gebied van Birmingham en hij was blij dat ze niet een heel eind hoefden rijden om de man te ondervragen. 'Hoelang heeft uw man gewoonlijk vrij voor de lunch?' vroeg Wheaton.

'Als hij thuiskomt heeft hij gewoonlijk een uur de tijd, maar zoals ik al zei, meestal eet hij gewoon tijdens zijn werk.'

'U zei dat u momenteel wat geld hebt. Hebt u dat van de bank gehaald toen de banken open waren?'

'Clay heeft dat gedaan. Hij wilde niet dat ik er met de baby heen zou gaan.'

'Hoefde uw man die dag niet te werken?'

De baby begon te spartelen en te dreinen. Ze liep naar de luiermand op de tafel en zocht naar iets dat erin zat. 'Nee, hij had een dag vrij genomen om in de rij te gaan staan.'

'Bij welke bank zit hij.'

Ze haalde en speen uit de mand. 'Ja, hier heb ik hem. Sorry, wat vroeg u?'

'Bij welke bank moest hij zijn?'

'BankPlus. Een paar jaar geleden zaten we bij de Alabama Bank & Trust, maar daar hadden ze zo'n brutale kasbediende...'

'En is hij met het geld thuisgekomen?' viel Wheaton haar in de rede.

Ze stopte de speen in de mond van de baby. 'Jazeker. En weet u wat ik er als eerste van gekocht heb?'

Mark moest bijna grinniken toen hij het angstige gezicht van Wheaton zag. 'Wat dan?'

'Een autozitje voor de baby. Ik weet wel dat het nog een poosje zal duren voor we een auto hebben, maar ik geloof in positief denken, weet u. Mijn buurvrouw verkocht het zitje op de rommelmarkt en ik heb het gauw gekocht. Kleine Star en ik zullen weer kunnen reizen en dan kan ik haar meenemen om haar opa en oma te bezoeken, hè, Star?' Ze boog zich over het kind heen. 'Is dat niet leuk, liefje? We hebben besloten om haar Star te noemen omdat ze tijdens de pulsaties geboren is. Ze zal het ver schoppen in de wereld, niet, liefje?'

Mark besloot er zo gauw mogelijk vandoor te gaan. 'Mevrouw Tharpe, hebt u misschien een foto van u man die wij mogen hebben? We moeten hem vergelijken met iemand naar wie we onderzoek doen.'

Ze fronste haar voorhoofd. 'Wat voor onderzoek?'

'Daar kunnen we u geen mededelingen over doen. Maar we zouden erg geholpen zijn als we een foto van hem hadden.'

Ze wierp een blik op de foto. Het was alsof haar een licht was opgegaan en ze zich plotseling was gaan realiseren dat Clay weleens in de problemen zou kunnen zitten. 'Ik eh... ik heb alleen die foto van hem. Die wil ik u eigenlijk niet geven. Ik vind het zo'n mooie foto.'

'We geven hem u later weer terug. We hebben hem maar een paar uur nodig...'

Ze was nu duidelijk op haar hoede. 'Nee, ik denk het niet.' Ze sloeg haar armen over elkaar en de schittering in haar ogen verdween. 'Heeft Clay problemen?'

'We willen alleen maar met hem praten, mevrouw Tharpe,' zei Wheaton.

'Hij zit echt in de problemen, hè?'

Mark keek naar de vloer en Wheaton zei: 'Bedankt voor uw tijd, mevrouw Tharpe. Mocht u van gedachten veranderen, dan zouden we het op prijs stellen als u de foto naar het bureau van de sheriff brengt.'

Ze liepen naar de deur en Analee volgde hen. 'Moet ik hem misschien een boodschap doorgeven?'

Wheaton draaide zich om. 'Vraag hem of hij naar het bureau wil komen om ons te spreken. We willen hem maar een paar minuutjes spreken.'

Toen ze weer in de auto zaten, wierp Wheaton een blik op Mark. 'Nou, van één ding ben ik wel zeker. Die vrouw heeft niets te verbergen.'

'Ik weet het niet,' zei Mark. 'Ze was op het laatst niet zo erg behulpzaam. Ik zou graag die foto gehad hebben.' Hij startte de motor. 'Naar de ombouwfabriek?'

'Ja. De Alabaster Road.'

Terwijl hij naar de fabriek reed, verlangde Mark ernaar om bij Deni en haar familie te zijn. Hij wilde haar in zijn armen houden, haar troosten, met haar bidden.

Maar vanaf het moment dat hij over Beth had gehoord, was hij wraakzuchtig op jacht naar de man die haar had aangevallen. Hij zou niet rusten tot hij hem gevonden had. Pas dan zou hij zich overgeven aan zijn eigen verdriet.

De ombouwfabriek aan de Alabaster Road werd geleid door Ned Emory die in Oak Hollow woonde. Hij was de vader van Zach Emory, die een paar maanden geleden was neergeschoten waarvan Mark de schuld had gekregen. Hoewel was gebleken dat Mark onschuldig was en de werkelijke moordenaars gevonden waren, scheen Emory Mark nog steeds niet te mogen.

Om die reden besloot hij Wheaton het woord te laten doen toen ze naar binnengingen om Clay Tharne op te zoeken. De deuren stonden open zodat er een lichte bries door de fabriekshal trok. Terwijl het geluid van honderden draaiende motoren door de fabriekshal weergalmde stonden mannen die voor dit werk waar aangenomen onvermoeid aan de motoren te sleutelen.

Ze bleven bij het dichtstbijzijnde groepje mannen staan. 'Waar kunnen we Clay Tharpe vinden?' riep Wheaton boven alle herrie uit. Een van de mannen wees naar boven.

Boven aan de trap zag Mark een ander groepje mannen staan

die met hun hoofden over iets wat ze in elkaar aan het zetten waren heen gebogen stonden. Mark keek of hij een gezicht met een grijze sik zag. En toen zag hij Ned Emory. De bedrijfsleider kwam met een angstig gezicht naar hen toe.

'Wat doen jullie hier?' vroeg hij.

Wheaton gaf hem een hand. 'Ned, sorry dat ik je tijdens je werk stoor, maar we zijn op zoek naar een van je werknemers – Clay Tharpe.'

'Tharpe? Waarvoor?'

'We willen hem een paar vragen stellen.'

De ontwijking ontging Ned niet. Hij keek over de reling naar de begane grond en overzag zijn personeel. 'Ik zie hem nergens.' Hij riep naar beneden: 'Jessup, heb jij Clay Tharpe gezien?'

Jessup keek naar hem op en riep terug: 'Hij is eerder wegge-gaan.'

Mark keek even naar Wheaton. Daarmee verviel Clay's werk als alibi.

Ze liepen de trap weer af.

'Jullie kunnen met Jessup, zijn chef, praten. Hij heeft toch geen moeilijkheden?' riep Ned naar beneden.

Wheaton en Mark negeerden hem en liepen naar de chef toe. 'Meneer Jessup,' riep Wheaton.

De gezette man keek naar hen op. 'Ja?'

'U zei dat Tharpe eerder is weggegaan. Hoe laat was dat?'

'Om een uur of elf, denk ik,' zei hij. 'Hij zei dat hij een ver-schrikkelijke migraine had. Ik heb hem gezegd dat dit de laatste keer was dat ik hem liet weggaan.'

'De laatste keer?' vroeg Mark. 'Gaat hij dan dikwijls eerder weg?'

'Ja, hij gaat vrijwel iedere dag eerder weg en na de lunch is hij meestal te laat. Ik draag hem wat op en als ik me dan omdraai, is hij vertrokken.'

'Is hij altijd zo geweest?'

'Nee, alleen de laatste weken. Hoezo? Heeft hij iets gedaan?'

'We willen hem alleen een paar vragen stellen over een situ-atie waar hij misschien iets van afweet.'

'Nou, ik denk niet dat hij vandaag nog terug zal komen. Hij zal zijn zogenaamde migraine wel goed uitbuiten. Als hij echt ziek is, zullen jullie hem ongetwijfeld thuis kunnen vinden.'

'Daar zijn we net geweest. Zijn vrouw dacht dat hij hier was.'

'Kijk, daar heb je het al. Nu begrijpen jullie wat ik bedoel.'

Drieënvijftig

Graig had zich nog nooit zo overbodig gevoeld. Hij stond net binnen de afrastering van het onderstation aan Tanbridge Road en keek naar de werkzaamheden die gedaan werden om het station weer operationeel te maken, zodat het gebied van Crockett weer stroom zou krijgen. Via een telegram had hij vanmorgen het bericht ontvangen dat een van de elektriciteitscentrales weer functioneerde en elektriciteit leverde.

Craig dacht dat het een grapje was. Nadat hij van het ene onderstation naar het andere gereden was, had hij eindelijk zijn transmissie-ingenieur, Butch Morris, gevonden die hij nog maar een paar weken kende. Hij gaf hem het bericht door. 'Is dit wel zo gauw mogelijk?'

'Dat is zeker mogelijk.'

'Maar hoe kunnen ze zo snel al hun controleschakelsystemen gerepareerd hebben? Ik dacht dat ze daar weken, of zelfs maanden voor nodig zouden hebben.'

Butch zette zijn veiligheidshelm af en haalde zijn hand door zijn haar. 'Ze hadden de onderdelen in een aantal magazijnen al klaarliggen en zaten gewoon te wachten tot de pulsaties voorbij zouden zijn. Zodra er een eind aan de pulsaties kwam, hebben ze die naar de centrales vervoerd. Het kost niet zo veel tijd om ze te vervangen en weer stroom te leveren.'

'En wat betekent dat voor ons?'

'Zodra wij onze onderstations weer gerepareerd hebben, kunnen we ze aansluiten op de elektriciteitskabels en hebben we weer stroom. Het probleem is de mankracht. We hebben niet voldoende arbeiders. We hebben meer onderhoudsmonteurs nodig. Je kunt ze niet snel genoeg aannemen.'

'Vertrouw mij maar,' zei Craig. 'Als iemand *onderhoudsmonteur* of *technicus* op zijn sollicitatieformulier invult, zet ik hem meteen aan het werk.'

Butch ging weer aan het werk en Craig bleef nog even staan en dacht aan de spoedcursus die hij gevolgd had over turbines, isolatoren en transmissietorens. Er was een tijd geweest – voor de stroomstoring – waarin hij, als hij langs een onderstation gereden was, had geklaagd dat het station een doorn in het oog voor de gemeenschap was. Hij had overwogen om senator Crawford te vragen een wetsvoorstel in te dienen om de stations zodanig te camoufleren dat ze de omgeving minder zouden ontsieren. Hij zou dat uit pure onwetendheid gedaan hebben omdat hij er geen idee van had gehad dat die stations voor licht, warmte en airco zorgden en de waterleiding- en rioleringsbedrijven van stroom voorzagen.

Nu beschouwde hij die metalen torens met al die onzichtbare kabels en alle apparatuur binnen de afrastering met de bordjes *Verboden toegang – Hoogspanning* erop als een wonder. En de arbeiders die er rondliepen met de kennis die hij niet had, leken helden.

Die bewondering was echter niet wederzijds. Hij had het gevoel dat hij hen in de weg liep, ook al betaalde hij hun salarissen.

Terwijl hij terug liep naar zijn auto voelde hij iets van hoop en trots. Hoop dat het niet meer zo lang zou duren voordat het elektriciteitsnet weer hersteld zou zijn, en trots omdat hij daar iets mee te maken had.

Hij reed terug door de stad, toeterde naar voetgangers en fietsers die er kennelijk nog geen rekening mee hielden dat er weer auto's reden. Hij verlangde naar airco, maar de meeste van deze oude auto's hadden die niet, en zelfs als hij wel airco had, kon hij hem niet gebruiken omdat hij niet voldoende benzine had. Hij hield de ramen dan ook open in de hoop dat de warme wind zou voorkomen dat het zweet zijn kleren doorweekte.

Toen ze uit de ombouwfabriek kwamen, zag Mark Craigs auto de parkeerplaats op rijden. Toen hij Deni had opgehaald, was

Graig er niet geweest en hij zou waarschijnlijk nog niet weten wat er met Beth gebeurd was.

Hij keek naar Wheaton. 'Volgens mij is dat Craig Martin. Ik ga even naar hem toe om hem te vertellen wat er met Beth gebeurd is.'

Wheaton knikte. 'Maak het niet te lang.'

Ze kwamen achter Craigs auto tot stilstand. Craig stapte net uit. Het zien van de zweetplekken in Craigs overhemd onder zijn armen en op zijn rug deed Mark goed.

Craig keek hem koeltjes aan. 'Komen jullie misschien solliciteren?' vroeg hij spottend. 'We betalen beter dan het district.'

Mark werd nijdig. 'Iedereen betaalt beter dan het district.'

Hij stak zijn hand naar Craig uit. Zijn rivaal schudde hem met tegenzin de hand.

'Ik neem aan dat je nog niets gehoord hebt over Beth.'

Craig haalde een handdoek uit zijn auto en begon zijn gezicht te deppen. 'Wat is er met haar?'

'Ze is eerder op de dag aangevallen. Deni is bij haar in het ziekenhuis.'

'Aangevallen? Door wie?'

'Door een of andere vent in het park. We proberen hem nu op te sporen. Ze heeft een ernstige hoofdwond. Toen ik uit het ziekenhuis wegging werd ze geopereerd.'

Aan zijn gezicht te zien drong het nieuws nu pas echt tot Craig door. 'Welk ziekenhuis?'

'Het Medisch Centrum in Crockett.'

'Hoe is het met Deni?'

Mark klemde zijn kiezen op elkaar. Verklapte hij geheimen aan zijn vijand? 'Ze is nogal van streek.'

'Ik ga er meteen heen. Bedankt dat je het me verteld hebt.'

Mark kreeg een misselijkmakend gevoel in zijn maag toen hij terug liep naar de bestelbus. Craig zou daar bij Deni zijn om haar te troosten terwijl Mark probeerde de moordenaar te vinden. Maar hij kon er weinig aan doen. Clay Tharpe moest gepakt worden. Hij hoopte maar dat Craig geen vooruitgang zou boeken terwijl Deni bijzonder kwetsbaar was.

Vierenvijftig

De operatie had nu al vier uur geduurd en als Kay niet gauw iets zou horen, zouden haar zorgen haar te veel worden. Twee uur geleden was Judith haar komen vertellen dat Beth nog leefde en stabiel was, maar dat was alles wat ze wist.

Eindelijk hoorde Kay hun naam roepen.

'De familie Branning? Is hier een familie Branning?'

'We zijn hier!' riep ze, en ze struikelde bijna over iemands voeten toen ze naar de deur rende, de andere gezinsleden vlak achter haar.

'Uw dochter is uit de operatiekamer, mevrouw Branning. Dr. Overton wil u graag spreken in de vergaderkamer.'

'Leeft ze nog?' vroeg Kay met verstikte stem.

'Ja, ze leeft.'

'Hoe is ze?' vroeg Doug.

'Dr. Overton vertelt u dat liever zelf.'

Kay sloeg haar hand voor haar mond en onderdrukte een snik. Dat was niet best. Als dat niet zo was, zou de verpleegster wel geglimlacht hebben en zou ze gezegd hebben dat alles goed ging en dat Beth spoedig bij zou komen.

Dat hadden ze ook gezegd toen Deni's amandelen geknipt waren toen ze zeven was en toen Jeff buisjes in zijn oren gekregen had toen hij nog een baby was.

Doug sloeg zijn arm om haar heen. Ze voelde hem beven en begreep dat diezelfde gedachten door hem heen gingen. Deni, Jeff en Logan liepen zwijgend achter hen aan door de gang naar de vergaderkamer waar ze eerder met elkaar gebeden hadden. Ze liepen naar binnen en gingen stil en gespannen om de tafel zitten.

Dr. Overton kwam binnen. Hij droeg een witte jas over zijn groene operatiekleding. Hij glimlachte halfslachtig naar hen en deed de deur achter zich dicht.

'Hoe gaat het met Beth?' vroeg Doug, nog voor hij de kans had gekregen om te gaan zitten.

Dr. Overton zuchtte toen hij ging zitten en Beth's rapport opensloeg. 'We hebben er alles aan gedaan om het bloeden te stoppen,' zei hij. 'Haar schedel is op diverse plaatsen gebroken doordat ze met een zwaar voorwerp in aanraking is gekomen. Naar de breuken aan de achterkant van haar schedel te oordelen, is ze met haar hoofd ergens tegenaan geslagen.' Hij keek over de tafel heen naar Doug. 'Weet u misschien wat dat geweest kan zijn?'

De randen van Dougs ogen werden rood. 'Er zat bloed op de boom waar we haar gevonden hebben.'

Kay had het niet gezien. Ze had alleen maar aandacht gehad voor Beth die op de grond lag.

'Ja, dat klink in overeenstemming met wat we gevonden hebben. De breuken zijn haar wat dit betreft goed van pas gekomen, want daardoor hadden de hersenen ruimte om te zwellen, waardoor de druk afnam.'

'O God,' fluisterde Kay. Het was nooit bij haar opgekomen dat schedelfracturen een zegen zouden kunnen zijn. Ze kon het ook nu niet geloven.

'Ze werd ook gewurgd. Ze heeft kneuzingen en zwellingen in haar hals, waardoor ze moeilijk adem kan halen. Er is geen arteriële schade, maar haar luchtwegen werden beschadigd. Ze ligt nu aan beademing met een buis die de luchtwegen openhoudt.'

'Gewurgd!' Hoewel Doug het woord *wurging* eerder gebruikt had, kon Kay de wreedheid die met dat woord samenhing niet verwerken. Ze sloeg haar handen voor haar gezicht en smoorde een snik. 'Wie doet zoiets met een kind?'

De dokter sloeg zijn ogen neer en Kay vroeg zich af of ook hij zich dat had afgevraagd. Even later ging hij verder. 'Voor de belangrijkste afdelingen in het ziekenhuis hebben we elektriciteit die door generatoren wordt opgewekt, maar de capaciteit van die dingen is beperkt. We kunnen de elektriciteit gebruiken voor de beademingsmachine, maar kunnen geen andere apparatuur gebruiken, zoals compressiekousen, die we haar normaal gesproken zouden aandoen om te voorkomen dat zich bloedpropjes ontwikkelen door inactiviteit. We zullen haar een paar steunkousen aandoen om er iets tegen te doen, maar het zou een goed idee zijn om haar benen en voeten te masseren om de bloedcirculatie te bevorderen.

Daar kon Kay voor zorgen. Het was misschien het enige wat ze kon doen, maar dat kon ze doen.

'Haar Glasgow Coma Score was drie.'

'Wat is dat?' vroeg Deni.

'Het is de schaal die we gebruiken om de neurologische reactie van een patiënt aan te geven op een schaal die van een tot tien gaat. Drie duidt op geen reactie. Helaas reageert ze nog steeds niet.'

'Maar ze komt er wel door, he?' vroeg Jeff.

De dokter bestudeerde de kaart wat langer, maar Kay was er zeker van dat hij gewoon even nadacht over hoe hij zijn antwoord moest formuleren. 'Ik ben bang dat we dat niet met zekerheid kunnen zeggen. Haar toestand is kritiek. We hebben geprobeerd het bloeden in haar hersens te stoppen, maar we hebben geen garantie dat we daar volledig in geslaagd zijn. En zonder de gebruikelijke diagnostiek en controleapparatuur, is het vrijwel uitgesloten om dat met zekerheid vast te stellen. Bij dergelijke verwondingen wordt de patiënt intraveneuze steroïden toegediend en krijgen ze antiattaque medicijnen. Helaas kunnen we deze medicijnen momenteel niet krijgen. Het is een verschrikkelijke tijd om zo'n soort verwonding te hebben.'

Kay fronste haar voorhoofd. 'Betekent dit dat we gewoon moeten afwachten? Als ze sterft, weten we dat u de bloedingen niet heeft kunnen stoppen en als ze in leven blijft, weten we dat u dat wel gelukt is?'

'Nee, zo is het nu ook weer niet. Er zijn dingen die we in de gaten houden die erop wijzen of de bloedingen wel of niet gestopt zijn. We houden haar een poosje op de ic van de operatieafdeling en we gaan na of ze stabiel blijft. We hebben een drain in haar hoofd aangebracht en we verwachten nog wat lichte bloeding. Als dat hevig is, weten we dat er nog ergens anders een bloeding is. We hebben ook een voedingssonde ingebracht.'

'Zal ze er hersenletsel aan overhouden?' vroeg Doug.

'We hopen dat de schade aan haar hersens minimaal is. Maar ze heeft een poosje geen zuurstof gehad, totdat Doug mond-op-mondbeademing toepaste. Dat heeft haar leven gered en de hersenschade door de wurging tot een minimum beperkt. De slag tegen de boom heeft aanzienlijke schade toegebracht, maar het zal nog even duren voordat we de ernst daarvan kunnen vaststellen. Zelfs als ze volledig herstelt, zal het minstens achttien maanden duren voordat ze weer helemaal normaal zal zijn.'

'Is er ook een kans dat ze helemaal normaal zal zijn als ze bijkomt?' vroeg Kay.

'Dat is mogelijk, maar niet waarschijnlijk. De verbetering vindt meestal geleidelijk aan plaats.'

Kay liet zich terugzakken op haar stoel.

'Hoe groot is de kans dat ze het haalt?' vroeg Deni.

De dokter schudde zijn hoofd. 'Ik houd er niet van om percentages te noemen, want ik weet het niet. Er is een groot aantal factoren dat hierbij een rol speelt. Hoe ver gevorderd we in de medische wetenschap ook zijn, we kunnen niet op wonderen van genezing rekenen. Bent u gelovig?'

'Ja,' zei Doug. 'We zijn gelovige mensen. We zijn christenen.'

'Goed,' zei dr. Overton. 'Ik ook. En ik wil u laten weten dat uw dochter omringd werd door gebeden voordat ik vandaag aan de operatie begon.'

Kay kreeg opnieuw tranen in haar ogen. 'Dank u, dokter.'

'Ik geloof dat gebed dingen vaak verandert. Maar u moet wel weten dat haar toestand zeer ernstig is en dat het zowel goed als fout kan gaan.'

Terwijl hij afsloot met wat details over Beth's operatie bleven die woorden in Kay's hoofd klinken. Allerlei gedachten gingen door haar heen. Beth zou kunnen sterven. Misschien zou ze nooit meer wakker worden. Haar laatste gedachten zouden dan huiveringwekkend zijn geweest – en het laatste wat ze gezien zou hebben, was het gezicht van haar moordenaar.

Kay moest naar haar toe. Ze zou haar kunnen overhalen weer wakker te worden. Ze wist het. De zorg van een dokter kon niet in de schaduw staan bij de liefde van een moeder.

Ze zou haar dochter redden door geloof en louter wilskracht. En als ze zouden proberen haar uit de ic weg te houden, zou ze net zo lang op de deuren blijven bonzen tot ze haar bij haar kind lieten blijven.

Ten slotte stond Overton op om weg te gaan. Bij de deur bleef hij even staan. Alsof hij haar gedachten geraden had, zei hij: 'Twee van u mogen voortdurend op de ic bij haar blijven.'

'Echt?' De gedachte dat ze niet bij haar dochter zou mogen blijven terwijl ze daar op de ic lag, was een van Kay's ergste nachtmerries geweest. 'Voortdurend?'

'Met onze beperkte technische middelen en gebrekkige controleapparatuur stellen we het in de gaten houden van patiënten door familieleden erg op prijs. Andere ogen en handen zijn zeer welkom. Maar we vragen u wel een masker en handschoenen te dragen als u de ic betreedt en de kleding die we u geven aan te trekken voordat u naar binnengaat. We willen voorkomen dat er onnodige ziektekiemen binnengebracht worden en de voorzorgsmaatregelen zullen er ook toe bijdragen dat u niet besmet wordt met bacteriën die daar al zijn.'

'Is dat steriele papieren kleding?'

'Nee,' zei hij. 'Daar zijn we een hele tijd geleden al doorheen geraakt en we krijgen ze maar ze zo af en toe binnen. Tegenwoordig wassen we de kleren alleen maar met bleek. Maar zoals u begrijpt hebben we niet genoeg voor alle mensen die alleen maar een kort bezoekje afleggen. U moet ze weer uittrekken als u de IC verlaat en ze weer aantrekken als u er weer binnengaat. Als ze gedragen zijn, kunnen ze niet door iemand anders gedragen worden tot ze weer gewassen worden. Het is erg belangrijk dat we ziektekiemen buiten de deur houden.'

'Natuurlijk,' zei Kay. 'Wanneer mogen we naar haar toe?'

'Dat zal niet lang meer duren,' zei hij. 'Ga maar weer terug naar de wachtkamer, en we sturen een verpleegster om u te halen zodra ze op haar kamer ligt.'

Vijfenvijftig

Beth lag daar zo klein en gebroken op haar bed, met allerlei draden en slangetjes, als een robot die gereviseerd werd. Kay's te grote ziekenhuisjas ritselde toen ze door de kamer naar haar dochter toe liep. Haar gezicht was gezwollen en ze had haar ogen gesloten. Over haar mond en neus zat een maskertje waardoor ze ademhaalde.

Kay wilde het wegtrekken, haar oppakken en haar wegdragen. Als ze de tijd voor een paar uur zou kunnen terugzetten, zou Beth weer veilig thuiskomen. Kay zou haar nooit meer uit huis laten vertrekken. Ze zou haar dochter beveiligen tegen moordenaars. Had ze dat niet dertien jaar lang gedaan? Beth had nog nooit een gebroken arm gehad, een geïnfecteerde wond, of een hoestje waarvoor ze niet behandeld was. Kay had er allemaal op toegezien.

Maar hier lag ze nu, haar huid wit als een doek, haar ademhaling gecontroleerd door een beademingsmachine. De achterkant van haar hoofd was geschoren en gehecht en haar schedel was misvormd. Ze hadden haar op haar zij gelegd, met kussens in haar rug.

Doug liep langs Kay heen en boog zich over Beth heen. Het operatiemaskertje dat ze hem gegeven hadden, was doorweekt van zijn tranen en het leek erop dat het al gauw waardeloos zou zijn. Hij trok het af en kuste haar op de wang. 'O liefje, wat vind ik dit erg voor je,' zei hij terwijl hij haar haar streelde dat nog was overgebleven. 'Ik had het moeten weten.'

Kay trok de deken terug en inspecteerde Beth's lichaam om te zien of ze nog meer kneuzingen had. De kneuzingen op haar hals waren nu beter zichtbaar. Ze dacht terug aan de dag waarop de pulsaties gestopt waren, toen ze thuisgekomen waren en Beth's natte kleren op de vloer gevonden hadden. Ze had toen schrammen op haar been gehad. Kay had moeten begrijpen dat haar dochter iets overkomen was. Wat voor moeder was ze?

Ze bleef naar haar armen kijken, onder haar hemd, haar benen. Ze hadden Kay steunkousen gegeven om Beth aan te trekken. Kay kneep in de witte kousen in haar vuist alsof ze zich aan het leven zelf vastklemde. Toen rolde ze ze uit en trok het laken van de ijskoude voeten van haar dochter weg. Haar tenen waren blauw.

'Die zullen niet helpen,' zei ze. Vijf jaar geleden had ze zelf voor een hysterectomie in het ziekenhuis gelegen en ze hadden pneumatische compressiekousen over haar kuiten getrokken tegen trombose. Nu had ze die waardeloze steunkousen voor Beth.

Kay wilde Beth zo min mogelijk bewegen en had moeite om ze over de voeten van haar dochter te trekken. De kousen waren zo strak dat Kay dacht dat ze eerder de bloedcirculatie zouden belemmeren dan dat ze van enig nut zouden zijn. Maar alles was beter dan niets. Ze trok met moeite de kous op tot Beth's knie en controleerde toen zorgvuldig of hij niet in haar huid sneed. Toen trok ze haar de andere kous aan.

Doug was zich niet bewust van wat ze deed. Hij hield zijn gezicht vlak bij dat van Beth. 'Liefje, kun je mij horen? Je bent gewond geraakt en we hebben je naar het ziekenhuis gebracht. Ze hebben je geopereerd. Je hebt het goed gedaan. Je bent een flinke meid. We willen dat je weer wakker wordt en met ons praat.'

Tegen de tijd dat Kay erin geslaagd was haar de kousen aan te trekken, zweette ze hevig. Wat nu? Wat had haar dochter nog meer nodig? Ze moest iets doen.

Water. Ze moest drinken. 'Waar kan ik wat water krijgen?' vroeg ze.

Doug keek naar haar op. 'Ze heeft geen water nodig, schat. Ze heeft een infuus en ze heeft een buisje in haar keel.'

Kay keek naar de zak waaruit vitale vloeistof in Beth's aderen drupte. Hoe zou dat nu kunnen helpen? Het drupte niet snel genoeg. Ze liep om het bed heen en controleerde zorgvuldig of het wel werkte. Stel dat het zou ophouden. Beth zou kunnen sterven. Als er van alle dingen ook maar iets niet goed functioneerde, zouden ze hun dochter verliezen. Ze raakte de zak aan, keek naar het slangetje en zag de druppel langzaam naar Beth's arm kruipen. Het was niet goed genoeg, dacht Kay. Ze zouden meer voor haar moeten doen.

Beth was nog maar net een tiener. Ze zou nu moeten repeteren voor haar toneelstuk. Ze zou zich druk moeten maken over kleding en rekwisieten. Ze zou de liedjes moeten zingen die ze geschreven had.

Ze voelde Dougs handen op haar schouder, draaide zich om en viel tegen hem aan. Hij raakte haar papieren muts aan en hield haar stevig vast. Door de omhelzing klopte Kay's hart in haar keel en ze dreigde te stikken. Er trok een huivering van wanhoop door haar heen. 'Waar was Hij, Doug? Waar was God toen het gebeurde?'

Ze voelde hem snikken en zijn schouders schokten bij iedere ademhaling.

Hij wist geen antwoord.

Deni wachtte voor de deur van de ic-afdeling tot een van haar ouders naar buiten zou komen zodat zij naar binnen zou kunnen gaan. De wachtruimte vulde zich met vrienden en buren die gehoord hadden wat er met Beth gebeurd was. Brad Caldwell was er nog steeds, samen met de Huckabees en Amber Rowe, die een oppas voor haar kinderen gevonden had. Jimmy Scarbrough en zijn ouders verschenen met tranen in hun ogen. Zijn vader, Ralph, de voormalige sheriff van Jefferson County, had sinds hij was neergeschoten twintig kilo verloren en hij was buiten adem door de lange wandeling door de gang. Maar het was duidelijk dat hij aan de beterende hand was.

Andere leden van hun kerk kwamen langs om blijk te geven van hun medeleven en ze boden aan voor Beth te bidden.

Waar was Mark?

Hij was natuurlijk aan het werk, hield ze zich voor, en probeerde de man die Beth had aangevallen, te vinden. Misschien wisten ze inmiddels wie hij was. Misschien hadden ze hem al in hechtenis genomen.

Ze hoopte vurig dat ze hem snel te pakken zouden krijgen, zodat hij anderen geen kwaad meer zou kunnen doen. En dan zou Mark naar haar toe kunnen komen.

'Deni?'

Jimmy Scarbrough stond op en stak zijn handen in zijn zakken. Zijn vader stond eveneens op en legde zijn hand op de schouder van zijn zoon toen ze naar haar toe kwamen.

'Wat is er, Jimmy?'

Hij keek op naar zijn vader en Ralph knikte. Jimmy slikte toen hij weer naar Deni keek. 'Ik zag Beth een paar dagen geleden in het Magnolia Park. Ik had het je eerder moeten vertellen, maar ik wist niet...'

Ze trok haar wenkbrauwen op. 'Heb je met haar gepraat?'

'Ja. Ze was helemaal van streek omdat ze zo'n medelijden had met die vrouw van wie haar man vermist werd. Ze huilde en ze probeerde er met mij over te praten.'

'Heeft ze dat gedaan?'

'Een beetje, ja. Ze zei dat ze hen soms in de tuin zag en ik denk dat ze huilde om hen.'

De voormalige sheriff streek door het haar van zijn zoon. 'Vertel haar wat ze zei over dat kwaad doen.'

Jimmy's ogen werden wat groter. 'Ja. Eerst zei ze dat ze er niet met mij over kon praten omdat er dan iemand kwaad gedaan zou kunnen worden. Meer wilde ze mij er niet over vertellen. En toen stapten we van het onderwerp af en vertelde ze mij over die vrouw. Ik vergat wat ze gezegd had over dat kwaad doen... tot haar kwaad gedaan werd.'

Deni's schrok. *Iemand* zou kwaad gedaan kunnen worden? Dacht Beth dat ze de familie Tomlin moest beschermen? Of haar eigen familie?

Had hij hun dat maar verteld, dan zouden haar ouders meer

druk op Beth uitgeoefend hebben om haar ertoe te brengen te vertellen wat er aan de hand was. 'Heeft ze er iets over gezegd dat ze getuige was van een moord?'

Hij schudde zijn hoofd. 'Nee, niets. Ik had haar ertoe moeten bewegen om met mij te praten.' Hij kreeg tranen in zijn ogen en zijn mondhoeken trokken naar beneden. 'Ik wilde wel dat ik het eerder tegen je ouders gezegd had.'

Deni slaakte een diepe zucht en sloeg haar armen om de jongen heen. 'Je kon niet weten hoe belangrijk dit was, Jimmy. We hebben allemaal signalen gekregen waar we niets mee gedaan hebben. Maar ik zal dit tegen mijn ouders zeggen. Ze zullen er ongetwijfeld met je over willen praten.'

Hij wreef over zijn ogen en liep weer terug naar zijn stoel. Zijn vader ging naast hem zitten en sloeg zijn arm om hem heen. Ze kon zien dat het neerschieten van Scarbrough – een tragedie die hem bijna het leven had gekost – een zegen voor de jongen geworden was omdat ze elkaar veel nader gekomen waren. Ze was er blij om. Jimmy zou hem nodig hebben om hier doorheen te komen. Ze dacht aan de familie Tomlin, die Beth's hart had gebroken, die treurde om een geliefde zonder zelfs maar te weten dat hij dood was. Hoelang had ze hen gadegeslagen en hun verdriet met zich meegedragen?

Konden ze het lichaam maar vinden, zodat de familie op de hoogte gebracht zou kunnen worden en er een zekere afsluiting zou kunnen plaatsvinden.

Ze dacht aan Beth's angst in de afgelopen dagen. Op de uitbetalingsdag had Beth gesmeekt om thuis te mogen blijven. Deni had haar, toen ze was opgestaan en het nog donker was, aangetroffen in de dakkapel waar ze naar de straat had zitten kijken. Beth had die nacht waarschijnlijk helemaal niet geslapen. Nu was het of alle angst en verdriet, die Beth met zich had meegedragen, zich in Deni's maag verzamelden waardoor ze niet meer op kon houden met huilen.

Iemand klopte haar op de schouder en toen ze zich omdraaide, zag ze Craig. Hij opende zijn armen en ze viel erin. 'Ik vind het zo erg, Deni,' zei hij. 'Ik ben naar je toe gekomen zodra ik het hoorde. Ik vind het verschrikkelijk, schat.'

Hij was Mark niet en ze was zijn schat niet. Maar zijn armen brachten haar troost.

Zesenvijftig

Marks dienst zat erop maar hij was niet van plan zijn taak op te geven. Clay Tharpe was nog niet gevonden. Mark had te horen gekregen dat Beth door de operatie gekomen was en hij wilde niets liever dan naar Deni toe gaan. Maar bij een onderzoek naar moord telde iedere minuut. Tharpe was nog steeds op vrije voeten en hij zou inmiddels wel weten dat ze hem geïdentificeerd hadden. Hij mocht niet ontsnappen.

Toen de nieuwe ploeg agenten op het bureau kwam om de dienst over te nemen, ging Mark naar het kantoor van Wheaton. De sheriff werkte gewoonlijk op zijn kantoor in Birmingham, maar sinds de aanval was hij in Crockett blijven hangen. Mark nam aan dat hij een bijzondere belangstelling voor de zaak had omdat het de dochter van een van zijn vrijwilligers betrof.

'Sheriff, ik heb me voorgenomen om het huis van Tharpe de hele nacht in de gaten te blijven houden.'

'Hoe wil je dat doen. 'Als je daar een auto parkeert, zal hij je zien zodra hij de straat in komt.'

'Ik kan me in zijn achtertuin verstoppen.'

Wheaton schudde zijn hoofd. 'Dat kun je niet doen, Mark. Het is privéterrein.'

'Kom op, sheriff – u weet dat hij een moordenaar is.'

'Dat weet ik niet, niet zeker in ieder geval. En als hij dat wel zou zijn, doet er dat niet toe, al was hij Charles Manson in eigen persoon. Zonder uitnodiging of huiszoekingsbevel kunnen we het terrein niet betreden.'

'Dan verstop ik me wel in de tuin van een van de buren, een

tuin waarin ik een goed uitzicht heb op het huis. Ze zullen me niet zien.'

'Ook dan krijg je juridische complicaties.' Wheaton boog zich op zijn ellebogen over het bureau heen. 'Luister eens, als je dit niet volgens de wettelijke regels doet, ziet die vent kans om door een formele fout vrij te komen als hij gearresteerd wordt.'

'Niet zolang Brad Caldwell de openbare aanklager is.'

'Brad Caldwell is niet de rechter,' zei Wheaton. 'En zelfs Brad zal zich aan de legale regels moeten houden om te voorkomen dat die vent vrijuit gaat.'

Mark kreeg het gevoel dat hij het voor de tegenpartij opnam. 'Wat stelt u dan voor?'

'Of je blijft het huis vanaf de straat in de gaten houden, wat zinloos is, of je kunt gaan posten op het schoolterrein, een straat verderop.'

'Maar vanaf het schoolterrein kan ik het huis niet in de gaten houden. Het is te ver weg. En in het donker…'

'Iets anders kun je niet doen.'

Mark liet zich op een stoel tegenover Wheatons bureau zakken. 'Waarom zou ik niet met een van de buren kunnen gaan praten en ze vragen mij in hun huis toe te laten?'

'Ten eerste zul je hun dan moeten vertellen wat er gaande is en dan zouden ze de familie Tharpe op de hoogte kunnen brengen, wat ze zeker zullen doen als ze vrienden zijn. En ik heb te weinig personeel om iemand met je mee te sturen. Wat dacht je te gaan doen als je daar alleen bent? Je kunt hem niet alleen arresteren en hier naartoe brengen.'

'Reken maar dat ik dat kan!'

Wheaton duwde zijn stoel achteruit en stond op. 'Mark, ik begrijp heel goed dat je er alles aan wilt doen om die moordenaar te vinden. Ik ook. Maar ik ben hier niet zo zeker van.'

'Zonodig blijf ik de hele nacht wakker,' zei Mark. 'Ik loop gewoon de hele nacht door de straat heen en weer.'

'Dan loop je kans dat er iemand op je zal schieten omdat ze denken dat je een dief bent.'

Mark stak zijn handen op. 'Dat risico neem ik dan maar. Aan wiens kant staat u eigenlijk?'

'Aan jouw kant,' zei Wheaton. 'Maar ik ben gewoon realistisch en ik zie liever niet dat een van mijn beste agenten wordt gedood.'

'Ik word niet gedood.' Mark stond op en liep naar de deur. 'Ik zal niet rusten voordat ik die vent te pakken heb.'

'Wees voorzichtig, jongen.'

Die avond parkeerde Mark zijn patrouilleauto achter de middelbare school, op een plaatsje waar niemand uit de omgeving van het huis van Tharpe de auto zou zien. Vanaf een hoek van de parkeerplaats die uitzicht bood op de wijk, kon hij kaarslicht in de ramen van Tharpe zien flikkeren. Hij liet zijn auto achter en slenterde het trottoir op naar het huis van de familie Tharpe. Door het raam zag hij Analee met de baby op haar arm heen en weer lopen. Ze zag er wat verloren en zorgelijk uit.

Kon hij maar een huiszoekingsbevel krijgen om het huis en de tuin te doorzoeken om na te gaan of hij iets zou kunnen vinden dat in verband gebracht kon worden met Blake Tomlin.

Ze hadden geen enkel direct bewijs. Hoe verdacht Tharpe's verdwijning na de aanval ook was, het was niet voldoende bewijs om de man te arresteren. Evenmin als zijn vroegere betrekking bij de Speedy Lube naast de Cracker Barrel. Ja, hij beantwoordde aan de beschrijving in Beth's briefje, maar dat zou in de rechtszaal geen stand houden.

Terwijl het donkerder werd, liep Mark in de straat heen en weer. Zijn ogen werden vermoeid en droog. Hij kon zich niet meer herinneren wanneer hij voor het laatst gegeten had en hij had dorst. Misschien moest hij het er maar bij laten zitten en naar het ziekenhuis gaan.

Maar iets vertelde hem dat Clay zou proberen die avond of nacht naar huis te gaan. En als dat zo was moest hij hier zijn.

De kaars in het huis van Tharpe ging uit en Mark nam aan dat Analee het wachten had opgegeven en naar bed was gegaan. Hij had medelijden met haar. Na het gesprek dat Wheaton en hij eerder die dag met haar gehad hadden, was hij er vrijwel zeker van dat ze niets met de aanval te maken had. Als dat zo was, zou ze zich zeer waarschijnlijk door haar echtgenoot, die plotseling was verdwenen, in de steek gelaten voelen.

Hij slenterde terug naar de parkeerplaats van de school en ging onder de luifel van de voordeuren zitten. Hij hield de straat in de gaten en wilde wel dat hij een nachtkijker had. Hij bad voor Beth, smeekte God het kind te redden dat voor hen allemaal zo veel betekende, en hem te helpen haar aanvaller te vangen.

Zevenenvijftig

Toen het in de wachtruimte donker begon te worden, kon Deni een geeuw niet onderdrukken. Ze hing op een stoel met haar hoofd tegen de muur en zag hoe iemand van het ziekenhuis met een ladder binnenkwam. Hij klom op de ladder en draaide een gloeilamp aan. Toen iemand bij de deur de schakelaar aanknipte, werd de ruimte in een huiselijk schemerlicht gezet. Het licht was niet voldoende om bij te lezen, maar het zou wel voorkomen dat ze over elkaar zouden struikelen. De meeste mensen waren naar huis gegaan om voor hun gezin te gaan zorgen en er waren alleen nog wat familieleden van de zieken en gewonden overgebleven.

Aan de andere kant van de wachtkamer, waar een familie zat te wachten op nieuws over de operatie van hun zoon, hoorde ze zacht gesnik. Hij was tijdens de jacht op herten uit een boom gevallen en had zijn rug gebroken en Deni nam aan dat hij er net zo ernstig aan toe was als Beth. Zijn familie zat stijf rechtop op de ongemakkelijke stoelen. Dat hadden zij eerder op die dag ook gedaan, maar ze hadden zich nu wat ontspannen. Logan had een kussen weten te bemachtigen en lag nu op de vloer te slapen. Jeff had zich op twee stoelen uitgestrekt maar sliep niet.

Craig zat naast haar en tikte nerveus met zijn voet op de grond. Het geluid maakte haar zenuwachtig.

Ze had dorst. Iemand was zo vriendelijk geweest om een paar kannen water te brengen, maar ze durfde niet te drinken. Als ze naar de wc moest, moest ze naar buiten naar de mobiele toiletten die achter het gebouw stonden en dat had ze er niet voor over.

Chris, die momenteel dienst had, was zo aardig geweest om hun een paar tortilla's te brengen om de nacht door te komen. Maar Deni had niet alleen behoefte aan eten.

Waar was Mark? Ze had hem sinds hij haar naar het ziekenhuis had gebracht, niet meer gezien. Een van zijn collega's was na zijn dienst langsgekomen om haar te vertellen dat hij nog steeds op zoek was naar de moordenaar. Hij had zich de aanval op Beth persoonlijk aangetrokken en alleen God wist wat hij zou doen als hij oog in oog met de moordenaar kwam te staan.

Deni was ervan overtuigd dat Marks vasthoudendheid uiteindelijk tot de arrestatie van de man zou leiden. Ze hoopte vurig dat hem daarbij niets zou overkomen.

Ze verlangde hevig naar hem. Zijn aanwezigheid kalmeerde en troostte haar. Zelfs als hij zelf in de problemen zat, zag hij altijd kans om haar te troosten en haar ervan te verzekeren dat alles wel weer goed zou komen. Ze wilde dat hij met Beth zou praten. Als Beth Marks stem hoorde, zou ze misschien reageren. Beth had altijd een bijzondere band met hem gehad.

Niet met Craig. Hoewel haar ex-verloofde de afgelopen uren zijn belangrijke werkzaamheden had opgeschort om bij haar te blijven had haar familie hem niet uitgenodigd om even naar Beth toe te gaan. Zijn bezoek zou geen enkel nut hebben. Maar Deni stelde zijn aanwezigheid wel op prijs. Hij was nu heel anders dan direct na de pulsaties, toen hij nauwelijks aandacht voor haar had gehad. Op de een of andere manier streelde zijn aandacht haar. Anderzijds wilde ze wel dat hij weg en weer aan het werk zou gaan.

Haar vader kwam de wachtruimte binnen. In de afgelopen paar uur was hij tien jaar ouder geworden. Er stonden diepe lijnen in zijn gezicht en hij zag er slecht uit. Toe ze zag hoe rood zijn neus en de randen van zijn ogen waren, brak haar hart. Hij liep heel langzaam, zijn armen bungelden slap langs zijn zij en hij had een afwezige blik in zijn ogen.

Deni stond op en liep naar hem toe. 'Papa, is er enige verandering?'

Hij wreef over zijn mond. 'Nee, alles is nog hetzelfde.'

'Is mam alleen?'

'Ja, ga maar naar haar toe.'

Deni keek even naar Craig. 'Ik kom zo weer terug.'

Hij kneep even in haar hand. 'Als ik iets voor je kan doen, laat je mij maar roepen door een verpleegster.'

Ze ging naar de ic, trok een ziekenhuisjas aan – kleurloos geworden doe het vele wassen – en vond haar moeder naast Beth's bed zitten. Ze had haar hoofd naast Beth's benen op het bed gelegd.

'Gaat het een beetje, mam?'

Kay ging rechtop zitten. Ze had donkere kringen onder haar ogen. 'Ja, hoor, kind, het gaat wel.'

Deni boog zich over het bed heen en kuste haar zusje. Ze hadden haar inmiddels op haar andere zij gelegd. De achterkant van Beth's hoofd leek meer gezwollen dan eerst. Evenals haar gezicht. Haar huid was wasachtig bleek. Deni zette de gedachte dat ze eruitzag als een dode van zich af.

Haar gezicht vertrok toen ze haar moeder aankeek. 'Ze is niet vooruitgegaan, hè?'

Kay schudde haar hoofd.

Deni trok een stoel bij en ging zo dicht mogelijk bij Beth zitten. 'Praat met ons, Beth. Alsjeblieft, word weer wakker.' Toen er geen reactie kwam keek ze haar moeder weer aan. 'Heeft ze iets gedaan? Zich bewogen of zo? Al is het maar een teen.'

'Nee, kind, helemaal niets.'

Er was geen enkel teken dat Beth hen hoorde.

Deni's blik volgde een buisje van Beth's hoofd naar een bolletje dat half gevuld was met een rode vloeistof. 'Misschien is de verdoving nog niet uitgewerkt. Misschien wordt ze morgen weer wakker en begint ze weer te praten.'

Ze zag aan het gezicht van haar moeder dat ze eraan twijfelde.

Kay dwong zich tot een glimlach en veranderde van onderwerp. 'Is Mark er nog niet?'

'Nee, hij is er nog steeds niet.'

'En Craig?' Haar stem klonk nu veel koeler.

'Ja, hij is er wel. Hij gedraagt zich geweldig. Hij heeft zulk belangrijk werk en toch zit hij hier bij mij.'

'Craig moet hier weg,' mompelde Kay. 'Misschien kunnen ze meer voor Beth doen als ze weer stroom hebben. En als we een MRI- of een CT-scanner hadden, zouden we weten waar we aan toe waren en zouden de dokters misschien iets kunnen doen.' Kay haalde haar vingers door haar haren. 'Ik had nooit kunnen denken dat ik nog eens bij mijn kind zou moeten waken door zo'n stomme stroomstoring.'

'Dat weet ik.'

Kay begon Beth's benen weer te masseren. Deni schoof haar stoel wat verder en begon het andere been te masseren.

De stem van haar moeder was schor toen ze weer sprak. 'Ik had dankbaarder moeten zijn voor alle medische voorzieningen toen ze nog functioneerden, maar ik vond het toen allemaal heel gewoon. Hoe kon ik ooit depressief zijn toen ik het zo goed had? Een auto, elektriciteit, computers, telefoon, dat je zomaar ergens eten kon gaan kopen, medicijnen voor als je iets mankeerde. Wat wilden we nog meer? Ik was een verwend nest.'

'Nee, dat is niet waar, mam.'

'Dat was ik wel,' hield Kay vol. 'Zelfs direct nadat de pulsaties begonnen, toen we een provisiekast vol eten hadden, een vriezer vol vlees, buren die ons wilden helpen en advies gaven, een meer om water uit te halen en gereedschap en een bijl. Ik had toen alleen maar medelijden met mezelf. Ik maakte mij zorgen over mijn gezin en ik vroeg me af: "Waarom wij?"'

Deni wilde opnieuw protesteren, maar haar moeder wilde alleen maar stoom afblazen.

'En tijdens de winter voelde ik me zo zielig omdat we bijna geen eten meer hadden en alles zo moeilijk was. Maar we hadden nog wel ons gezin. Iedereen was gezond. We hadden vuur om ons te warmen, en Mark en je vader en Jeff om voor ons te jagen en ons eten te brengen. We hadden onze zonneoven die Mark voor ons gemaakt had. We hadden genoeg. God zorgde voor ons. Waarom was ik dan niet dankbaarder?'

'Dat was je toch, mam. Je dankte God voortdurend.'

'Niet echt. Ik deed het niet. Nog maar een week geleden had ik medelijden met mezelf omdat ik zo moe was. Ik had er geen enkele aandacht voor dat ik mijn gezin gezond en wel om mij heen had.'

'Mam, houd eens op met jezelf op je kop te geven. Zo ben je niet.'

Kay keek naar haar dochter op. 'Je weet niet wat er in mijn hart omgaat, Deni. Mijn zogenaamde dankbaarheid tegenover God moet een belediging voor Hem geweest zijn.'

'Mam, God heeft dit niet gedaan om jou te straffen omdat je niet wist wat je allemaal had,' fluisterde Deni. 'Hij probeert je niet bij te brengen dat je dankbaar moet zijn door Beth's hoofd te laten inslaan.'

De woorden bleven in Deni's keel steken en ze kon de gedachte die daarop volgde niet van zich afzetten. Waarom was Beth's hoofd ingeslagen? God had dat toch kunnen voorkomen? Tranen brandden in haar ogen. 'Waarom heeft God niet ingegrepen, mam?'

Kay schraapte haar keel en zocht naar woorden. 'Hij greep niet in. We kwamen op tijd om haar te redden.'

'Maar waarom zorgde Hij er niet voor dat jullie daar eerder kwamen, zodat het helemaal niet gebeurd zou zijn?'

Ze zag de tegenstrijdige gevoelens op het gezicht van haar moeder weerspiegeld. Toen haar moeder in tranen uitbarstte, wilde ze wel dat ze de vraag niet gesteld had.

Kay haalde haar zakdoek uit haar zak en snoot haar neus. 'Later, als we wat afstand hebben genomen en hierover nadenken, zullen we zien hoe Hij te werk gaat. Wat Satan kwaad bedoeld heeft, heeft God als goed bedoeld.'

Deni dacht aan de geschiedenis van Jozef in Genesis. Zijn broers waren jaloers geweest en hadden hem als slaaf verkocht. Jaren later had Jozef zijn broers vergeven en diezelfde woorden gebruikt.

Maar in de aanval op Beth kon ze geen enkele goede bedoeling zien. En haar moeder kennelijk ook niet. Tranen hadden haar van kracht beroofd. Deni hield op met het masseren van

Beth's been en keek om zich heen of ze een glas water zag. Ze zag het glas dat ze eerder naar haar moeder had gebracht nog op het nachtkastje naast Beth's bed staan. Ze gaf het aan Kay. 'Mam, je moet wat drinken.'

Kay glimlachte, nam het glas aan en dronk het leeg. 'Dank je, kind. Je geeft me weer nieuwe kracht.'

Maar haar moeder zag er helemaal niet sterk uit. Ze zag eruit alsof ze zich aan een strohalm vastklampte die ieder moment kon breken.

Achtenvijftig

Analee Tharpe wilde wel dat ze wat meer informatie van de politie had losgekregen toen ze eerder op de dag bij haar waren geweest. Maar op het moment dat ze om die foto van Clay gevraagd hadden, had ze begrepen dat ze er niet waren om hem alleen maar een paar vragen te stellen. Waarom zouden ze zijn foto willen hebben als hij niets gedaan had?

Ze had hun bijna verteld dat Clay een paar dagen geleden zijn baardje had afgeschoren. Hij had een sik gehad zolang zij hem kende. De reden waarom hij het had afgeschoren – al dat haar op zijn gezicht was te warm – scheen nu ongeloofwaardig en belachelijk. En waarom had hij het afgeschoren toen hij niet thuis was? Hij was thuisgekomen met allemaal stoppels op zijn gezicht.

Ze had hem al lang voor het donker werd thuis verwacht. Maar nu was het al elf uur en was hij nog niet thuis.

Dat hoefde natuurlijk niet te betekenen dat hij in de problemen zat. Dit was eigenlijk meer van hetzelfde. Hij kwam dikwijls laat thuis. En hij had zich vreemd gedragen. De afgelopen week was hij erg zenuwachtig geweest.

Toen ze het kettinkje in zijn zak gevonden had, had hij haar met een kluitje in het riet gestuurd. 'Bij een kraampje zag ik dat een meisje het liet vallen,' had hij haar gezegd. 'Ik heb het opgeraapt en geprobeerd het haar terug te geven, maar ze was al verdwenen. Geloof mij. Ik ken haar niet eens.'

'Waarom heb je het dan nog?' vroeg ze.

'Voor het geval ik haar nog een keer tegenkom. Maar wees alsjeblieft niet jaloers. Als ik een vriendin had, zou ik *haar* een

236

kettinkje geven; zij niet aan mij.'

Ze was er niet door gerustgesteld. Hij had de afgelopen weken vaak 's avonds over moeten werken, maar toen ze het een paar keer was nagegaan, bleek dat hij helemaal niet op de fabriek was geweest. Als ze hem daarmee confronteerde, had hij altijd een smoesje – dat hij eropuit gestuurd was om de auto voor een of ander regeringsagentschap te repareren, of dat hij net een bood-schap aan het doen was. Vreemd dat niemand op het werk dat gezegd had als ze vroeg waar hij was. Ze had gedreigd van hem weg te gaan en de kleine Star mee te nemen naar haar ouders. Hij zei dan dat hij er spijt van had en beloofde beterschap en hij kwam dan weer een poosje gewoon op tijd thuis.

Maar de politie zou hier niet naartoe gekomen zijn als het alleen maar iets met ontrouw te maken had. Als hij er een vrien-din op na hield zou hun dat niet aangaan.

Er moest iets anders zijn.

Toen ze ten slotte naar bed ging, kon ze niet slapen. Ze staarde in het donker, luisterde naar het ademen van de baby die naast haar bed in een wiegje lag te slapen en wilde wel dat Clay thuis zou komen.

En toen hoorde ze de deur. Ze sprong uit bed en greep haar geweer toen iemand binnenkwam.

'Analee?'

Toen ze Clay's stem in het huis hoorde, was ze zowel opge-lucht als boos. Ze zette het geweer weer neer en rende naar hem toe. 'Waar heb je gezeten? De politie is hier geweest en vroeg naar je. Besef je wel wat ik vandaag heb moeten doormaken? De baby heeft de hele dag gehuild en ik maakte me grote zor-gen...'

Hij legde een hand over haar mond om haar tot zwijgen te brengen. 'Analee, luister. We hebben maar weinig tijd.'

Negenenvijftig

Clay had er altijd moeite mee om zijn vrouw ertoe te brengen naar hem te luisteren. Het was in feite moeilijk om ook maar iets tegen haar te zeggen. Ze sprak iedere gedachte uit die in haar opkwam, al of niet helemaal geformuleerd. Maar toen hij zijn hand van haar mond haalde leek ze deze keer sprakeloos.

'Ik heb wat problemen,' zei hij bijna fluisterend. Hij liep naar het raam, keek naar buiten en deed het toen dicht en op slot. 'En het is mijn eigen schuld. Maar je moet naar me luisteren en begrijpen hoe het gebeurd is.'

Ze volgde hem naar de keuken. Ook hier deed hij het raam dicht en op slot en hij wilde wel dat hij een lamp aan kon steken, zodat ze de ernst op zijn gezicht zou kunnen zien. Maar dat risico kon hij niet nemen.

'Heb je je voor de politie schuilgehouden?' vroeg ze.

'Analee, je moet alleen maar luisteren.'

'Ik luister.'

'Ik heb tegen je gelogen,' zei hij. 'Toen we die erfenis van je opa kregen, heb ik je gezegd dat ik het op de bank had gezet en dat het geld op een spaarrekening stond.'

'Was dat niet zo?'

'Nee, dat was niet zo.'

Ze verstijfde en in het maanlicht dat door het raam viel, zag hij haar gezicht verstrakken. 'Clay, wat heb je gedaan?'

Hij liep naar haar toe en legde zijn handen op haar schouders. 'Ik ben stom geweest.'

'Wat bedoel je met ik ben stom geweest?'

Hij trok haar mee naar de bank en liet haar gaan zitten. Toen ging hij tegenover haar op de koffietafel zitten. Hij haalde moeizaam adem en wilde zijn handen en gezicht wassen en andere kleren aantrekken. Wat een lange dwaze dag was het geweest.

Hij richtte zijn aandacht weer op Analee. 'Ik begon te denken dat ik het met een beetje geluk met blackjack zou kunnen verdubbelen.'

'O nee. Ik wil het niet horen!' Ze duwde tegen zijn schouders. 'Je zei me dat je gestopt was met gokken. Je hebt het mij beloofd!'

'Dat weet ik,' zei hij. 'Maar ik kon het gewoon niet laten. Ik dacht dat ik zou winnen en het verdubbelen. Misschien wel verdrievoudigen.'

'En je hebt zeker alles verloren, hè?' zei ze bitter, met tranen in haar ogen.

'Ja, ik heb het verloren.'

Ze stond op, liep van hem weg en draaide zich weer om. 'Maar ik begrijp het niet. Je bracht onlangs geld mee naar huis. Het was een paar procent van wat ik dacht dat we hadden. Hoe deed je dat als we niets meer op de bank hebben staan?'

Hij kreeg een droge keel en hij kon geen woord uitbrengen.

'Wat heb je gedaan? Het gestolen?'

De stilte hing als een elektrische lading tussen hen in.

'Dat heb je gedaan, hè? Je hebt het *gestolen!*'

Hij liep om de bank heen. 'Ik heb het geld afgenomen van iemand die het net van de bank was wezen halen. Het was een klassieke overval. Ik trok mijn pistool en zei hem: je geld of je leven. En hij gaf me zijn geld. Zo erg was het niet.'

'Een gewapende roofoverval en jij noemt dat niet erg?' Haar mond zakte open. 'Clay, hoe kon je dat doen?'

'Ik deed het voor jou. Dat leek mij beter dan je de waarheid te vertellen. Ik wist dat je, als ik dat zou doen, bij me weg zou gaan.'

'Nee,' zei ze. 'Je moet mij de schuld niet geven!' Ze liet haar ogen rollen alsof ze terugdacht aan alles wat er door haar hoofd ging. 'Geen wonder dat ze je zoeken. Ze vroegen naar je foto. Stel dat de man die je beroofd hebt, je kan identificeren.'

'Die heb je toch niet gegeven, hè? Analee, zeg mij dat je die niet gegeven hebt.'

'Dat heb ik niet gedaan,' zei ze. 'Maar ik had er geen idee van dat je dat gedaan had. Waarom heb je mij niets verteld over dat gokken? Daar was ik wel overheen gekomen.'

Hij slikte. 'Je moet begrijpen dat ik dit voor jou gedaan heb. Ik kon het niet verdragen dat je opnieuw in mij teleurgesteld zou worden. Ik wilde jou en Star niet kwijtraken. Ik dacht dat ik het wel weer zou kunnen goedmaken.'

Ze stak haar handen op en greep haar haar vast. 'Clay, je moet naar de politie gaan en jezelf aangeven.'

'Nee, dat kan ik niet.'

'Waarom niet? Dat is het enige wat je nog kunt doen. Bovendien weten ze het al. Ze zijn hier geweest!'

'Dat weet ik. En ze houden het huis nu in de gaten. Bij de school zag ik een patrouilleauto geparkeerd staan.'

'Een patrouilleauto? Houden ze ons in de gaten?'

Ze stond op het punt hysterisch te worden en daarom pakte hij haar bij de schouders en schudde haar door elkaar. 'Analee, luister naar me. Ik ga niet naar de gevangenis. Weet je hoeveel mensen die dag hetzelfde gedaan hebben? Hoeveel geld er op die dag van andere mensen gestolen is?'

'Het was niet van hen,' schreeuwde ze. 'Die horen ook in de gevangenis thuis!'

'Het is gewoon een terugbetaling van wat de casino's van mij gestolen hebben.'

'De casino's hebben niets van je gestolen. Dit heb je jezelf aangedaan.' Ze trok zich van hem los. 'Wie ben je eigenlijk?'

'Ik wil dat je met mij meegaat. We moeten vannacht nog uit de stad vertrekken.'

Ze schudde zijn handen van haar af. 'Ik ga nergens met je heen!'

'Alsjeblieft, Analee. Stel je eens voor dat jij hier blijft en dat ze weer terugkomen voor mij. Je vindt het toch zo belangrijk wat mensen van je denken en zeggen. Hoe zullen de mensen over je denken als ze weten dat je de vrouw van een gewapende overvaller bent? Hoe zul je je voelen als ik de gevangenis in ga en jij hier blijft terwijl iedereen dat weet?'

Ze liet haar handen zakken. 'Waarom heb mij dit aangedaan?'

'Schat, we kunnen dit oplossen. Ik kan een auto lenen van de ombouwfabriek.'

'Lenen? Je bedoelt stelen.'

'Lenen. Ik heb zo hard aan die auto's gewerkt dat de helft ervan van mij is. We nemen er gewoon een mee en ik breng hem wel weer een keer terug. Ik weet waar we wat benzine kunnen krijgen. We kunnen voor het aanbreken van de dag bij je ouders zijn.' Toen ze haar hoofd schudde, voegde hij eraan toe: 'Dan zien ze de baby voor het eerst. We verrassen hen.'

'Ik wil mijn ouders hier niet bij betrekken.'

'Waarom niet?' vroeg hij. 'Nu er nog steeds geen communicatie is, kunnen zelfs de politiebureaus niet met elkaar praten. Niemand zal het weten. We kunnen gewoon zeggen dat we als familie weer bij elkaar willen zijn. Ze hebben al die tijd geprobeerd je over te halen naar hen toe te komen. Al die brieven. Ze zullen er nooit achter komen. We kunnen daar opnieuw beginnen. En schat, ik heb het geld. Ik heb het nog steeds.'

Ze begon te snikken en liet zich op de bank zakken. 'Waarom ben ik met je getrouwd? Waarom is het mij ontgaan dat je zo bent?'

'Je trouwde met mij omdat je van mij houdt en ik ben zo niet. Ik ben een goed mens. Wat ik gedaan heb, deed ik voor jou en Star. Het komt wel weer goed. Niemand zal er ooit achter komen wat er gebeurd is. Geef mij een tweede kans zodat Star niet hoeft op te groeien als het kind van een gevangene. Ze hoeft niet te betalen voor wat ik gedaan heb. We moeten haar beschermen.'

Haar gezicht veranderde een beetje en ze keek hem aan. Hij wist dat hij het pleit gewonnen had. Als ze erover na wilde denken, zou hij haar helemaal over kunnen halen.

'Niemand is gewond geraakt,' fluisterde hij. 'Het ging alleen maar om het geld. Als we daar eenmaal zijn, kan ik het geld terugsturen aan die vent, als je dat wilt.'

'Weet je dan wie het is?'

'Ja, ik heb zijn portefeuille weggegooid, maar ik herinner me zijn naam en adres nog.'

Haar ogen werden wat ronder. 'Stuur je het geld dan terug? En kunnen we opnieuw beginnen zonder ons zorgen te hoeven maken?'

'Dat beloof ik je, lieveling.'

Ze dacht even na. 'Als ik het doe…'

Hij had haar. 'Ja?'

'Als ik het doe, zul je dan nooit meer gaan gokken, ook niet als de casino's weer opengaan? Ook niet als ze je komen vragen weer met hen mee te gaan? Ik wil helemaal niets meer over gokken horen. Zie je nu in hoe dat ons leven geruïneerd heeft?'

'Het heeft hen niet geruïneerd,' zei hij. 'Schat, we kunnen opnieuw beginnen en net doen alsof dit allemaal nooit is gebeurd. Maar dan moeten we nu onmiddellijk weggaan.'

Hij boog zich naar haar toe en ze duwde hem niet weg. Ze sloeg haar armen om hem heen een huilde tegen zijn schouder. Hij had gewonnen. Ze zou hem die tweede kans geven en ze zouden heel spoedig de stad achter zich laten. Hij zou zijn kind kunnen houden en toch de politie kunnen vermijden.

Zestig

Het geluid van een huilende baby maakte Mark er opmerkzaam op dat er iets veranderd was in de buurt. Hij was in het donkere portaal van het schoolgebouw gaan zitten en terwijl hij wachtte tot Clay Tharpe thuis zou komen, dwong hij zichzelf ertoe om wakker te blijven.

Hij kon zijn horloge niet zien maar het moest zo'n twee uur in de nacht zijn. Hij was hier nu al uren. Het gehuil van de baby zweefde op de wind naar hem toe.

Hij stak de parkeerplaats over en liep langzaam de straat in. Er was misschien midden in de nacht een kind wakker geworden van wie het gehuil door een open raam klonk. Hij keek de straat af, op zoek naar een flakkerend lichtje in een van de huizen. Maar hij zag niets.

Toen hij het huis van de familie Tharpe naderde, zag hij dat de garagedeur openstond. In de garage zag hij de lichtstraal van een zaklamp.

Terwijl hij zijn wapen trok, liep hij langs de andere kant van de garage naar de achterkant van het huis. Hij liep door de achtertuin heen – en wist dat dit als een overtreding kon worden aangemerkt. Maar wat kon hij anders? Tharpe gewoon laten lopen?

Misschien was het alleen Analee maar die in de garage naar iets zocht. Maar een half uur geleden was de deur van de garage nog gesloten geweest. Daar was hij zeker van. Waarom zou ze de deur opengedaan hebben?

Intuïtief wist hij dat Tharpe thuisgekomen was – maar waarom had Mark hem dan niet gezien? Hij had het huis de hele nacht in de gaten gehouden. Misschien had Tharpe verwacht dat iemand het huis in de gaten zou houden. Misschien had hij Marks auto zien staan en was hij het huis aan de achterkant binnengekomen.

Terwijl Mark door de tuin liep, keek hij naar de ramen. Alles was nog donker. Hij bereikte de garage en sloop vervolgens langs de muur naar de voorkant. De baby huilde niet meer, maar hij hoorde beweging, onderdrukte stemmen – de stem van een man en een vrouw.

Hij had gelijk. Tharpe was thuisgekomen.

Hij sloop de hoek om naar de deuropening, zijn wapen op de lucht gericht. In een vloeiende beweging dook hij de garage binnen en bracht zijn wapen naar beneden. 'Geen beweging!' schreeuwde hij.

Analee gilde en de baby uitte een gesmoorde kreet. Maar hij kon Tharpe niet zien. Hij keek om zich heen en zocht het donker af.

Vanaf de muur naast hem hoorde hij een suizend geluid en iets raakte zijn hoofd.

Hij voelde een stekende pijn en sloeg tegen de grond. Zijn hoofd raakte de betonnen vloer en zijn pistool vloog uit zijn hand. Voetstappen kwamen dichterbij en toen hij zich dwong zijn ogen open te doen, zag hij Tharpe met een opgeheven balk over hem heen gebogen staan om hem een tweede slag te geven.

'Niet doen, Clay,' schreeuwde Analee. 'Je vermoordt hem!'

'Ik heb zijn pistool,' zei Tharpe. 'Kom mee. Laten we gaan.'

Terwijl ze op hun fietsen de garage uit reden, probeerde Mark overeind te komen. Hij rolde zich om, probeerde op zijn knieën te gaan zitten en drukte zich omhoog. Toen hij wankelend overeind kwam, voelde hij een stekende pijn in zijn hoofd. Hij raakte zijn voorhoofd aan; bloed drupte in zijn ogen. Dit had hij eerder meegemaakt... het litteken aan de andere kant van zijn voorhoofd was het bewijs.

Het was niet zo erg als hij had gedacht. De mist in zijn hoofd trok op. Toen hij de straat in keek, zag hij de reflecterende achterlichtjes van de fietsen van Tharpe en zijn vrouw om de hoek verdwijnen.

Mark probeerde hen na te rennen, maar ze waren hem een eind voor. Toen hij bij de hoek kwam, waren ze al te ver weg om hen nog te kunnen inhalen.

Hij draaide zich om en rende naar zijn auto.

Wanneer was Clay thuisgekomen? Waarom had hij hem niet gezien? Mark rende over de parkeerplaats van de school naar zijn auto toe. Hij sprong erin, trapte het gaspedaal in en draaide de sleutel om.

De motor draaide even maar sloeg niet aan.

Hij probeerde het opnieuw en pompte op het gaspedaal. Tharpe wist alles van motoren af. Terwijl Mark door de straat heen en weer gelopen had, moest hij met de motor geknoeid hebben. Wat nu? Als hij de tijd zou nemen om na te gaan wat er mis was met de motor, zouden ze allang verdwenen zijn en zou hij ze nooit meer kunnen vinden. Maar te voet zou hij hen onmogelijk kunnen inhalen.

Hij sloeg een keer op het stuur, pakte zijn zaklantaarn en deed de motorkap open. Hij veegde het bloed dat in zijn ogen droop met zijn mouw af en zag dat het niet de accu was. De kabels zaten er nog steeds aan. Toen zag hij dat de verdeelkap verdwenen was.

Gefrustreerd omdat hij begreep dat hij vannacht de auto niet meer zou kunnen gebruiken, gaf hij een trap tegen de zijkant van zijn auto. Hij rende zo hard hij kon weer naar de straat in de hoop dat hij in ieder geval nog zou kunnen zien in welke richting ze wegfietsten.

Eenenzestig

Clay en Analee fietsten of hun leven ervan afhing. Zonder iets te zeggen leidde hij haar door de straten naar de ombouwfabriek. Star huilde niet meer. Ze zouden haar spoedig in de auto hebben en Analee kon haar op schoot nemen als ze de staat uit reden. Hij hoopte vurig dat hij benzine zou kunnen vinden.

Ze fietsten de Alabaster Street in. In de ombouwfabriek was het donker en het leek erop dat er niemand binnen was. Hij reed het perceel op. Hoewel er lange werkdagen werden gemaakt van zeven uur 's morgens tot tien uur 's avonds, werd er gewoonlijk 's nachts niet gewerkt.

Analee reed naar de deur en zette haar ene voet op de grond. 'Clay, je hebt hem toch niet doodgeslagen, hè?'

'Nee, ik heb hem alleen maar verrast en hem tegen de grond geslagen.'

'Want als je een politieagent hebt gedood, zullen ze je niet met rust laten. Ik was bij je. Stel dat we gevangengenomen worden en dat ze denken dat ik medeplichtig ben. Wat zal er dan met Star gebeuren?'

'Ik zei toch dat ik hem niet gedood heb!' Hij liep naar de deur en hoewel hij wist dat de deur op slot zat, probeerde hij de deurknop. Ze hadden hem geen sleutel gegeven. Zo hoog in de hiërarchie zat hij niet. Maar hij wist wel hoe hij bij de auto's moest komen die achter het gebouw geparkeerd stonden. Een paar ervan waren al omgebouwd en stonden te wachten tot ze door agentschappen van de regering zouden worden opgehaald. Hij kon een van die auto's wel kortsluiten om de motor te starten.

'Wacht hier,' zei hij. 'Ik kom zo meteen met een auto terug.'

'Ik ben bang,' zei ze. 'Ik wil hier niet alleen blijven staan.'

Hij kwam naar haar toe en haalde de baby uit het fietsstoeltje. Terwijl Analee van haar fiets stapte, kuste hij Star en gaf haar toen aan haar moeder. 'Goed. Ga maar met mij mee. Laat de fietsen hier maar staan. We kunnen wel zonder.'

'Maar ze zijn waardevol en we hebben ze nodig in Huntsville. We kunnen niet zonder fietsen.'

'Analee, doe nu maar wat ik zeg.'

'Maar Clay, als ze onze fietsen vinden, zullen ze ons kunnen identificeren. Dan weten ze dat wij de auto gestolen hebben.'

Daar had hij niet aan gedacht. Zuchtend zei hij: 'Het begint knap ingewikkeld te worden.'

'Laten we het maar niet doen en gewoon teruggaan. En dan ga je je aangeven. Zo'n grote misdaad is het niet. We kunnen het geld terugbetalen. Misschien laten ze je wel weer gaan als je het geld hebt teruggegeven.'

Dat zou inderdaad het geval kunnen zijn als dat het enige was. Maar een moord kon hij niet ongedaan maken, evenmin als een aanval op een politieagent. Er zat niets anders op dan ervandoor te gaan. 'Je moet stil zijn,' zei hij. 'Ik weet niet zeker of hier niemand is.'

Ze hield haar mond en hij nam haar mee om het gebouw heen. Er stonden zeven auto's die waren omgebouwd, maar de sleutels van elke auto bevonden zich in het gebouw. Een van de auto's was een pick-uptruck. Dat was waarschijnlijk de meest geschikte auto.

'Oké, we gooien die fietsen op de truck.'

Ze scheen er genoegen mee te nemen, dus ze haalden de fietsen op en gooiden ze in de laadbak. De truck zat op slot. Hij vond een koevoet, sloeg een van de ruiten in en maakte het portier open. Hij veegde het glas van de zitting. 'Stap in.'

Ze waren niet in staat geweest om het autozitje voor de baby mee te nemen, maar dat was niet erg. De truck was zo oud dat hij niet eens veiligheidsriemen had, dus Analee stapte in en hield de baby bij zich op schoot. Met zijn zaklantaarn tussen zijn tanden dook Clay onder het dashboard en sloot de twee draden van de startmotor kort. De motor kwam tot leven.

Hij klom achter het stuur en keek op de brandstofmeter hoeveel benzine hij had. De tank zat slechts voor een achtste gedeelte vol, maar dat was voldoende om buiten de stad te komen. Misschien zou hij nog wat benzine uit het benzinestation naast het gebouw kunnen halen.

Hij reed de truck naar een van de brandstoftanks om te proberen het deksel eraf te draaien, maar dat was met een hangslot afgesloten zodat niemand benzine zou kunnen stelen.

Nou ja. Hij zou van het ene politiebureau naar het andere kunnen rijden en benzine uit een van de patrouillewagens kunnen tappen. Het was riskant, maar de politie was de enige die over benzine beschikte.

Hij stapte weer in en deed het portier dicht. De baby lag al in Analee's armen te slapen. Analee leek zich in hun situatie geschikt te hebben en ze was stil – een zeldzaamheid. Hij hoopte dat ze haar mond voorlopig dicht zou houden. Hij reed de parkeerplaats af en ging op weg naar het noorden.

Tweeënzestig

Mark droop van het zweet en was buiten adem tegen de tijd dat hij het bureau van de sheriff bereikte. Hij stormde de voordeuren binnen en riep tegen de doezelende hulpsheriff: 'Geef mij de sleutels van je auto. Ze zijn ervandoor gegaan!'

Billy London kwam overeind. 'Wat zeg je? Wie is ervandoor gegaan?'

'Clay Tharpe.' Hij zag de sleuteltjes op het bureau liggen en liep erheen om ze te pakken. 'Hij heeft de verdeelkap van mijn auto gehaald zodat ik niet achter hem aan kon gaan.'

Billy volgde hem naar de deur. 'Wie is Clay Tharpe?'

'Een moordenaar.'

'De vent die gisteren dat meisje vermoord heeft?'

Mark draaide zich om. 'Vermoord? Je wilt me toch niet vertellen dat ze dood is, hè?' Hij greep Billy's arm. 'Is Beth overleden?'

'Nee, dat weet ik niet. Ik dacht alleen...'

'Is iemand je komen vertellen dat ze gestorven is?' schreeuwde hij.

Billy viel tegen een bureau aan. 'Nee, ik heb niets gehoord. Ik bedoelde gewoon de vent die dat meisje is aangevallen.'

Mark liet hem los. Hij deed een stap achteruit en de adrenaline raasde door zijn lijf.

'Man, kom tot jezelf. Je moet naar huis gaan en wat rust nemen.'

'Dat kan niet,' zei Mark. 'Dan komen ze weg. Waar zijn wij dan nog voor?' Hij keek naar de sleuteltjes in zijn hand. 'Luister, als de patrouillewagens terug komen, moet je tegen hen zeggen dat ze uit moeten kijken naar een man en een vrouw op fietsen met een klein kind achterop.'

'Hoe kunnen ze weten dat zij het zijn?'

Mark wilde hem slaan. Tussen zijn tanden door zei hij: 'Ze zullen om drie uur in de nacht de enige man en vrouw zijn met een klein kind achter op hun fiets.'

Toen haastte hij zich naar de auto die achteloos langs het trottoir geparkeerd stond. Hij startte de auto en reed in de richting die het echtpaar volgens hem genomen had. Zijn hart bonsde nog steeds door de schrik bij de gedachte dat Beth overleden was. 'Alstublieft God, laat haar niet sterven. Haal haar hier doorheen, Heer. We kunnen haar niet missen.'

Terwijl hij bad zocht hij koortsachtig het donker voor hem af naar de moordenaar die hem te slim af geweest was.

Drieënzestig

Tegen het aanbreken van de dag had Mark het opgegeven om de Tharpes te vinden. Hij had alle straten van Crockett doorkruist. De bult op zijn voorhoofd waar Clay hem met de plank geraakt had, was opgezwollen. Het leek wel of er een ijspegel in zijn hersens priemde en de huid was korstig van het opgedroogde bloed. Hij had honger en dorst en was volkomen uitgeput.

Toen hij om half acht eindelijk terugkwam op het bureau van de sheriff, kreeg hij te horen dat er een auto van de ombouwfabriek gestolen was. Hij twijfelde er geen moment aan wie de dader was. Dat verklaarde waarom hij uit de stad weg had weten te komen zonder betrapt te worden, maar hij had er geen idee van welke kant ze op gegaan waren of waar ze uiteindelijk heen zouden gaan.

Wheaton en de andere agenten stonden erop dat hij naar huis zou gaan om wat rust te nemen terwijl zij de buren van Tharpe en zijn collega's op de fabriek zouden ondervragen. Misschien hadden ze familie in de buurt – ouders, neven, ooms of tantes. Goede vrienden die misschien in andere plaatsen woonden.

'We vinden hen wel, dat beloof ik je,' zei Wheaton. 'Tharpe gedraagt zich als een schuldig man en deze misdaden zullen niet ongestraft blijven.'

Maar Mark was daar niet zo zeker van. Hij ging achter zijn bureau zitten, staarde voor zich uit en probeerde te bedenken hoe hij het proces op de een of andere manier zou kunnen bespoedigen.

'Mark, ik beveel je om naar huis te gaan en rust te nemen.'

'Dat kan ik niet.' Hij voelde zijn emoties opkomen als een

tsunami die zijn dodelijke golven over zijn longen, zijn hart en zijn keel spoelde. Hij raakte zijn zelfbeheersing kwijt en dreigde te verdrinken. Hij wreef over zijn bevende mond en sloot zijn ogen.

Wheatons stem werd wat zachter. 'Mark, ga naar het ziekenhuis. Ga naar je meisje toe. Ze heeft je nodig.'

Zijn schouders schokten door de mislukking. 'Ik wil haar goed nieuws brengen.'

'Je hebt je best gedaan, meer dan wie ook. En het is nog niet voorbij. We krijgen hem wel.'

Mark veegde zijn gezicht af en probeerde zich weer te beheersen.

'Neem maar een van de patrouilleauto's,' zei Wheaton terwijl hij hem op de rug klopte. 'Laat iemand naar die wond op je hoofd kijken. Terwijl jij weg bent, sturen we wel een monteur naar je auto om die verdeelkap te vervangen die Tharpe verwijderd heeft.'

Mark reed naar het ziekenhuis en op de parkeerplaats bleef hij even in de auto zitten. Hij probeerde weer zichzelf te zijn voordat hij Deni onder ogen zou komen. Het laatste wat hij wilde was wel dat zij *hem* zou moeten troosten.

Hij vond de wachtruimte van de operatieafdeling op de derde verdieping. Overal zaten families bijeen. Sommigen praatten zachtjes met elkaar, anderen sliepen. Ze zagen er allemaal uit alsof ze tijdens een veldslag net uit de voorste linies waren teruggekeerd.

Aan de andere kant van het vertrek sliep Logan op een deken op de vloer en Jeff lag in een plastic ligstoel te slapen. Deni zat naast hem – en naast Craig. Ze was vast in slaap en haar hoofd rustte op Craigs schouder. Craigs hoofd rustte op het hare en ook hij sliep. Marks keel kneep dicht en even dacht hij erover om zich om te draaien en weer weg te gaan. Maar toen hervond hij zijn vechtlust en nam hij zich voor Deni niet zo gemakkelijk af te staan.

Hij boog zich over haar heen en raakte haar knie even aan. Ze schrok wakker.

'Hoi,' fluisterde hij.

'Ben je er eindelijk?' Ze maakte zich van Craig los en viel in Marks armen en hij klemde haar met al zijn kracht vast. Hij voelde haar tranen in zijn hals, ademde de geur van haar haren in en koesterde zich in de troost van haar omhelzing.

'Ik had eerder willen komen,' fluisterde hij. 'Maar ik zat achter Clay Tharpe aan.'

'Is hij de man die Beth aangevallen heeft?'

'Daar twijfel ik geen moment aan,' fluisterde hij in haar haar. Hij trok haar overeind. 'Laten we ergens gaan zitten.'

Ze wierp een blik op Craig. Door haar beweging was ook hij wakker geworden en Mark zag de uitdaging in zijn slaperige ogen. Ze pakte Marks hand en trok hem mee naar een rustig plekje van de wachtruimte. 'Heb je die Tharpe gearresteerd, Mark?'

Hij wilde haar niet met details vermoeien. 'Nog niet. Het bureau is nog steeds naar hem op zoek. Hoe is het met Beth?'

'Ze is nog steeds in coma. Ze wil niet wakker worden.' Ze zag de bloederige plek op zijn voorhoofd en raakte hem zachtjes aan. 'Wat is er met je gebeurd?'

Hij dwong zich tot een glimlach. 'Ik probeer nog zo'n litteken als ik al heb aan de andere kant van mijn voorhoofd te krijgen, zodat ik er wat evenwichtiger uitzie.'

Ze vond het geen leuk grapje. 'Heeft iemand je geslagen?'

'Ja, met een dikke plank, maar maak je er maar geen zorgen over.'

Wraak laaide in haar ogen op. 'Dezelfde vent die Beth is aangevallen?'

'Ja, ik denk het wel.'

Deni's ogen werden wat groter. 'Ik dacht dat je hem niet te pakken had gekregen?'

Hij zuchtte. 'Ik had hem, maar hij haalde met die plank naar mij uit, sloeg me tegen de grond en vluchtte toen weg.' Hij raakte haar gezicht aan en wilde wel dat ze hem begreep. 'Ik ben achter hem aan gegaan. Ik heb vijf uur naar hem gezocht.'

Daar was hij weer, de tsunami, die hem verstikte, die aan de hoeken van zijn mond trok en in zijn ogen brandde.

Ze sloeg haar armen om hem heen, hield hem stijf vast en liet hem begaan. Ze liet hem niet los.

Hij haatte zichzelf om zijn zwakheid en nog meer omdat Craig er getuige van was. Hij probeerde zich te beheersen en veegde zijn neus met zijn mouw af. Toen hij zich uit haar armen losmaakte, keken hij en Craig elkaar strak aan.

Deni scheen het te merken. 'Het was niet mijn bedoeling om op zijn schouder in slaap te vallen,' fluisterde ze in zijn oor. 'Hij zat naast me en ik moet tegen hem aan gegleden zijn toen ik in slaap viel.'

'Doe me een lol,' zei hij, 'ga een volgende keer niet naast hem zitten.'

'Dat zal ik niet meer doen. Alsjeblieft, laat je er niet door van streek brengen.'

Hij schudde zijn hoofd. 'Nee, we hebben wel wat anders aan ons hoofd.'

Hij zag Doug de wachtruimte in komen. De uitputting was op zijn gezicht te lezen. Hij glimlachte toen hij Mark zag. 'Hoi, maat,' fluisterde hij om andere mensen niet wakker te maken.

Mark stond op en omhelsde hem. Hij vertelde hem snel wat hij die nacht had meegemaakt en over zijn ontmoeting met Tharpe.

'Je hebt het geprobeerd, jongen,' zei Doug. 'Dat waardeer ik erg.'

'Neem wat rust, Mark,' zei Deni. 'Ga zitten en doe je ogen een poosje dicht. Ik blijf hier bij je. We maken je wakker als we iets over Beth horen.'

Hij keek met een koele blik naar Craig. Nee, hij zou niet gaan slapen.

Maar om Deni ter wille te zijn trok hij een voetenbankje bij en ging hij op de plastic ligstoel liggen.

Vierenzestig

Mark had niet de bedoeling gehad om weg te doezelen. Toen hij weer wakker werd, besefte hij dat er een paar uur verstreken waren. Deni was er niet. Craig zat nog in dezelfde stoel als toen Mark in de wachtruimte was gekomen. Zijn kleren waren verfomfaaid maar hij zag er nog steeds uit als de deskundige die hij was. Er stonden stoppels op zijn kaken en hij had donkere kringen onder zijn ogen.

Mark schoof het voetenbankje opzij en haalde een hand door zijn haar.

'Ik wilde eigenlijk niet slapen. Waar is Deni?'

Craig zag eruit alsof hij liever geen antwoord gaf. 'Ze is haar moeder een poosje aan het aflossen, zodat Kay zich een beetje kan opknappen.'

Mark zei niets terug. Met een aantal stoelen tussen hen in bleven beide mannen zwijgend zitten. Na een poosje zag hij Doug binnenkomen. Zijn ogen waren vochtig. 'Hoe is ze?' vroeg Mark.

'Geen verandering.' Hij maakte een gebaar naar de deur. 'Ga naar binnen als je wilt en neem zelf een kijkje. Alleen Deni is momenteel bij haar.'

Craigs mond viel open. 'Ik dacht dat er alleen familie bij haar mocht.'

Doug keek op hem neer en toen weer naar Mark. 'Mark is familie.'

Het kostte Mark enige moeite om heel gewoon naar de deur te lopen. Hij liep naar de ic en vertelde de zuster wie hij was en wie hij wilde bezoeken. Ze gaf hem een ziekenhuisjas. Hij trok hem aan, zette het kapje voor zijn mond en neus en vond een paar handschoenen. Hij hoopte maar dat hij geen ziektekiemen mee naar binnen zou dragen. Toen hij alles had gedaan wat de zuster hem had opgedragen, liep hij de kamer binnen die ze hem wees.

Deni stond op en kuste hem. 'Je bent weer wakker geworden.'

'Ja,' zei hij. 'Sorry dat ik in slaap gevallen ben.' Hij liep naar het bed en toen hij op zijn vriendinnetje neerkeek, kreeg hij tranen in zijn ogen. Nog nooit eerder had hij iemand gezien die er zo slecht uitzag. Haar gezicht was opgezwollen, haar hoofd geschoren en in verband gewikkeld. Hij dacht aan Clay Tharpe die zijn handen om haar keel geslagen had en die haar tegen een boomstam gesmeten had. Mark voelde zijn bloeddruk omhoog gaan. Zijn handen trilden toen hij zijn hand uitstak en haar arm streelde.

'Praat tegen haar,' zei Deni. 'Misschien hoort ze je.'

Hij boog zich over haar heen tot zijn gezicht vlak bij het hare was. Zijn stem haperde. 'Wakker worden, Sparky,' zei hij. 'Er zijn hier veel mensen die zich grote zorgen over je maken. Ze huilen en jammeren om je. Echt, Beth, we hebben je nodig. Je moet weer beter worden. Je laat dit toch niet op je zitten? En ik wil je nog vertellen dat ik de man die dit gedaan heeft op het spoor ben. Hij zal niemand meer kwaad kunnen doen. We krijgen hem wel te pakken. Maak je maar geen zorgen.'

Ze reageerde nog steeds niet.

Mark wilde het gebouw uit rennen met zijn vizier als een geleide projectiel op Tharpe gericht om hem hetzelfde aan te doen als wat hij Beth had aangedaan. 'Dit is niet goed,' zei hij tussen zijn tanden door.

Hij veegde zijn gezicht af en keek in de kamer om zich heen. 'Laten we een paar boeken gaan halen om haar voor te lezen. Ze moet zich vreselijk vervelen door hier alleen maar zo te liggen. Als ze zich maar een beetje bewust is…'

'Denk je dat ze dat is?'

'Ik heb eens gehoord dat er een jongen in coma lag die gebarentaal kende. Hij communiceerde met zijn moeder op die manier.'

'Maar ik heb haar gevraagd haar vinger te bewegen als ze mij hoorde en dat heeft ze niet gedaan.'

'Maar toch. Misschien worden haar hersens erdoor gestimuleerd, helpt het haar om weer bij te komen. Van welke boeken houdt ze?'

'Ze houdt van de boeken over Narnia.'

'Hebben jullie die thuis? Dan ga ik ze halen.'

'Dat zou geweldig zijn,' zei Deni.

Hij boog zich weer over het bed heen. 'Hoor je dat, Sparky? We gaan je net zo lang lastigvallen tot je weer bijkomt.'

Hij kuste Deni en liep de kamer uit. Hij trok het maskertje af, deed de jas en handschoenen uit en liet ze in de wasmand vallen. Toen liep hij de ic-afdeling uit, vastbesloten om dit Tharpe betaald te zetten.

Vijfenzestig

Tegen de tijd dat Mark terugkeerde naar het bureau van de she-riff waren Wheaton en zijn agenten klaar met het ondervragen van Tharpe's buren en collega's.

In de achterkamer had Wheaton alle aanwijzingen op een groot bord geschreven. 'We hebben gehoord dat zijn beide ou-ders overleden zijn,' zei Wheaton toen hij op de tafel tegenover het bord ging zitten. 'Maar het blijkt dat de ouders van zijn vrouw in Huntsville wonen. En de buren hebben verteld dat ze hevig naar huis verlangde sinds de pulsaties begonnen zijn. Ze hebben haar baby nog niet gezien.'

Mark fronste zijn voorhoofd en bestudeerde het bord. 'Heb-ben ze nog meer familie?'

'De buren kenden geen andere familieleden dus ik denk dat er geen verdere naaste familie is. Volgens mij is Huntsville onze sterkste aanwijzing.'

'Hadden zijn collega's nog iets te vertellen?'

'O ja. Ze waren zo kwaad over het feit dat hij een auto gesto-len had, dat ze bereid waren alles te vertellen. Een paar van hen vertelden dat hij enkele maanden geleden om overplaatsing naar een ombouwfabriek in Huntsville had gevraagd. Ned Emory bevestigde dat maar heeft de aanvraag tot overplaatsing afgewe-zen.'

Mark las de andere aantekeningen op het bord. Onder het kopje 'Schoonfamilie Huntsville' had Wheaton 'Ontrouw' ge-schreven. Mark wees ernaar. 'Wat is dit?'

Wheaton sloeg zijn armen over elkaar. 'Een van zijn collega's zei dat Tharpe zijn vrouw niet altijd trouw was. Hij heeft een zwak voor knappe vrouwen. En hij is gokverslaafd. De kerel die het zei was Tharpe's gokmaatje. Hij zei dat Tharpe voor de pulsaties al zijn spaargeld heeft verspeeld en dat hij dat voor zijn vrouw verborgen heeft gehouden.'

Had dat iets te maken met de moord en met de aanval op Beth? Had hij het verlies van zijn spaargeld willen goedmaken met de beroving van Blake Tomlin? Misschien was dat zijn motief wel geweest. 'Kunnen we naar Huntsville gaan om hem op te gaan halen?'

'Brad Caldwell heeft ons het groene licht gegeven nadat hij hoorde dat Tharpe jou heeft aangevallen. De openbare aanklager wil die vent net zo graag achter slot en grendel hebben als wij.'

'Heeft iemand het adres van zijn schoonouders in Huntsville?'

'Ja,' zei Wheaton. 'Ze hebben het een paar jaar geleden aan hun buren gegeven toen ze een week naar haar ouders in Huntsville gingen. Ze gaven hun het adres en telefoonnummer voor noodgevallen.'

'Bingo,' zei Mark. 'Laten we naar Huntsville gaan.'

Zesenzestig

De wielen van de oude bestelbus moesten nodig uitgelijnd worden; zodra ze harder dan tachtig kilometer per uur reden begon het stuurwiel te schudden en te trillen. Met zijn verbruik van een op zeven was het een ware benzineslurper. Maar ze hadden nog een extra jerrycan benzine meegenomen en hoopten dat ze daarmee heen en weer naar Huntsville konden komen zonder ergens anders te hoeven tanken.

Ze hadden tweeënhalf uur nodig om in Huntsville te komen – wat Mark betrof veel te lang – maar Wheaton hield er niet van om mee te rijden en zat zelf achter het stuur. Billy London zat voorin naast hem en wierp zo af en toe een blik op de snelheidsmeter. Ze moesten voortdurend uitwijken voor fietsers met karretjes en door paarden getrokken wagens.

Na wat uren leek te duren, bereikten ze de afslag naar Huntsville. Ze reden de parkeerplaats van een gesloten supermarkt op en probeerden erachter te komen waar ze precies waren. Na een paar minuten de kaart geraadpleegd te hebben, gingen ze op weg naar de schoonouders van Tharpe.

Ze reden de wijk in en waren er zich van bewust dat het lawaai van de motor iedere bewoner zou opschrikken zodra ze de straat in zouden rijden.

Wheaton besloot dan ook de auto een paar straten van het adres af te parkeren. 'Hij zal zich niet zo maar laten arresteren, dus laten we de deuren en ramen goed in de gaten houden voordat we onze komst kenbaar maken. Als we hem eenmaal gearresteerd hebben, halen we de bus wel op.'

Ze sloten de bus af en liepen te voet naar de volgende straat.

Nadat ze hun wapens getrokken hadden, verspreidden ze zich om het huis heen. Terwijl Wheaton en London naar de voordeur liepen, hield Mark, in de verwachting dat Tharpe zou proberen te ontsnappen, de deuren en ramen aan de achterkant in de gaten. Hij hoorde het geklop op de voordeur en sheriff Wheaton 'Politie!' roepen.

Plotseling vloog de achterdeur open en stormde Tharpe naar buiten.

'Blijf staan! Geen beweging!'

Tharpe verstijfde.

'Handen achter je hoofd.'

Tharpe deed wat hem gezegd werd maar keek inmiddels schichtig om zich heen om na te gaan of hij zou kunnen ontsnappen. 'Ik wil mijn advocaat,' schreeuwde hij. 'Ik laat je arresteren voor achtervolging. Eerst mijn huis, en nu hier!'

Met de Glock op Tharpe's voorhoofd gericht liep Mark naar hem toe. 'Op de grond!'

Tharpe knielde, zijn handen nog steeds achter zijn hoofd. 'Ik weet wel dat je nijdig bent over die klap met dat stuk hout, maar je maakte mij aan het schrikken. Het was alleen maar zelfverdediging.'

Mark trok de handboeien van zijn riem en ging achter Tharpe staan. Hij drukte de loop van zijn pistool tegen Tharpe's hoofd en klapte de boei om zijn ene pols. Voordat hij de tweede aan kon doen, draaide Tharpe zich vliegensvlug om en greep het pistool vast.

Woede laaide in Mark op, zijn slapen klopten en hij gebruikte al zijn kracht om hem tegen de grond te krijgen. Tharpe had Marks pols in een ijzeren greep – diezelfde greep waarmee hij bijna Beth had vermoord. Mark wierp zich boven op hem om zich los te rukken. Het gezicht dat Beth gezien had voordat ze bewusteloos raakte, was slechts centimeters van het zijne verwijderd.

Wraak explodeerde in Marks brein en hij sloeg met zijn hoofd in Tharpe's gezicht. Pijn schoot door zijn gewonde voorhoofd maar hij voelde Tharpe's neus breken. De moordenaar liet het pistool los en bracht zijn handen naar zijn gezicht. Mark drukte hem tegen de grond en klikte de andere boei om zijn pols. Tharpe gilde als een meisje.

Zijn vrouw kwam, gevolgd door haar verbijsterde ouders, jammerend naar buiten. 'Hij heeft niets gedaan! Alstublieft…'

Mark trok de man overeind toen Wheaton en London om het huis heen kwamen.

'Laat hem los,' schreeuwde Analee. 'We hebben een baby! Hij betaalt het geld wel terug.'

Mark was buiten adem toen hij Tharpe op zijn rechten wees. Toen hij klaar was zei hij tussen zijn tanden door: 'Je bent gearresteerd voor poging tot moord op Beth Branning, het aanvallen van een politieagent, verzet tegen arrestatie en diefstal van een auto, om maar mee te beginnen.' Mark wilde eraan toevoegen dat hij beschuldigd werd van moord op Blake Tomlin en nog een onbekend persoon, die Beth in haar briefje had genoemd, maar ze hadden de lichamen nog niet gevonden. Brad had hun opgedragen hem aan te houden op grond van de eerste beschuldigingen.

'Ik probeerde alleen mijn gezin te redden,' zei Clay. 'Ik heb die auto wel gestolen, maar ik was van plan hem weer terug te brengen. Ik wilde hem niet houden. En ik heb niet geprobeerd om iemand te vermoorden. Ik weet niet eens waar je het over hebt.'

'Er ligt een klein meisje op sterven in het ziekenhuis.'

Clay spuwde naar hem. Mark greep zijn gezicht met beide handen vast. 'Ik zou je met mijn blote handen kunnen doden,' zei hij tussen zijn tanden door, 'maar in plaats daarvan zal ik de twee lichamen gaan zoeken en vinden van de twee personen die ze jou heeft zien vermoorden en dat dan aan de staat overlaten.'

'Je zult niets vinden.'

'Let maar eens op,' zei Mark. 'We hebben jou ook gevonden, niet?'

London haalde de bestelbus op en Mark schepte er genoegen in Tharpe erin te gooien. Hij ging naast hem zitten om hem in het oog te houden. Zijn vrouw stond erop om met hen mee te gaan. Ze nam huilend afscheid van haar bezorgde ouders en stapte toen met de slapende baby in haar armen in de bus.

Wheaton draaide zich om en wees naar haar. 'Je kunt meerijden, maar zolang we rijden houd je je mond.'

Analee slikte een keer. 'Ik heb het recht om te spreken. Ik ben nog steeds een Amerikaans staatsburger, weet u. Ik denk dat u moet weten dat mijn man onschuldig is. Hij kan niemand vermoorden.'

Wheaton kwam bijna over zijn stoel heen. 'Wat zei ik je?'

'Oké,' zei ze. 'Geen woord meer.'

Ze reden zwijgend naar Crockett toe. Pas toen ze bij het bureau waren teruggekeerd, deed Mark zijn vuisten open. Hij voelde een grote opluchting toen hij Tharpe achter de tralies sloot en de deur dichtgooide.

Toen liep hij haastig weer terug naar het kantoor van de sheriff. 'Sheriff, we moeten zijn huis en tuin doorzoeken. Er zijn twee lijken die we nog niet gevonden hebben.'

'Dat weten we niet eens zeker,' zei Wheaton.

'Beth had geen enkele reden om daarover te liegen en ze schreef het in dat briefje. Hij heeft de lichamen ergens heengebracht. Ik denk dat we met de tuin moeten beginnen. Het huis ligt niet zo ver van de Cracker Barrel af. Om zijn tuin staat een schutting. Hij zou ze daar hebben kunnen begraven zonder dat iemand het zag.'

Hij was vergeten dat Analee aan de andere kant van het vertrek zat. Ze stond op en stak haar kin in de lucht. 'Jullie mogen mijn tuin best doorzoeken, hoor,' zei ze. 'Er is daar niemand begraven. Mijn man is geen moordenaar.'

'Mooi. Dan hebben we geen huiszoekingsbevel nodig. Laten we gaan,' zei hij tegen de sheriff.

Wheaton wees nog een paar agenten aan. 'Kom mee, werk aan de winkel.'

Zevenenzestig

De achtertuin van de familie Tharpe was omgespit en er was nu een groentetuin van gemaakt – wat Mark enigszins verbaasde omdat de voortuin niet was omgespit. In de vruchtbare grond stonden rijen kool, wortels en radijsjes. De tuin was goed onderhouden, zodat moeilijk was vast te stellen of er recent in gegraven was. Maar Mark liep langs de rijen groenten heen om te zien of er misschien nieuwe planten tussen stonden en of er gegraven was.

Analee kwetterde aan een stuk door. 'Mijn man is een fantastische vader en een heel goede echtgenoot. Hij doet geen vlieg kwaad.'

Mark bukte zich en controleerde een van de planten.

'Trek ze er alsjeblieft niet uit en trap er niet op. Het is ons eten.'

Mark wilde wel dat ze naar binnen zou gaan om voor de baby te zorgen. Hij keek naar een stuk grond dat er wat donkerder uitzag dan de rest. Nee, daar kon het niet zijn. Er stond hier gras dat hoog opgeschoten was. Hij liep weer verder.

Achter in de tuin stond een schuurtje. Wheaton had de deur al open gedaan en keek bij het licht van zijn zaklamp naar binnen. Het was mogelijk dat Tharpe de lichamen daarin tijdelijk had bewaard, maar hij zou ze er niet achtergelaten hebben. Op de middag van de moorden was het opgehouden met regenen. Als hij gewild had, zou hij die nacht een graf hebben kunnen graven.

Mark liep om het schuurtje heen. Hoewel er ook wat groente stond, leek het of de grond hier recent was omgespit. Er klopte iets niet. De planten waren hier niet zo netjes geplant als in de rest van de tuin. Hij bukte zich en bekeek de jonge plantjes. Het waren komkommerplanten – hij had ze ook in zijn eigen tuin. Maar ze hadden volle zon nodig en hier, tussen het schuurtje en de schutting, zouden ze vrijwel de hele dag in de schaduw staan.

Als er een graf was, zou dat hier kunnen zijn. Mark ging weer rechtop staan en keek om zich heen. Als hij de moordenaar was geweest, zou hij het graf achter het schuurtje gegraven hebben. Analee had vanuit het huis niet kunnen zien waarmee hij bezig was. Hij had de lijken in het schuurtje kunnen verstoppen tot het op zou houden met regenen en de grond wat droger zou worden. Dan zou hij hier een graf hebben gegraven om ze te begraven. Analee zou gewoon hebben gedacht dat hij in de tuin bezig was.

'Sheriff, kom eens kijken,' zei Mark. De sheriff kwam het schuurtje uit en kwam samen met London naar hem toe. Met zachte stem zei hij: 'Dit zijn komkommerplantjes. Die hebben veel zon nodig. Of hij weet niets van planten af, wat zo te zien niet het geval is, of hij heeft ze hier geplant om iets te verbergen. Het lijkt erop dat ze nog niet zo lang hier staan. Kijk maar naar de grond.'

De sheriff was het met hem eens. 'London, ga mijn schop halen.'

London liep door de tuin heen naar het huis waar de schop tegen de muur stond.

'Wat gaan jullie doen?' vroeg Analee terwijl ze achter hem aan liep. 'Jullie gaan toch niet mijn planten eruit steken, hè?'

'Alleen maar een paar,' zei Wheaton. 'Mevrouw, u moet weer naar binnen gaan.'

'Nee. Ik heb het recht om te zien wat jullie met mijn tuin doen.'

Wheaton keek naar haar op. 'Wilt u de onschuld van uw man bewijzen? Als hij niets gedaan heeft, hoeft u nergens bang voor te zijn.'

'Maar mijn planten!'

'Als we niets vinden dan beloof ik u dat we ze weer terug zullen plaatsen.'

Met tegenzin liep ze weer terug naar het huis. Maar Mark was er zeker van dat ze hen door het raam heen in de gaten hield. Wheaton pakte de schop, stak die in de grond en gooide de schep grond opzij. De zon brandde in Marks nek en het zweet droop van zijn kin. Zijn hart bonsde terwijl Wheaton verder groef.

De grond was zacht en gemakkelijk te verwijderen. Mark en London stonden zwijgend toe te kijken terwijl Wheaton het gat groter en dieper maakte. Hij deed het veel te langzaam naar Marks zin. Mark deed een stap naar voren en zei: 'Laat mij maar een poosje graven.'

Wheaton gaf hem zijn schop en veegde het zweet van zijn voorhoofd.

Mark dacht aan het briefje van Beth en aan de twee mannen die ze had zien vermoorden. In gedachten zag hij haar met haar opgezwollen gezicht op het ziekenhuisbed liggen en hij begon nog sneller te graven. Ze moesten hier liggen – hij was er zeker van.

Toen hij zijn schop weer in de grond stak, voelde hij een zekere weerstand. 'Hier zit iets.' Hij liet de schop vallen, zonk op zijn knieën en begon behoedzaam, om geen eventuele bewijzen uit te wissen, met zijn blote handen te graven. Hij voelde iets en wreef de grond weg.

Het was een schoen. Hij keek op. 'Gevonden.'

Wheaton knielde naast hem neer. 'Laten we verder graven.' Toen ze om de schoen heen groeven, kwam er kleding tevoorschijn.

Toen ze het verdraaide lichaam van de man hadden blootgelegd, ging Mark zitten. Hij voelde een onverklaarbaar verdriet en had moeite niet in tranen uit te barsten. Beth had gelijk.

Toen Wheaton het tweede lichaam blootlegde, sloeg Mark zijn vuile handen voor zijn gezicht en dankte hij God dat er recht was gedaan.

Analee raakte volkomen van de kaart toen ze haar mee naar buiten namen om haar te laten zien waar haar man de dode mannen begraven had. 'Waarom heeft hij dat gedaan?' huilde ze. 'Ik begrijp het niet. Hij vertelde mij dat hij ons spaargeld vergokt had voordat de pulsaties begonnen en dat hij bang was dat het ontdekt zou worden als de banken weer opengingen. En dat hij daarom iemand beroofd had. Hij heeft mij niet verteld dat hij iemand had *vermoord*. Als ik dat geweten had, zou ik nooit met hem mee de stad zijn uitgegaan.'

Mark geloofde haar, maar zijn woede werd er niet minder door. 'Heeft hij je verteld dat een dertienjarig meisje getuige was van de moorden en dat hij geprobeerd heeft ook haar te vermoorden?'

Ze legde haar handen tegen haar oren. 'Nee, ik kan niet geloven dat hij zoiets heeft gedaan.'

'Wil je soms mee naar het ziekenhuis om het met eigen ogen te zien?'

Wheaton stak waarschuwend een hand op om Mark te kalmeren. 'Analee, nu je gezien hebt waartoe je man in staat is, moet je ons de waarheid vertellen over wat hij op de dag van de moord gedaan heeft. Je moet naar het bureau komen om een verklaring af te leggen.'

Ze beefde, wankelde en snikte nog harder. 'Goed,' zei ze ten slotte. 'Ik zal jullie alles vertellen wat ik weet.'

Achtenzestig

Kay's handen deden zeer van het masseren van Beth's benen. Haar dochter lag nog steeds als een lappenpop in bed. Was ze al gestorven? Was haar ziel daar op die dag in het park vertrokken? Werkten haar hersens nog?

Ze wreef over haar vermoeide ogen en pakte de bijbel van het tafeltje. Ze hadden er hardop uit gelezen in de hoop de geesten van duisternis en dood die boven hen hingen, te verjagen. Ze waren begonnen in Genesis en hadden daarna verder gelezen in Exodus en de Psalmen. Doug had hem open laten liggen bij Psalm 55. 'Mijn hart krimpt in mijn binnenste ineen,' las ze hardop, 'verschrikkingen van de dood zijn op mij gevallen, vrees en beving komen over mij, schrik overstelpt mij.' Ze stopte, slikte een keer en dwong zichzelf toen om verder te lezen. 'Zodat ik zeg: O, had ik vleugels als een duif, ik zou wegvliegen en een woonplaats zoeken; zie, ver zou ik heenvlieden, ik zou vernachten in de woestijn. Ik zou mij haastig een wijkplaats zoeken tegen de rukwind, tegen de storm.'

O, zou ze maar weg kunnen rennen. Kon ze die donkere mantel van wanhoop maar van zich af schudden en wegvliegen naar een tijd na nu. Een tijd waarin geen pijn en verdriet zou zijn.

'Mam?'

Ze keek op. Jeff stond aarzelend net binnen de deur. 'Papa zei dat ik je moest komen aflossen. Mark is er met nieuws over de man die Beth aangevallen heeft.'

De man die Beth aangevallen heeft? Het enige goede nieuws over hem zou kunnen zijn dat hij dood was.

Ze trok de dekens over Beth recht, streelde haar haar en kuste haar wang. 'Oké, ik kom. Lees haar voor, jongen.'

Terwijl Jeff haar plaats innam, liep ze door de vallei van de dood – die de ic-afdeling voor haar geworden was – en trok haar ziekenhuisschort uit. Terwijl ze de afdeling uit schuifelde en naar de wachtruimte liep deden haar spieren pijn van vermoeidheid.

Mark zat bij Deni en Doug. Hij had een blauwe kneuzing over zijn voorhoofd en het leek wel of hij nog meer verslagen was dan zij zich voelde. 'Heb je de man gevonden die dit gedaan heeft?' vroeg ze.

'Ja,' zei Mark. 'We hebben hem aangehouden.'

Aangehouden? Dat klonk zo goedaardig, net als een kind dat door liefhebbende ouders wordt vermaand. Hij zat dan misschien wel achter de tralies, maar hij was gezond en veilig... nog helemaal heel. Niet gebroken zoals Beth. 'Hoe heet hij?' Haar stem klonk raspend en schor.

'Clay Tharpe.'

Kay ging zitten en keek naar haar handen. Ze legde haar vingertoppen tegen elkaar. 'Heeft hij bekend?'

'Nee,' zei Mark. 'Maar we hebben de lichamen gevonden op de plek waar hij ze begraven heeft.'

Ze keek naar Doug en zag de pijn en het verdriet op zijn gezicht. Alsof hij het voor haar wilde verbergen, wreef hij over zijn kaak. Ze was bang dat hij de huid eraf zou wrijven.

'Is hij zonder zich te verzetten meegegaan?'

Mark bracht zijn hand naar zijn voorhoofd. 'Nee, hij verzette zich. Ik heb zijn neus moeten breken om hem de handboeien aan te doen.'

Op de een of andere manier deed het haar goed te weten dat de man gewond was. Ze hoopte dat hij de rest van zijn leven verminkt zou blijven.

Kay bleef even roerloos zitten in haar stoel in de wachtruimte. Ze staarde naar de muur en vroeg zich af hoe deze man – deze Clay Tharpe – eruit zou zien. Was hij een beer van een vent of een schriele lafaard? Kon je aan zijn gezicht zien dat hij slecht was of had hij een vertrouwenwekkend gezicht?

Ze verzette zich tegen de aandrang – tegen de wanhoop – hem van aangezicht tot aangezicht te willen zien.

De Israëlieten hadden juist gehandeld als ze een bloedwreker aanwezen om de moordenaar van een van hun familieleden het leven te benemen. Ze stelde zich voor dat zij degene was die het hem moest vergelden.

Toen Deni haar hand aanraakte, schrok ze. 'Mam, gaat het een beetje?'

'Ja, hoor.'

'Ik dacht dat het een opluchting voor je zou zijn als ze hem gevonden hadden. Ben je niet blij?'

Blij? Nee, blij was niet het woord dat ze zou gebruiken. 'Jawel, ik ben blij,' zei ze niettemin.

'Ik dacht... nou ja, ik verwachtte dat je een beetje anders zou reageren. Je hebt niet veel gezegd.'

Kay dwong zich haar dochter aan te kijken. 'Jij dan wel? Wat moet ik dan doen? Huilen? Krijsen? Met mijn vuist tegen de muur slaan? Lachen? Dansen? *Wat?*'

Deni kromp in elkaar, kennelijk gekwetst door de toon van haar moeder. 'Ik dacht dat je wel blij zou zijn,' zei ze zwakjes. 'Dat is alles.'

'Ik zei toch dat ik dat ben.' Ze stond op, niet in staat om hier nog langer te blijven zitten. 'Ik ga even naar de wc.'

Ze liet hen in de wachtruimte achter en liep naar buiten naar de plaats waar de draagbare toiletten op een rij stonden. Maar iets dwong haar ertoe om er langs heen te lopen. Ze moest een eindje gaan lopen om van haar wraakgevoelens af te komen, om het vergif van de haat uit te zweten. Ze liep langs het postkantoor en het dichtgespijkerde trofeeënwinkeltje, langs de Dunkin' Donuts waar al in geen jaar een donut meer gemaakt was, langs de middelbare school zonder kinderen. Ze liep maar verder zonder op tijd en afstand te letten... maar intuïtief volgde ze een bepaalde route.

Ze liep de Fremont Street in en stak het kruispunt met de Monroe Boulevard over. Het bureau van de sheriff bevond zich aan het eind van de straat, nog een paar straten verderop. Daar ergens binnen die muren zat het barbaarse beest dat Beth mishandeld had.

Ze wist wat haar te doen stond.

Ze liep met lange, doelbewuste passen door de straat, de trappen naar de voordeur op, de glazen deuren door. Er zat niemand achter de balie en in het kantoor van de sheriff hoorde ze stemmen. Maar wie daar ook mocht zijn, ze hadden haar niet horen binnenkomen.

Prima.

Haar hart bonsde in haar borst toen ze de hal overstak naar de stalen deur die de kantoren scheidde van het cellenblok. Ze trok hem snel open en glipte de donkere, bedompte ruimte binnen. Het was er vijf graden heter dan buiten en het stonk er naar urine en zweet.

Ze ving de deur op zodat hij niet met een metalen klap dicht zou slaan om nieuwkomers aan het schrikken te maken. Er zaten minder dan tien mannen verspreid over de vijf cellen. Ze zocht in de schemerige ruimte naar iemand met een gebroken neus.

Terwijl ze van de ene cel naar de andere liep, zoekend naar een gezicht met een gebroken neus, floten verscheidene mannen naar haar of maakten schunnige opmerkingen. Ten slotte zag ze een man met donkere ogen en een opgezwollen, gebroken neus. Hij zag er meer uit als een slachtoffer dan als een misdadiger. Hij zou iemand uit haar straat geweest kunnen zijn.

Maar ze wist beter. 'Ben jij Clay Tharpe?' beet ze hem toe.

Hij kwam van zijn brits af en liep naar de tralies. 'Ja, waarom? Ben je mijn advocaat?'

Ze balde haar vuisten. Haar lippen vormden een strakke lijn. 'Nee, ik ben de moeder van Beth Branning. Je kent haar. Ze is het kind dat je probeerde te vermoorden.'

Er vertrok een spier in zijn gezicht. 'Ik weet niet waar je het over hebt.'

Door zijn ontkenning nam haar woede nog toe. 'Ik zal er persoonlijk voor zorgen dat je nooit meer iemand iets kwaads zult kunnen doen. Als ze je loslaten, zal ik je persoonlijk doden.'

Hij liep van het traliehek vandaan en stak zijn handen op, alsof ze door de tralies op hem af zou kunnen komen. 'Luister, ze hebben het helemaal mis. Ik heb niet gedaan wat ze zeggen. Ze hebben mij in de val laten lopen.'

De stalen deur van het cellencomplex ging piepend open en ze hoorde Wheatons galmende stem. 'Kay, hoe ben je hier binnengekomen?'

'Ze bedreigt me!' schreeuwde Tharpe, zijn stem weerkaatste tegen de betonnen muren. 'De jongens hier kunnen dat bevestigen.'

'Heb je een kind te grazen genomen, man?' riep een van zijn celmaten.

Wheaton stormde op haar af. 'Kay, ga onmiddellijk met mij mee.'

Kay gaf zich niet gewonnen. Ze pakte de tralies beet. 'Je zult hiervoor boeten,' schreeuwde ze. 'Die samenspannen tegen rechtvaardige mensen, onschuldigen ter dood veroordelen.' Wheaton greep haar van achteren vast terwijl ze met stemverheffing verder ging met het citeren van Psalm 94 die ze uit haar hoofd geleerd had. 'Heer, U bent een burcht voor mij, mijn God, U bent een rots, een schuilplaats. Heer, onze God, U laat hen boeten voor hun misdaden, U brengt hen tot zwijgen, voorgoed tot zwijgen.'

Wheaton trok haar van de tralies weg, maar ze wilde niet opgeven.

'De Heer, onze God zal je vernietigen, Clay Tharpe. En als Hij het niet zal doen, zal ik het doen!'

Wheaton trok haar mee langs de andere cellen terwijl de gevangenen begonnen te schreeuwen.

Toen besefte ze hoe ze het voor elkaar kon krijgen. Ze kon zijn medegevangenen tegen hem opzetten. Zeiden ze niet dat gevangenen zich altijd keerden tegen medegevangenen die kinderen mishandeld hadden? 'Hé, jullie daar – hoe kunnen jullie het verdragen om met zo'n vent in dezelfde cel te zitten?' riep ze naar zijn medegevangenen. 'Hij heeft mijn dochter met haar hoofd tegen een boom geslagen, steeds weer opnieuw! Laten jullie dat zomaar over je kant gaan?'

Ze hoorde een paar van hen roepen en er werd luid gevloekt. Clay Tharpe schreeuwde toen de twee anderen in zijn cel op hem af kwamen. Wheaton trok haar mee tot de deur en duwde die open. De deur sloeg met een klap achter haar dicht.

'Dat had je niet moeten doen, Kay.'

Terwijl ze probeerde weer normaal te ademen ging haar borst moeizaam op en neer.

'Je maakt mijn taak alleen maar moeilijker,' zei Wheaton.

Haar gezicht vertrok toen ze door verdriet werd overmand, dat haar in zijn dodelijke macht kreeg.

Wheatons stem werd wat zachter toen hij zijn arm om haar heen sloeg en haar meetrok naar de voordeur. 'London, ga de gevangenen controleren. Ik breng Kay even naar het ziekenhuis.'

Negenenzestig

De positieve identificatie van een van de doden – Blake Tomlin – gaf Mark een gevoel van voldoening. Het andere lichaam had geen identificatie – alleen een rugzak met spulletjes die hij kennelijk uit de vuilnisbakken verzameld had. Zou hij nog ergens familie hebben? Had hij nog ergens een moeder die voor hem bad? Vrienden die om hem zouden treuren als ze wisten dat hij dood was?

De man moest ook een verhaal hebben. Er moest een reden zijn dat hij in vuilnisbakken snuffelde en dat niemand hem als vermist had opgegeven. Zelfs daklozen hadden ergens mensen die van hen hielden en die wilden dat het goed met hen ging.

Ze zouden de familie van de zwerver misschien nooit vinden, maar ze konden Melissa Tomlin op de hoogte brengen en haar hopelijk een gevoel van een soort afsluiting geven. Mark en sheriff Wheaton namen de tijd om zich te verkleden en gingen toen in volledig uniform – niet de gebruikelijke T-shirts waarop 'Jefferson County Sheriff's Department' stond – naar het huis van de familie Tomlin. De angst was duidelijk op haar gezicht te lezen toen ze hen uitnodigde binnen te komen.

Ze stelde hen voor aan Blake's ouders die met een zorgelijk gezicht, maar ook met iets van hoop, naar hen keken. Hadden ze maar beter nieuws.

Melissa's ouders waren er ook. Ze stelden zich voor als Scott en Katherine Anthony. Mark bewonderde hun vertoon van steun aan hun dochter. Haar vader had een uitdrukking van droevige verwachting op zijn gezicht. Haar moeder hield zich met het kind bezig.

'Hij is dood, hè?' vroeg Melissa.

'Nee, dat kan niet.' Blake's ouders zaten stijf rechtop op de bank.

Wheaton zat op het puntje van zijn stoel en keek naar zijn eeltige handen. 'Ik ben bang dat u gelijk hebt, mevrouw Tomlin. We hebben vandaag zijn lichaam gevonden.'

Zijn moeder slaakte een jammerkreet en viel tegen haar man aan. Ze herinnerden Mark aan Doug en Kay die treurden om hun mishandelde kind. Hij keek weg en wilde wel dat hij hen in hun verdriet alleen kon laten.

Melissa's vader snelde naar haar toe en pakte zijn dochter vast, maar de jonge vrouw reageerde niet. Ze bleef roerloos staan, haar gezicht uitdrukkingsloos. Het herinnerde hem aan het moment net voordat een tornado toesloeg. 'Waar?' vroeg ze. 'Waar hebt u hem gevonden?'

'In de achtertuin van een man die Clay Tharpe heet. We hebben redenen om aan te nemen dat hij uw man heeft vermoord op de dag dat de banken opengingen.'

'De dag waarop hij werd vermist.' Nu zag hij een breuk in haar muur komen, een scheurtje voordat de vloed losbrak. Ze sloot haar ogen. 'Ik dacht dat hij er met het geld vandoor was gegaan. Dat hij niet meer van mij hield.'

Mark bewonderde de gelatenheid van haar fijne gezichtstrekken terwijl ze haar tranen inhield. Hij had verwacht dat ze volkomen van de kaart zou zijn. Dit moest een marteling zijn. Wat was er erger? Zich verlaten voelen door haar echtgenoot of weten dat hij nooit meer thuis zou komen omdat hij dood was? Beth moest zich dat ook afgevraagd hebben.

Blake's moeder was ontroostbaar. Melissa's ouders schenen meer zorg om haar te hebben.

'Zit die man nu in de gevangenis?' vroeg Melissa's vader.

'Ja, we hebben hem vandaag gearresteerd.'

Melissa schraapte haar keel. 'Mijn man... waar is hij nu?'

'We hebben hem, eh...' Wheaton wachtte even en haalde diep adem. 'We hebben hem naar het mortuarium gebracht. U zult met ons mee moeten gaan om het lichaam te identificeren.'

Ze keek naar haar vader en schudde haar hoofd. 'Dat kan ik niet. Dat kan ik niet doen. Papa, zeg het ze.' Toen kwam het. De breuk in de dam. Ze viel in de armen van haar vader. Hij hield haar gezicht tegen zijn borst gedrukt en streelde haar haren.

'Ik zal het doen.' De kin van Blake's vader beefde. 'Hij is mijn zoon.'

Ja, dat was beter. Als ze haar die pijn konden besparen...

Wheaton stond op. 'Mevrouw Tomlin, het spijt mij verschrikkelijk. Maar ik moet het u vragen – kende uw man ene Clay Tharpe?'

Ze keek naar hem op. 'Nee, ik... ik denk het niet.'

Hij vertelde hun over Beth en haar briefje, maar de details hielpen niet.

Mark schraapte zijn keel toen Wheaton klaar was. 'Hebt u een dominee voor de begrafenis?'

Melissa gaf geen antwoord maar haar schoonmoeder zei: 'We vragen onze dominee wel.'

Hij knikte en vroeg zich af waarom hij het gevraagd had. Hij zou Doug toch niet hebben kunnen vragen om zijn kind in het ziekenhuis achter te laten om de begrafenis te leiden van de man die ze had zien vermoorden. Misschien waren ze christenen en hoefden ze niet te treuren als mensen die geen hoop hadden.

Wheaton beloofde hun dat er recht gedaan zou worden en stond op. Terwijl Mark hem volgde naar de deur, zei hij: 'Ik zal God bidden bij u te zijn en u te troosten.'

Zelfs in haar verdriet scheen Blake's moeder zijn opmerking te waarderen. Melissa scheen niets gehoord te hebben.

'Bedankt dat u gekomen bent.' Blake's moeder stond op. Ze was een kleine vrouw met krullend haar en een bril en ze zag er bleek en erg verdrietig uit. Hij had die blik al heel wat keren eerder gezien... soms in zijn eigen spiegel.

Ze snufte. 'Ik stel het erg op prijs dat u hem gevonden en gearresteerd hebt. Nu kan hij in ieder geval anderen geen kwaad meer doen.'

Mark voelde zich erg terneergeslagen toen hij de treurende vader naar de auto volgde. Hij had dat brandende gevoel weer –

dat misselijkmakende gevoel van onrust. Hij kon het niet kwijt-raken. Zijn werk zat erop. Hij had Tharpe achter de tralies zitten en had de familie van het slachtoffer op de hoogte gebracht.

Kon hij nu nog maar wat voor Beth doen.

Hij stapte niet in de bus. 'Ik wil nu een poosje vrij als u het goed vindt,' zei hij tegen Wheaton.

'Goed, jongen. Ga maar naar huis en neem wat rust. Moet ik je misschien even thuisbrengen?'

'Nee, dank u. Ik ga naar het ziekenhuis en dat is niet zo ver.'

Wheaton stak zijn handen in zijn zakken. 'Bedankt dat je me bij het vuile werk hebt geholpen. En let op Kay. Zorg ervoor dat ze niet opnieuw op het bureau opduikt. Ze heeft waarschijnlijk een dokter nodig om haar iets kalmerends te geven.'

Mark wist maar al te goed dat ze geen kalmeringsmiddel nodig had. Wat Kay nodig had, was dat haar dochter weer wakker zou worden.

Zeventig

Kay's uitbarsting in de gevangenis had haar geen beter gevoel gegeven. Toen ze weer terug was in het ziekenhuis, probeerde Doug haar te kalmeren. Ze begonnen allemaal aan stress te lijden en daarom vroeg Doug Craig om de familie naar huis te brengen. Alleen Deni zou bij Beth in het ziekenhuis blijven.

Kay weigerde te vertrekken, maar Doug hield aan.

'Doug, ik ga niet. Ik heb om een wonder gebeden en ik verwacht dat dat zal gebeuren. Dan wil ik hier zijn. En ook als dat vannacht niet gebeurt, als ze maar een klein beetje bij bewustzijn is, zal ze weten dat ik er niet ben. Stel je voor dat ze naar mij vraagt.'

'Ze houdt ook van Deni. Deni blijft hier. Maar je bent uitgeput, Kay. Je moet naar huis om wat rust te nemen. Misschien krijgen we nog wel met moeilijker dagen te maken. We hebben al onze krachten nodig.'

Kay stemde ten slotte toe, maar pas nadat ze het aan haar bewusteloze kind had uitgelegd.

Terwijl ze naar huis reden, begon haar hart sneller te kloppen bij de gedachte wat ze in de gevangenis had gedaan. Ze haatte Clay Tharpe. Haar hele leven had ze iemand nog nooit zo erg gehaat.

Die alles verterende emotie stond haar niet aan. Die brandde in haar als een zuur, het vergif ervan sijpelde door haar cellen en veranderde haar organen. Haar hart klopte sneller, haar maag kwam in opstand, haar longen trokken zich samen en haar hoofd bonsde.

Gelukkig ging Craig weer aan het werk nadat hij hen had afgezet. Ze gingen met hun vieren het huis binnen en de jongens liepen meteen door naar hun kamer. Kay liet zich op het bed vallen.

'Gaat het een beetje?' vroeg Doug terwijl hij zich over haar heen boog.

'Wat doet het ertoe hoe ik me voel,' zei ze. 'Het gaat erom hoe Beth zich voelt.'

'Je kunt niets voor Beth doen als je niet voor jezelf zorgt.' Hij ging op het bed naast haar zitten en begon haar schouders te masseren. 'Wil je praten over wat er gebeurd is?'

'Ik heb je al verteld wat er is gebeurd. Ik wilde de man die dit gedaan heeft, in de ogen kijken en daarom ben ik gegaan.'

Ze had haar gezicht in het kussen gestopt, maar ze voelde dat hij naast haar kwam liggen. Ze had het koud maar zijn sterke hand op haar rug was warm. Hij gaf haar troost, hoewel ze dat niet wilde. 'Nou, ik zou het je niet aangeraden hebben, maar achteraf bezien, je had wel lef om zoiets te doen.'

Ze had verwacht dat hij haar op haar kop zou geven. Ze ging op haar zij liggen en keek hem aan. 'Ik was helemaal niet moedig. Ik sloeg gewoon door. Als ik bij hem had kunnen komen, Doug, zou ik hem kunnen hebben vermoorden.'

'Ik ken dat gevoel.'

Ze draaide zich op haar rug en wreef in haar ogen. 'Misschien heb ik hem toch wel vermoord.'

'Hoe bedoel je?'

Ze staarde naar het plafond. 'Ik zette zijn medegevangenen ertoe aan om hem te pakken te nemen. Ik zei hun dat hij een kind had aangevallen.'

Doug was even stil. 'En wat deden ze?'

'Dat weet ik niet. Toen de sheriff mij weghaalde, schreeuwden en vloekten ze tegen hem. Tharpe zag er in die cel zo zelfvoldaan en veilig uit. Ik wilde dat hij voor zijn leven zou vrezen en zou weten wat het is om aangevallen te worden. Om met je hoofd tegen iets aangekwakt te worden.'

Doug streelde haar arm. 'Ik ken dat.'

Ze probeerde zich voor te stellen wat er was gebeurd nadat

ze was weggegaan. Ze zouden hem waarschijnlijk in een hoek gedreven, hem geïntimideerd, geterroriseerd en verwond hebben. Voelde hij zich nu nog zo'n flinke vent? Had hij nu nog het gevoel dat hij alles wel aankon? Kende hij nu iets van de angst die Beth die dag gevoeld moest hebben?

Haar blijdschap over de mogelijke uitkomst trof haar. Meteen daarop schaamde ze zich, voelde ze zich schuldig om haar haat, om haar gewelddadigheid en werd ze zich bewust van iets lelijks en verschrikkelijks in haar.

Haar schouders begonnen te trillen, haar armen te beven toen het goed tot haar doordrong. Toen ze inzag waar haar gedachten haar gebracht hadden en zich realiseerde wie ze geworden was.

'O, God. Wat heb ik gedaan?'

Doug ging zitten. 'Hoe bedoel je?'

Kay stond van het bed op, deed een paar stappen het donker in en draaide zich toen weer om naar haar man. 'Ik ben net als hij.'

'Nee, dat ben je niet. Jij bent niet zoals...'

'Ja, dat ben ik wel. Ik ben in staat om hetzelfde te doen als hij. Ik probeerde het vandaag te doen door die anderen tegen hem op te zetten om mijn vuile werk te doen. Maar het was moord. Ik heb dezelfde gewelddadigheid in mijn hart als hij.'

'Jij deed het uit terechte woede. Hij deed het uit boosaardigheid.'

'Ik deed het uit *wraak*. Maar wraak is iets wat God toekomt.' Verdriet vermengde zich nu met haar schaamte.

Doug trok haar terug op het bed en hield haar stevig vast. Ze wist dat hij haar niet veroordeelde. Hij probeerde haar te helpen nu ze onder de druk leek te bezwijken.

Ze dacht aan Tharpe in die cel, zonder een moment van vrede, de hele nacht wakker liggend, bang om zijn ogen dicht te doen uit vrees voor wat er zou kunnen gebeuren. Misschien had Wheaton hem uit die cel gehaald.

'Clay Tharpe dacht dat hij een reden had om Beth aan te vallen en die reden was slecht. Maar ik had datzelfde slechte kunnen doen om een reden die net zo dwingend was. Ik had erover nagedacht. Ik deed het met voorbedachten rade, net als hij.'

'Kay, als dat werkelijk zo is, moet je ervoor bidden. Ik bid met je mee.'

Ze sloot haar ogen en probeerde het te doen, probeerde zich te vernederen voor de God van hemel en aarde. Hoe kon Hij haar gebeden voor Beth verhoren als ze zo'n haat in haar hart koesterde? 'Ik kan het niet,' fluisterde ze. 'Ik ben zo boos op God.'

Doug kuste haar en streelde haar haren en nek. 'God kan je wanhoop wel aan.'

'En mijn schuld? Kan Hij die ook aan?'

'Daar heeft Hij al mee afgerekend toen Hij in het vlees kwam en onder ons gewoond heeft. Christus stierf voor ons omdat wij het vermogen hebben om te moorden als we de juiste motivatie hebben. Hij stierf voor ons omdat wij verteerd kunnen worden door onze eigen wraakgevoelens. Hij stierf voor ons omdat Hij hoe dan ook van ons houdt en niet wilde dat de ziekte van zonde en haat ons zou doden. Hij wilde ons bevrijden.'

'Dat deed Hij ook voor Clay Tharpe,' zei ze bitter.

Ze kon aan Dougs gezicht zien dat hem dat net zomin aanstond als haar. 'Ja, dat deed Hij.'

Ze keek hem doordringend aan, op zoek naar antwoorden. 'Hij wil dat we voor onze vijanden bidden. Maar dat kan ik niet, Doug. Dat kan ik niet. Ik kan niet eens voor mezelf bidden.'

'Ja, dat kun je wel.'

Ze kneep haar ogen stijf dicht en kreeg het gevoel alsof God, haar Vader, haar optilde en haar tegen Zich aandrukte. Ze spartelde en schopte en sloeg naar Hem, maar Hij hield haar stevig vast. Ze dwong zichzelf ertoe om voor Clay Tharpe te bidden, met een hoge, haperende stem. 'Heer, ik weet dat ik moet vergeven... maar ik heb tijd nodig. Het beste wat ik nu kan doen, is U vragen of U het kwaad dat ik in de gevangenis heb aangericht, ongedaan wilt maken. Geef hun de wijsheid om hem over te brengen naar een andere cel waar hij alleen zit. U komt de wraak toe... niet mij.'

Doug ging verder toen ze niet verder kon. 'Vader, we vragen

U dat U Clay Tharpe tot inkeer brengt. Laat hem zien dat hij een Verlosser nodig heeft.'

Ze lagen samen, verenigd in gebed, naast elkaar en luisterden naar Gods stem. Maar er was alleen maar stilte en een kortstondige vrede, die als een deken over hen uitgespreid lag en hen troostte met een oppervlakkige slaap.

Eenenzeventig

Lieve Deni,
Ik moest weer terug naar mijn werk. Er is zo veel te doen, en nie-
mand is er bij gebaat als ik daar zomaar blijf zitten. Je weet dat ik
van je houd en voor je bid. Ik heb met Beth's dokter gesproken over
de medicijnen die hij niet kan krijgen, en ik zal mijn uiterste best
doen om ze voor hem te krijgen, alsook om een MRI- of een CT-
scanner te vinden. Dat is wel het minste wat ik voor mijn toekomstige
schoonzus kan doen. Ik houd van je, schat. Laat het mij weten zodra
er verandering optreedt. Ik kom zo gauw mogelijk weer terug.
Liefs
Craig

Toen Mark het briefje las dat Craig had achtergelaten, voelde
hij zijn keel dichtknijpen van woede. Toekomstige schoonzus?
Schat?

Deni's ogen werden groot van verwachting en dat maakte
hem nog bozer. 'Denk je dat hij in staat is om dat te doen? De
medicijnen krijgen die haar zouden kunnen helpen, bedoel ik?
En de scanners?'

Laat het maar aan Craig over om beloften te doen die hij niet
waar kon maken. 'De medicijnen waarschijnlijk wel, denk ik.
Maar of hij die scanners zal kunnen krijgen, betwijfel ik sterk.
Alles wat ze op dat gebied voor de pulsaties hadden, is vernietigd. En nieuwe machines bouwen zonder elektriciteit en computers…'

'Dat zou hij toch niet zeggen als die mogelijkheid er niet
was?'

Mark haalde zijn schouders op. 'Hij zei dat Beth zijn toekomstige schoonzus was. Wat vind je daarvan?'

Ze pakte het briefje en las het nog eens over 'O, dat?'

'Ja, dat.'

Hij kon het haar niet kwalijk nemen. Ze was zo afgeleid door Beth's coma, zo moe en gespannen dat hij het haar niet kwalijk kon nemen dat ze niet boos werd om de suggesties in Craigs briefje. Maar *hij* moest er wel iets aan doen.

De volgende dag besloot Mark om naar Craigs kantoor te gaan om met hem te praten over het feit hij een wit voetje probeerde te halen door de familie Branning hoop te geven met twijfelachtige beloften. Craig mocht dan wel belangrijk zijn, maar zo belangrijk was hij nu ook weer niet. En als hij daar toch was, kon hij ook met hem praten over de liefkozende woorden die hij tegenover Deni gebruikte. Ze was Craigs liefje niet.

Ze was van hem.

Dat hoopte hij in ieder geval.

Er waren heel wat mensen in Craigs kantoor aanwezig. Ze waren druk bezig, zaten over papieren gebogen en haastten zich van de ene plaats naar de andere. Er klonk gejuich en Mark zag zijn aartsrivaal met een aantal anderen bij een telegraafmachine staan. Ze hadden kennelijk iets te vieren.

Hij liep naar hen toe. Toen Craig hem zag, vervaagde de glimlach op zijn gezicht. 'Mark, wat is er?'

Mark had zich moeten realiseren dat Craig zou denken dat zijn komst iets met Beth te maken zou hebben. Hij nam die vrees haastig weg. 'Niets. Geen verandering.' Hij wierp een blik over Craigs schouder. 'Stoor ik misschien?'

Craigs glimlach keerde terug. 'We hebben zojuist een telegram gekregen waarin staat dat de elektriciteitsnetten voor het Witte Huis en het Pentagon weer functioneren. En ook drie raffinaderijen aan de Golfkust werken weer.'

Mark kon het niet geloven. 'Echt? Ik had niet gedacht dat het zo snel zou gaan.'

'Ze hebben er tijdens de pulsaties een heel jaar aan gewerkt,' zei hij. 'Onze teams hebben kans gezien om een aantal van de distributiefabrieken weer op te starten.'

'Hoelang duurt het nog voordat wij weer stroom hebben?'

'Sneller dan we dachten, hoop ik.' Hij gaf een paar van zijn medewerkers een hand, draaide zich om en nam Mark mee naar zijn kantoor waar het wat rustiger was. 'En, wat bracht je hier?'

'Je briefje.' Marks kaakspieren spanden zich.

Craig ging in zijn bureaustoel zitten en legde zijn handen achter zijn hoofd. 'Ja?'

Mark keek op hem neer. 'Het lijkt mij niet verstandig om beloften te doen die je niet waar kunt maken. Ik bedoel dat die scanners en medicijnen niet beschikbaar zijn.'

'Ik heb geen valse beloften gedaan,' zei hij. 'Ik wil het echt proberen. Het is ingewikkeld omdat die scanners uit allerlei onderdelen bestaan. Maar ik denk dat MRI-scanners de eerste apparaten zijn die weer beschikbaar zullen komen, aangezien ze voornamelijk uit magneten bestaan. De president en zijn familie zullen de eersten zijn die weer zo'n apparaat krijgen. Daarom stuur ik wat telegrammen naar mijn collega's in het Senaatsgebouw met de vraag of er ergens nog scanners te krijgen zijn of welke fabrieken die dingen maken. Als ik daar achter kan komen, hebben we een idee hoelang het nog duurt voordat die apparaten weer beschikbaar zijn. Ik vraag senator Crawford, mijn vroegere baas, contact op te nemen met zijn connecties in de farmaceutische industrie om na te gaan hoe we aan die medicijnen voor Beth kunnen komen.'

'Dat lijkt mij een proces dat nog wel even kan duren. Misschien heeft Beth die tijd niet.'

'Ik doe mijn uiterste best,' zei hij. 'Misschien zal God ons helpen.'

Mark stak zijn handen in zijn zakken. Misschien zou het Craig lukken. Als ze die medicijnen zouden kunnen krijgen, deed het er eigenlijk niet toe hoe ze er aan kwamen.

Hij schaamde zich plotseling voor zijn jaloezie. Toen dacht hij er weer aan hoe Craig Deni in zijn briefje had aangesproken. Hij wilde erover beginnen, maar bedacht toen dat het weinig zinvol zou zijn. Deni was Craigs 'liefje' niet tenzij ze dat zelf wilde zijn.

'Ik zou het fijn vinden als je voor me bidt,' zei Craig.

Mark schudde de gedachten van zich af. 'Ja. Natuurlijk.'

'Ik voel me echt gedreven om alles wat me is opgedragen te doen en ik zal mijn uiterste best voor Beth doen. Ik heb het gevoel dat ik juist met het oog op deze tijd hier ben geplaatst.'

Hij heeft het boek Esther gelezen, dacht Mark. Niemand had Craig uitgedaagd dit te doen en hij was er niet toe gedwongen. Hij hield zich aan de Bijbel. Misschien was Craig toch een broeder in Christus.

Mark slikte zijn trots weg. 'Hé, door alles wat er is gebeurd, zijn we niet meer aan Bijbelstudie toegekomen. Laat mij weten wanneer je weer wilt beginnen. Ik beloof je dat het deze keer geen botsing van karakters zal worden.'

'Misschien als alles weer normaal is geworden.'

Mark voelde een zekere opluchting dat Craig het op de lange baan schoof. Misschien zou de Heer dan de tijd krijgen om het onkruid uit Marks hart te wieden voordat ze weer met Bijbelstudie zouden beginnen.

Toen Mark het kantoor verliet, bad hij dat Craig werkelijk de invloed zou hebben om Beth te helpen en hen weer zo gauw mogelijk van stroom te voorzien. Eerder had hij het herstel van het elektriciteitsnet beschouwd als iets wat hun leven weer zou veraangenamen, maar nu kon het een kwestie van leven of dood zijn.

Tweeënzeventig

Drie dagen later ging Mark naar de kerk. Doug had ondanks Beth's conditie besloten te preken. Hij bewonderde Doug om zijn sterke karakter om ondanks al zijn verdriet en zorg zijn rol als pastor te vervullen. Dat was een sterk getuigenis voor allen die er waren. Zelfs Brad was met zijn gezin meegekomen om Doug te steunen – een zeldzame aangelegenheid.

Zelfs de wind scheen zich stil te houden toen Doug begon te preken. 'Ik ben gekomen en wil u vandaag graag in aanbidding leiden omdat…' Zijn stem haperde en hij keek naar de Bijbel alsof hij probeerde zich te beheersen. Mark keek toe en wilde wel dat hij Doug zou kunnen helpen. 'Omdat God onze aanbidding waard is, zowel in slechte tijden als in goede…' Zijn stem brak en hij keek weer naar de Bijbel.

Mark dacht erover om op te staan en het van hem over te nemen, maar wat moest hij zeggen? De mensen die gekomen waren, hadden geen preek nodig. Wat ze nodig hadden was hun broeder in Christus in gebed te ondersteunen. Hij stond op. 'Doug, laten wij vandaag voor je bidden. We maken er een gebedsdienst van.'

Doug knikte en de tranen stroomden hem over de wangen. 'Goed idee,' slaagde hij erin te zeggen. 'Mijn gezin zal dat zeer op prijs stellen.'

Doug huilde toen ze zich om hem heen verzamelden en voor Beth en haar familie baden. Een uur later toen ze allemaal gebeden hadden, keek Mark op en zag hij Brad aan de rand van de menigte staan. De tranen liepen over zijn gezicht.

Terwijl de mensen afscheid namen, elkaar omhelsden en fluisterend bemoedigden, liep Mark over het grasveld heen naar Brad toe. 'Ik ben ervan overtuigd dat het Doug erg goed gedaan heeft dat je gekomen bent.'

Brad knikte en veegde zijn gezicht af. 'Ik snap er niets van.'

'Waar snap je niets van?'

'Dat jullie je allemaal aan het geloof blijven vastklampen terwijl er zulke verschrikkelijke dingen gebeuren. Als bidden werkt, waarom nu dan niet? Waarom werd van alle gezinnen nu juist dit gezin niet beschermd?'

Mark wist niet zo gauw wat hij zeggen moest. Hij stond daar met een mond vol tanden en bad in stilte dat God hem de woorden zou geven die door Brads verstand heen zouden breken. 'We houden ons vast aan ons geloof omdat we weten dat er meer is. Dat dit leven niet het enige is wat er is.'

Brad keek hem strak aan alsof hij wel wilde geloven maar het niet kon.

Mark dacht erover om hem te vertellen over het lijden van Christus toen Hij op aarde was, dat Christus voor ons bidt, dat Hij de pijn van ons lijden begrijpt. Maar Brad was advocaat; zijn verstand zou er niet door bevredigd worden. Bijbelteksten aanvoeren zou niet helpen, want hij geloofde niet in de Bijbel. Dat Christus voor ons bad, zou evenmin helpen, want Brad geloofde niet in gebed... en al evenmin in Christus.

'Wij geloven dat er een plan is. Dat alle dingen meewerken ten goede voor hen die de Heer liefhebben en naar zijn voornemen geroepen zijn.' Hij realiseerde zich mistroostig dat hij een Bijbelvers aanhaalde. Hij hield vol en probeerde iets te bedenken wat Brad zou aanspreken. 'Brad, je weet dat ik zelf ook het een en ander heb moeten doormaken.'

Brads ogen werden wat zachter. 'Ja, dat heb je zeker. En je gelooft nog steeds.'

'Omdat het niet alleen om dit leven gaat. God heeft mij dat allemaal laten doormaken om me de man te maken die ik ben. Door alle afschuwelijke dingen die ik heb meegemaakt, ben ik meer afhankelijk van Hem geworden. Hij heeft er altijd voor gezorgd dat ik er goed doorheen kwam.'

'Er goed doorheen kwam?' vroeg Brad. 'Wil je dit er goed doorheen komen noemen? Alles wat er met je familie gebeurd is? Dit, met Beth? Volgens mij heeft dat niets te maken met er goed doorheen komen.'

Mark begreep dat hij niet veel verder kwam. Hij gaf zichzelf op zijn kop dat hij niet beter voorbereid was. Hij moest zulke vragen toch kunnen beantwoorden. Waarom had hij zich op dergelijke vragen niet voorbereid?

'Wij maken de dienst niet uit, Brad. God doet dat. Als gelovigen vertrouwen we erop dat Hij ons leven uitwerkt overeenkomstig zijn plannen. Dat is niet altijd makkelijk. Soms is het leven erg zwaar. Maar we houden vol omdat we weten dat Iemand die veel groter is dan wij alles bestuurt.'

'Als die "Iemand" al die wreedheid toestaat,' zei Brad, 'zou mij dat weinig troost bieden. Als goede mensen op hun knieën gaan en smeken om verlichting, en er gebeurt niets.'

'Wij geloven niet dat er niets gebeurt.'

'Dan houd je jezelf voor de gek.' Brad draaide zich om en liep naar huis.

Mark zuchtte diep en keek hem na. Hij bad zachtjes om vergeving voor het feit dat hij er zo weinig van terechtgebracht had.

Toen Mark die avond door het cellenblok liep om de gevangenen hun eten te brengen, zag hij dat Clay een paar blauwe plekken had die niet het gevolg waren van zijn worsteling met Mark. Clay's celgenoten hadden kennelijk gehoor gegeven aan Kay's voorstel. Wheaton had hem voor zijn eigen veiligheid verhuisd naar een lege cel.

Toen hij Mark aan zag komen, haastte Clay zich naar de tralies. 'Heeft mijn vrouw borgtocht voor mij betaald?'

Mark keek hem vol afkeer aan. 'Je weet dat je niet in aanmerking komt om op borgtocht te worden vrij gelaten. Je komt hier niet weg.'

'Maar dat is niet eerlijk. Anderen worden wel op borgtocht vrijgelaten!'

'Jij bent vluchtgevaarlijk, Tharpe. En een gevaar voor de gemeenschap.'

'Nee, dat ben ik niet. Ik ben nog nooit eerder gearresteerd.' Hij liet zijn stem zakken en Mark zag de wanhoop in zijn ogen. 'Ik ben niet als die lui hier.'

'Daar heb je gelijk in,' zei Mark. 'De meesten zitten hier niet voor moord.' Hij haalde een brood uit zijn zak, maar gaf het nog niet aan Tharpe. Tharpe stak zijn hand door de tralies heen, maar Mark hield het buiten zijn bereik. 'Je moet mij nog iets vertellen, Tharpe. Hoe wist je dat Beth die dag naar het park zou gaan?'

'Geef mij het brood,' zei Tharpe. 'Ik ben uitgehongerd.'

'Geef antwoord,' beet Mark hem toe.

Tharpe trok zijn hand terug en omklemde de tralies. 'Het is niet wat jij denkt,' zei hij ten slotte.

Marks afkeer van hem werd nog wat groter. 'Wat ik *denk* is dat we twee lichamen gevonden hebben in je achtertuin en dat je een meisje, waar ik veel om geef, hebt aangevallen.' Hij klemde zijn kiezen op elkaar. 'Dus hoe wist je dat ze daar die dag heen zou gaan?'

'Omdat ze daar iedere dag op hetzelfde tijdstip kwam.'

Mark fronste zijn voorhoofd. Dat kon niet kloppen. Als Clay haar daar iedere dag gezien had, waarom had hij dan niet eerder geprobeerd haar het zwijgen op te leggen? Mark was ervan uitgegaan dat Tharpe niet in staat was geweest haar te vinden – tot de dag waarop hij geprobeerd had haar te vermoorden.

Tharpe stak zijn hand weer door de tralies heen en probeerde het brood te grijpen. Mark deed een stap achteruit.

'Alsjeblieft,' zei Tharpe. 'Ik heb in geen dagen iets gegeten.'

Mark liet het brood weer in de zak vallen en deed net of hij weg zou lopen.

'Alsjeblieft. Ik sterf hier van de honger.'

Mark draaide zich met opeengeklemde lippen weer om. 'Hoe wist je dat ze daar iedere dag kwam?'

'Omdat mij dat verteld werd.'

Mark bleef roerloos staan. 'Wil je beweren dat er nog iemand anders bij betrokken was?'

'Dat zei ik toch. Ik wilde niemand vermoorden. Ik had alleen maar geld nodig.'

Mark staarde hem aan. 'Heeft iemand je betaald om het te doen?'

Tharpe deed zijn mond open om iets te zeggen en scheen zich toen te bedenken. Het zweet droop van zijn bovenlip. Of hij had gebluft, of Mark had gelijk gehad.

'Geef mij het brood.'

Mark haalde het brood weer uit de zak en liep wat dichter naar de tralies toe. 'Vertel mij eens over die andere persoon! Is hij degene die Beth naar het park zag komen? Heeft die je de tip gegeven dat ze daar iedere dag naar het park kwam?'

Tharpe graaide het brood uit zijn handen. 'Ik zeg niets meer,' zei hij terwijl hij met het brood achteruitliep. 'Zorg maar dat ik een advocaat krijg.'

Drieënzeventig

De volgende dag dacht Mark nog steeds na over het gesprek met Tharpe. Tharpe had de indruk gewekt dat hij een medeplichtige had bij de moord op Tomlin. Als dat waar was, was dat dan dezelfde persoon die hem verteld had waar hij Beth zou kunnen vinden?

Tharpe zou vandaag voor een voorlopig verhoor aan de rechter worden voorgeleid en Deni en Doug hadden besloten naar de hoorzitting te gaan. Kay, die een te grote weerzin had om Tharpe's gezicht nog eens te zien, had ervoor gekozen bij Beth te blijven.

Als een van de agenten die de aanhouding had verricht zou Mark de bewijslast voorleggen die het bureau van de sheriff had verzameld. Hij ging in volledig uniform naar de rechtbank om een verklaring af te leggen over de gestolen auto, Tharpe's vlucht naar Huntsville en de lichamen die ze in zijn achtertuin gevonden hadden.

Mark wist dat Brad al had besloten de rechter aan te bevelen de zaak door te verwijzen naar de Grand Jury. Het enige wat ze moesten doen, was de rechter zover te krijgen dat hij dat zou doen.

Tharpe had kans gezien een advocaat te krijgen en volgens Brad had de advocaat geprobeerd om tot een overeenkomst te komen. Maar Brad had er niet van willen horen. Hij had het vaste voornemen Tharpe onder meer te beschuldigen van moord met voorbedachten rade. In Alabama betekende dat de doodstraf of levenslang.

Hoewel hij vooraan in de rechtszaal bij de andere hulpsheriffs had kunnen wachten, zat Mark achter in de zaal bij Deni en Doug. Hij hield Deni's hand vast en voelde haar snelle polsslag. Doug keek strak voor zich uit alsof hij bang was dat hij door een enkele beweging zijn zelfbeheersing zou kunnen verliezen.

Toen de rechter had plaatsgenomen, werd het muisstil in de rechtszaal. Een van de zijdeuren ging open en er schuifelden verscheidene gevangenen in oranje overalls naar binnen, waarbij hun voetboeien op de tegelvloer rinkelden.

Deni had Tharpe nog niet eerder gezien en daarom wees Mark hem voor haar aan. Weer moest hij denken aan de tweede figuur die Tharpe genoemd had. Iemand die Tomlin dood had willen hebben. Iemand die hem informatie had gegeven over waar en wanneer hij Beth zou kunnen vinden.

Hij zag Melissa Tomlin en haar vader de zaal binnenkomen en aan de andere kant gaan zitten. 'Dat is de weduwe van de vermoorde man,' fluisterde Mark tegen Deni en Doug.

Ze keken beiden naar de vrouw die hij aanwees. Melissa zag eruit alsof ze in dagen niet geslapen had. En haar vader zag er al even uitgeput uit. Hij hield zijn arm om haar heen geslagen terwijl ze de man opnam die haar echtgenoot had vermoord.

Mark wilde wel dat er meer licht was. Het gerechtsgebouw was niet een van de gebouwen die prioriteit verdienden en ze kregen daarom te weinig benzine om de generator de hele dag te laten draaien. Het enige licht viel door de ramen, zodat het er nogal schemerig en somber was. Ze werkten het programma af en ze luisterden naar de zaken van verscheidene andere arrestanten die behandeld werden. Ten slotte kwam Clay Tharpe aan de beurt.

Mark voegde zich bij de juristen vooraan in de zaal. Tharpe stond op en liep met rammelde voetboeien naar de bank van de rechter toe. Ze lazen de aanklachten voor en Mark legde zijn verklaringen af en voerde de bewijzen aan die hij en de anderen gevonden hadden.

Ten slotte keek de rechter op naar Tharpe. 'Begrijpt u de aanklachten tegen u?'

'Het is niet zoals u denkt, rechter. Ik ben geen moordenaar.'

Mark hoorde plotseling beweging op de publieke tribune. Hij keek om en zag dat de vader van Melissa Tomlin was gaan staan. Meneer Anthony haalde een pistool uit zijn riem, bracht het omhoog en richtte het op het groepje mannen voor in de zaal. In de tijd die nodig was om wat er gebeurde tot Marks hersens te laten doordringen, haalde Anthony de trekker over.

Het pistool knalde.

Clay Tharpe viel op de grond.

Terwijl de kruitlucht zich door de zaal verspreidde, steeg er een toenemend geschreeuw op. Mensen doken achter de banken weg en de gerechtsdienaar rende op de rechter af. De openbare aanklager en de advocaat verscholen zich onder hun tafels. Mark trok zijn wapen en bukte zich om uit de vuurlijn te komen. 'Laat je wapen vallen,' schreeuwde hij.

Melissa's vader liet zijn pistool vallen en stak zijn handen in de lucht. Melissa riep: 'Papa!'

'Loop van het pistool weg,' beval Mark. Anthony deed een stap opzij.

Mark liep naar het gangpad en raapte het pistool op. 'Ik heb het!' schreeuwde hij.

De gerechtsdienaar kwam achter de bank van de rechter met getrokken wapen omhoog en de twee andere hulpsheriffs die vooraan in de zaal hadden gestaan, renden naar achteren en grepen de schutter vast. Mark veegde het zweet uit zijn gezicht en wierp een blik op Tharpe. Hij lag in een plas bloed op de grond. Iemand rolde hem om en bekeek zijn verwonding.

Een paar toeschouwers stonden op.

Mark ging terug naar Deni en ze viel in zijn armen. 'Is hij dood?'

'Ik weet het niet.' Mark was buiten adem.

'Ambulance!' riep iemand die naast Tharpe geknield lag. 'Haal een ambulance!'

'Ik ga ze wel halen,' riep Deni. Ze drong zich tussen de mensen door en rende naar buiten.

Deni stormde de rechtszaal uit en rende zo snel als ze kon naar de plaats een paar straten verderop waar de ambulanceauto altijd geparkeerd stond. Aangezien ze niet gebeld konden worden, stonden er voortdurend een paar ambulanceauto's op centrale plaatsen geparkeerd waar ze gevonden konden worden als ze nodig waren. Gelukkig stonden ze er. Ze rende naar het open raampje van George Mason toe.

'George,' zei ze, happend naar adem, 'een schietpartij in de rechtszaal.'

'Stap in.' Hij startte de motor en zette de sirene aan. 'Wat is er gebeurd?'

Deni hield zich vast toen ze een hoek omsloegen. 'Iemand heeft op de kerel geschoten die mijn zus aangevallen heeft.'

Ze reden met gierende banden een bocht om. 'Controleren ze dan niet op wapens voor mensen naar binnen gaan?'

'Ze controleren je spullen en fouilleren je, maar zonder metaaldetectors is dat het enige wat ze kunnen doen.'

'Dan moet hij het goed verstopt hebben.'

Bij het gerechtsgebouw sprongen de verplegers uit de auto en pakten hun brancard en tassen. Deni volgde hen naar binnen. De rechtszaal was ontruimd en ze zag haar vader met Clay Tharpe bezig. Zweet drupte in zijn ogen en hij keek op naar de verplegers.

'Ik denk dat het te laat is.'

George en Will namen het over en probeerden hem te reanimeren, maar de man die hem neergeschoten had, was kennelijk een goede schutter geweest. Hij had hem recht door het hart geschoten.

Deni voelde niets toen ze Tharpe doodverklaarden. Er was recht gedaan.

Toen ze zich omdraaide, zag ze de man die de trekker had overgehaald. De grijsharige man stond timide in een hoek en zag er ongevaarlijk uit. Mark en zijn collega's boeiden hem en lazen hem zijn rechten voor. Toen ze hem de handboeien aandeden, verzette hij zich niet. Hij zag er tenger en gebroken uit en zijn gezicht straalde grote droefheid uit.

Zij of iemand van haar familie zou daar met een pistool in de hand hebben kunnen staan. Haar eigen moeder zou het gedaan kunnen hebben. Ze kreeg groot medelijden met de man die daar nu stond. Hij had zich door zijn emoties laten meesleuren.

Melissa Tomlin stond, duidelijk radeloos van verdriet, naast het groepje dat om haar vader heen stond. Wat een nachtmerrie. Ze was haar man kwijtgeraakt door moord en nu zou ze haar vader kwijtraken omdat hij de gevangenis in moest.

Mark lag voor hem geknield om hem de voetboeien om te doen. Het gezicht van meneer Anthony vertrok van smart en hij draaide zich naar zijn dochter om. 'Ik houd van je, kind,' zei hij toen ze hem meenamen.

Vierenzeventig

Het nieuws over de dood van Clay Tharpe gaf Kay een vreemde mengeling van emoties. Enerzijds was ze er niet ongelukkig mee dat hij op een gewelddadige manier aan zijn eind gekomen was. Of het de wraak van God of van Scott Anthony was, wist ze niet. Maar er was in ieder geval wraak genomen.

Maar tegelijkertijd schaamde ze zich voor die gevoelens.

Als Beth weer zou bijkomen, zou ze misschien over dat gevoel van haat heen kunnen komen dat haar dreigde te smoren als ze het het minst verwachtte. Deed het er eigenlijk nog iets toe hoe ze over Tharpe dacht nu hij dood was? Was het een zonde om iemand, die zoiets afschuwelijks gedaan had en geen enkel berouw getoond had, te haten? Moest ze hem, nu hij dood was, nog vergeven?

'Mam, ik heb een beslissing genomen.'

Kay draaide zich om naar Deni. 'Wat dan?'

'Mark zei dat er nog een tweede persoon was die Tharpe geholpen heeft om dit allemaal te doen. Hij denkt dat het iemand in Tomlins wijk is, aangezien die tegenover het Magnolia Park ligt. Iemand die daar woont, heeft Beth misschien gezien als ze haar route aflegde en de moordenaar gewaarschuwd. Ik ga er nog een artikel over in de krant schrijven.'

Kay wist waar haar dat zou brengen. 'Deni, kun je er geen verhaal over schrijven zonder daarheen te gaan?'

Deni schudde haar hoofd. 'Omdat ik verslaggeefster ben, kan ik soms dingen doen die de politie niet kan. Mensen praten niet graag met de politie. Maar ze zijn niet bang om met verslaggevers te praten. Ik wil in de Magnoliawijk van deur tot deur gaan om met de mensen daar te praten.'

'Waarover dan? Denk je soms dat ze je zullen vertellen dat ze Tharpe's medeplichtige zijn?'

'Nee, maar misschien vertellen ze mij iets anders waarmee ze zich blootgeven. Als we ook maar enig idee krijgen van wie het geweest zou kunnen zijn, kunnen we verder zoeken.'

Dat was precies wat Kay nodig had. Nog een dochter die in de vuurlinie van een moordenaar kwam. 'Nee,' zei Kay. 'Ik wil niet dat nog een van mijn kinderen iets met moordenaars te maken krijgt.'

Deni zuchtte. 'Als ik Mark eens vraag om met mij mee te gaan?'

'Laat Mark het maar alleen doen.'

'Mam, daar komt meer bij kijken. Ik kan mensen aan de praat krijgen. Daar ben ik echt heel goed in. Wil je dan niet dat die tweede persoon gevonden wordt?'

Kay zuchtte diep. 'Ja, maar niet ten koste van nog een kind.'

'Ik ben geen kind meer, mam. Ik ben volwassen, een professionele verslaggeefster.'

'Je hebt je baan opgegeven.'

'Dat is een bijkomstigheid. Sinds Beth is aangevallen, ben ik niet meer teruggegaan naar het herstelteam. En ik weet niet eens of ik dat nog wel wil. Verslaggeving zit mij in het bloed... en ik kan die vaardigheid gebruiken om Tharpe's medeplichtige te vinden. Ik moet dit doen, mam. Misschien had ik je het beter niet kunnen vertellen.'

Kay beet op haar lip en begon Beth's benen weer te masseren. Ze keek weer naar haar op. 'Wees alsjeblieft voorzichtig, Deni. Ga het je vader vertellen en luister naar zijn advies over hoe je dit moet aanpakken.'

'Dat zal ik doen. Maak je maar geen zorgen.' Deni verliet haastig het vertrek.

Doug had net zomin iets op met Deni's plan als Kay, maar hij voelde zich wat beter toen Mark hem beloofde met haar mee te gaan.

Maar toen ze het ziekenhuis verlieten, liet Mark haar weten dat hij het ook niet zo'n goed plan vond. 'Als het gevaarlijk wordt, Deni, moet je mij beloven dat je maakt dat je wegkomt.'

Ze reed op haar fiets naast hem. 'Maak je maar geen zorgen, dat zal ik doen. Ik wil geen moeilijkheden. Ik wil alleen maar een beetje onderzoek doen.'

Ze had Mark gevraagd voor de gelegenheid gewoon burgerkleren aan te doen, omdat mensen waarschijnlijk gemakkelijker praatten als ze niet wisten dat hij een politieagent was. Hij had erin toegestemd maar droeg nog wel een wapen in een enkelholster onder zijn broekspijp bij zich.

'Ik denk dat we moeten beginnen bij het huis van de familie Tomlin,' zei Mark. 'Je hebt daar een binnenkomertje. Je kunt daar als de zus van een ander slachtoffer gaan condoleren. Misschien heeft ze inmiddels nagedacht over wie Tomlins vijanden waren.'

Deni zag ertegen op om de treurende vrouw te ontmoeten. Zelfs voordat haar vader gevangen werd genomen, had ze zo veel verloren. Deni hoopte dat ze zich zou kunnen beheersen. Het laatste wat ze wilde, was haar zelfbeheersing verliezen waar de weduwe bij was. Melissa zou niet *haar* moeten troosten.

Ze liepen door het park heen waarin Beth was aangevallen. Deni zag dat er nu kinderen speelden. Om de schommels en de glijbanen heen zaten moeders die op hun kinderen pasten. Waren ze er ook maar op die regenachtige middag geweest.

Deni's keel kneep dicht toen haar blik naar de bomen dwaalde waar haar ouders Beth gevonden hadden.

'Gaat het?'

Ze slikte. 'Ja.'

Ze bereikten de voortuin van Melissa. Deni's blik dwaalde opnieuw naar het park en ze zag de schommel waarop Beth gezeten moest hebben toen Clay Tharpe haar had aangevallen. Vanaf de schommel moest ze een goed uitzicht op het huis van Tomlin gehad hebben.

Mark belde aan en klopte haar toen op de rug. Ze voelde de geruststelling van zijn hand en hield zichzelf voor dat ze een taak te doen had.

De deur ging open. Er verscheen een vrouw die een beetje ouder was dan haar eigen moeder. Haar ogen waren rood en ingezonken, haar huid bleek en getekend. Ze moest Melissa's moeder zijn. 'Mevrouw Tomlin?'

'Anthony,' corrigeerde Mark.

'O ja. Mevrouw Anthony.'

De vrouw keek alleen maar naar Mark. 'U hebt mijn man al opgesloten. Ik weet niet wat u nog meer wilt.'

Mark wilde antwoord geven, maar Deni raakte zijn arm even aan om hem tegen te houden. 'Mevrouw, ik heb hem gevraagd met mij mee te gaan. Ik ben de zus van Beth Branning. Zij is het meisje dat in het park werd aangevallen. Ik ben alleen langsgekomen om even met Melissa te praten.'

Haar gezicht werd wat zachter en ze slaakte een diepe zucht. 'Ik vind het erg wat er met je zus gebeurd is.' Ze wierp opnieuw een achterdochtige blik op Mark en deed toen een stap achteruit. 'Kom binnen. Ik zal even kijken of Melissa op is.'

Deni en Mark liepen naar binnen. Het was bedompt, donker en rommelig in huis alsof niemand de moeite had genomen iets op te ruimen. Op de vloer zat een jongetje te spelen met allerlei speelgoed om hem heen.

Mark boog zich over hem heen. 'Ben je fijn aan het spelen?'

Het kind glimlachte en sloeg hem tegen zijn hand.

'Raak mijn zoon niet aan.'

Melissa kwam de kamer binnen. Ze zag eruit alsof ze net uit bed gekomen was. Ze droeg een korte broek en een gekreukeld T-shirt en haar haar zat in de war.

Mark ging weer rechtop staan. Deni deed een stap naar haar toe. 'Melissa, ik ben Deni Branning.'

'Dat weet ik. De zus van het meisje.'

'Ja. Ik wilde even langskomen om je te zeggen hoe verschrikkelijk ik het vind dat je man is vermoord. En je vader...'

Melissa plofte in een stoel neer.

'Alsjeblieft, nemen jullie plaats,' zei mevrouw Anthony.

Mark en Deni gingen op de bank zitten en beseften dat het verdriet van de familie nog wel eens groter zou kunnen zijn dan dat van Deni's eigen familie. De familie Branning had in ieder geval nog de hoop dat Beth zou herstellen.

'Wat willen jullie?' vroeg Melissa lusteloos.

Deni's keel werd droog. 'Voordat Clay Tharpe werd neergeschoten, vertelde hij Mark dat hij een medeplichtige had.'

Melissa keek haar verwonderd aan. 'Wat zeg je?' Ze stond op en deed een stap achteruit. 'Dat geloof je toch zeker niet?'

'We weten het niet,' zei Mark. 'Maar het zou mogelijk kunnen zijn en we willen dat graag natrekken.'

'We vroegen ons af,' zei Deni, 'of je misschien weet of je man vijanden had. Met name hier in de wijk.'

Melissa beefde. Ze bracht haar hand naar haar hoofd alsof ze probeerde na te denken. 'Nee, geen vijanden. Volgens mij had hij geen enkele vijand.'

Ze probeerde haar sliertige haar achter haar oren te stoppen, maar het viel weer terug. 'Luister eens, wat er met mijn vader gebeurd is, is niet eerlijk. De borgsom is veel te hoog; ik kan hem niet vrijkopen. Hij was zo boos over de moord... maar het was niet met voorbedachten rade. Hij had niet de bedoeling om het te doen. Dat weet ik zeker. Tegenwoordig heeft iedereen een pistool bij zich. Gezien de omstandigheden is dat begrijpelijk. Hij was vergeten dat hij geen pistool bij zich mocht hebben als hij de rechtszaal in ging.'

Dat kon niet waar zijn. Deni was zorgvuldig gefouilleerd voordat ze de rechtszaal in ging. Hij kon alleen maar langs de beveiliging heen gekomen zijn als hij zijn pistool welbewust en goed verborgen had. 'Hebt u een advocaat?'

'Ja. Hij gaat vandaag naar hem toe.'

'Misschien kan de advocaat ervoor zorgen dat zijn borgtocht wordt verminderd. Melissa, je zei dat hij geen vijanden had. Maar is er dan misschien iemand die ruzie met je man had?'

'Nee!' zei ze. Ze liep naar haar kind en tilde het op. 'Ik moet hem verschonen.'

Deni zou waarschijnlijk niet veel verder met hen komen. Ze waren te veel van streek om helder te kunnen denken. Misschien zou ze van de buren meer te weten kunnen komen.

Ze stond op. 'We gaan nu weg.'

Mevrouw Anthony bracht hen naar de deur. 'Ik hoop dat je zusje er door komt,' zei ze.

'Ja, ik ook. Ze is in Gods hand.' Het leek toepasselijk om zoiets te zeggen. Terwijl ze naar haar fiets liep, vroeg ze zich af of mevrouw Anthony dat ook zo zag. Was ze gelovig? Zag ze in dat al die verschrikkelijke dingen een doel moesten hebben?

Of had ze meer dan genoeg van al dat gepraat van de mensen die haar wilden troosten?

Mark trok haar tegen zich aan en kuste haar op de wang. 'Je hebt het goed gedaan,' zei hij.

'Nee, ik heb het niet goed gedaan. We hadden hen met rust moeten laten. Die arme vrouwen.'

'Je moet je niet laten ontmoedigen,' zei Mark terwijl hij de straat af keek. 'Er zijn nog heel wat mensen die we moeten spreken.'

Drie huizen verderop zag Deni een vrouw die in haar tuin aan het werk was. 'Laten we met haar gaan praten nu ze toch buiten is.'

Mark was het met haar eens en ze liepen met de fiets aan de hand naar haar toe. Deni stelde zich voor en de vrouw gaf haar een onstuimige omhelzing. 'Arm kind! Het is verschrikkelijk dat je zusje bij al dit gedoe betrokken werd. Maar weet je, wat er met Blake gebeurd is, moest vroeg of laat een keer gebeuren. Hij was gemeen.'

Deni keek haar verwonderd aan. 'Was Blake gemeen? Hoezo?'

'Hij sloeg meubilair kapot en sloeg die arme vrouw. Hij had haar soms zo toegetakeld dat ze nauwelijks meer kon zien. En als je het mij vraagt liep dat jochie ook met te veel blauwe plekken rond.'

Deni ontmoette Marks verbijsterde blik. 'Zijn anderen hier in de buurt daar ook getuigen van geweest?' vroeg ze.

'Natuurlijk. Iedereen kon het zien en horen. We praatten er met elkaar over wat we eraan konden doen.'

Deni wierp een blik op Mark. Hij keek of hem zojuist een licht was opgegaan.

'Sprak iemand hem erop aan?'

'Reken maar. Een paar weken geleden, toen Blake zijn vrouw weer aftuigde, hebben een paar mannen ingegrepen en hebben ze hem buiten de wijk gebracht. Hij kwam weer terug en toen hij zijn verontschuldigingen had aangeboden, nam ze hem weer in huis.'

Het verbaasde Deni dat niemand daar eerder over gepraat had. 'Kunt u de mannen die hem de wijk uit hebben gebracht, aanwijzen?'

Ze wees. 'De buren die naast Melissa wonen, aan weerskanten. Zeg maar dat Corinna je gestuurd heeft. Ze zullen wel praten.'

Deni kon nauwelijks wachten om met hen te praten. Terwijl ze de straat in liepen, zei Mark zachtjes: 'Laat mij nu het woord maar doen. Goed?'

Ze sprak hem niet tegen. 'Niet te geloven. Blake Tomlin tuigde zijn vrouw dus af. Waarom heeft Melissa ons dat niet verteld?'

Mark zuchtte. 'Misschien weet ze dat haar vader de medeplichtige was. Misschien wilde hij Blake laten vermoorden om wat hij zijn dochter aandeed. Misschien heeft hij hem gehuurd. Misschien heeft hij hem daarom vermoord – om hem tot zwijgen te brengen.'

'Wacht eens!' Deni bleef midden op straat staan. 'Hij zou Clay niet vermoorden onder het oog van de rechter om te voorkomen dat hij zou vertellen dat hij een moordenaar is!'

Mark grinnikte. 'Dat zou nogal stom zijn, ja. Maar emotionele mensen denken nu eenmaal niet na.'

'Dat is het niet. Die man zag er niet uit als een moordenaar.'

'Maar hij *was* een moordenaar. We *zagen* dat hij Clay Tharpe vermoordde.'

Ze dacht aan de gekwelde blik op het gezicht van Scott Anthony nadat hij Clay Tharpe had doodgeschoten en de onderworpen manier waarop hij zich had laten meenemen. Het leek er meer op dat hij uit verdriet gehandeld had dan dat hij het gedaan had om een misdaad te verbergen.

Ze troffen een van de mannen thuis aan en ondervroegen hem over het verhaal van Corinna. 'Ja, dat klopt. We zijn verschillende keren tussenbeide gekomen als ze weer aan het vechten waren.'

'Waarom hebt u niets tegen de politie gezegd toen ze een buurtonderzoek deden?' vroeg Mark.

'Omdat ze geen vragen over Blake stelden. Ze wilden meer weten over dat meisje dat in het park werd aangevallen.'

Ze ondervroegen een voor een de andere buren in de straat. Ze waren maar al te bereid om te vertellen wat ze wisten. Alle verhalen kwamen op hetzelfde neer. Blake Tomlin was een man die zijn vrouw mishandelde, en iedereen wist het.

Deni en Mark fietsten terug naar het ziekenhuis. 'Hij sloeg dus niet alleen zijn vrouw, maar ook zijn zoontje,' zei Deni. 'Er zijn een aantal buren die tussenbeide zijn gekomen. En dan wordt diezelfde vent vermoord op de dag dat de banken weer opengaan. Het verband ontgaat mij.'

'Misschien gebruikte God Tharpe om Tomlins misdaden op zijn eigen hoofd te doen terugkeren.'

'Mogelijk,' zei Deni. 'Maar ik ben meer geneigd om te denken dat iemand anders Tharpe gebruikt heeft.'

Mark kon niet anders dan het met haar eens zijn. 'Meneer Anthony had ongetwijfeld een motief.'

'Maar dan moet hij toch gek zijn. Volgens mij had hij dan beter het risico kunnen nemen dat Tharpe zou gaan praten dan dat hij hem in koelen bloede onder het oog van de rechter doodschiet. Misschien moeten we teruggaan naar de wijk van Tharpe en met *zijn* buren gaan praten. Misschien vinden we dan een andere Corinna.'

Vijfenzeventig

Craig voelde zich vreselijk moe en hij verlangde hevig naar wat slaap en een onderbreking van de urgentie op elk gebied van zijn leven. Hij was eraan gewend om heel hard te werken. Het afgelopen jaar, waarin hij voor senator Crawford had gewerkt, was alles wat hij deed urgent geweest en er waren geen dagen geweest waarop hij wat rustiger aan kon doen. Maar toen was hij in ieder geval in staat geweest om zich voor honderd procent op zijn werk te concentreren en had hij niet de zware verantwoordelijkheid voor een stervend kind hoeven te dragen.

Onder de honderden sollicitanten had zijn team een paar oorlogsveteranen en amateur- radiotelegrafisten gevonden die zeer bedreven waren in morsecodes, waardoor het mogelijk was om per telegraaf via een aantal relaisstations met Washington te communiceren. De regering had ook communicatiedeskundigen in dienst die radio's met elektronenbuizen bouwden, die eerder beschikbaar zouden komen dan transistorradio's.

Craig krabbelde het berichtje neer dat hij naar het kantoor van senator Crawford wilde verzenden en boog zich naar Horace Hancock toe die net een bericht ontvangen had. 'Hoi, Horace,' zei hij tegen de veteraan uit de Tweede Wereldoorlog, 'ik wil dit bericht zo snel mogelijk naar senator Crawford verzenden.'

De oude man zette zijn bril recht en las het bericht hardop voor. 'Senator Crawford, kunt u mij alstublieft berichten of u MRI-scanners of contacten met Hope Drug Manufacturer hebt kunnen vinden? Ik hoop spoedig iets van u te horen. Deni's zus is stervende. Antwoord alstublieft per omgaande. Craig Martin.'

'Dat is een lang bericht,' zei Horace.

'Misschien kun je het wat inkorten.'

Horace pakte zijn potlood, streepte een paar woorden door en verving een paar andere.

Craig las het bericht nog een keer door. 'Is dit een soort steno voor telegrafisten?'

Horace schudde zijn hoofd. 'Nee, dat heb ik van mijn kleindochter geleerd, die zeer bedreven is in sms-berichten.

Craig grinnikte. 'Dat had ik natuurlijk kunnen weten.'

'Maar het werkt.'

'Kun je het nu verzenden?'

Hij wachtte terwijl Horace het bericht verzond. Als alles meezat zou senator Crawford het bericht binnen een paar uur onder ogen krijgen. Hij had heel veel voor senator Crawford gedaan toen hij zijn assistent was. Misschien zou de overwerkte senator hem nu ook eens een gunst willen bewijzen.

Een andere telegrafist gooide zijn koptelefoon neer en sprong op van zijn stoel. 'Nee maar!' riep de grijsharige man, 'De Tennessee Valley Centrale draait weer.'

Craig rende naar hem toe en las het bericht. Dat betekende dat de elektriciteit de distributiestations zou bereiken en dat ook Crockett weer van stroom voorzien zou worden. Als ze de onderstations weer met de elektriciteitskabels zouden verbinden, konden de huizen in Crockett – en het ziekenhuis – weer elektriciteit krijgen.

Alles scheen nu mogelijk. 'Ik moet het zo snel mogelijk aan onze transmissie-ingenieurs gaan vertellen,' zei hij. Hij haalde zijn autosleuteltjes uit zijn zak, greep zijn veiligheidshelm en rende naar zijn auto.

Zesenzeventig

Bij het achteruitgaan van Beth's conditie werd Kay steeds wanhopiger. Haar bloeddruk was gezakt en haar nieren werkten niet goed meer. Ze sponsden haar af met koud water, masseerden haar en legden haar regelmatig in een andere positie om doorliggen te voorkomen.

Kay en Doug lazen haar hardop uit de Bijbel voor, alsof de woorden zelf haar weer tot leven zouden kunnen brengen. Maar de brief van Jakobus was meer voor hen dan voor haar.

'Ieder mens moet snel zijn om te horen, langzaam om te spreken, langzaam tot toorn; want de toorn van een man brengt geen gerechtigheid voor God voort. Legt dus af alle vuilheid en alle uitwas van boosheid en neemt met zachtmoedigheid het in u geplante woord aan, dat uw zielen kan behouden.'

De verzen schenen een afspiegeling te zijn van de groeiende schaamte die Kay voelde over haar haat voor de dode Clay Tharpe. 'Denk je dat God daarom onze gebeden voor Beth's genezing niet heeft verhoord?' vroeg ze.

Doug hield op met lezen en keek op. 'Wat bedoel je?'

'Ik bedoel mijn boosheid. Mijn haat. Er staat dat iemands boosheid geen gerechtigheid voor God voortbrengt. Denk je dat God haar wel had genezen als ik die dag niet naar de gevangenis was gegaan en een poging deed om hem te laten lynchen?'

'Nee, dat denk ik niet, Kay.'

Ze zuchtte en wist niet goed of ze hem moest geloven. 'Ik heb er met God over gepraat.' Ze keek op naar de zak met infuusvloeistof. De druppels vloeiden langzaam door het slangetje heen. 'Ik heb steeds weer gezegd dat ik er berouw van had. Dat het mij echt speet. Maar meer kan ik niet doen.'

'Dan is Hij getrouw en zal Hij je vergeven, schat.'

'Maar hij vergeeft niet als *wij* niet vergeven, hè? Ik weet niet zeker of ik hem vergeven heb. Hoe kun je iemand vergeven die dood is? Hoe kun je loslaten als je iedere dag je dochter een stukje meer ziet sterven?'

'Ze sterft niet. Ze zal leven.' Hij draaide zijn stoel naar haar toe en zette zijn handen op zijn knieën. 'Kijk me aan, schat.'

Ze draaide zich naar hem toe en keek hem aan.

'Je moet ophouden met jezelf ervan langs te geven. Je had menselijke gevoelens en daar handelde je naar. Maar jij hebt Clay Tharpe niet gedood. En het is niet jouw schuld dat Beth niet bijkomt.'

'Maar we hebben niet alles gedaan,' zei ze. 'In de brief van Jakobus staat dat we de oudsten erbij moeten roepen. Waarom hebben we dat niet gedaan?'

'Onze kleine kerk heeft geen oudsten.' Doug wachtte even en keek naar Beth. 'Maar ik kan misschien een paar geestelijk volwassen mannen van onze kerk vragen te komen om voor haar te bidden.'

Kay vroeg zich af of God dat zou honoreren. Ze moesten het proberen. 'We kunnen Jeff naar hen toe sturen om hun te vragen of ze vanmiddag willen komen. Hoeveel mensen hebben we nodig?'

'Ik denk alleen een paar vrome mannen die geloven in de kracht van het gebed.'

'Wat voor olie hebben ze nodig?'

'Olijfolie is goed, als iemand dat nog heeft.'

'Weet je het zeker? We moeten het wel goed doen.'

Doug zag er hulpeloos uit. 'Als er nog een ander soort heilige olie is, weet ik niet wat dat is. De olie heeft geen magische kracht, Kay. Het is God die genezing geeft, niet de olie.'

Ze hadden geen tijd te verliezen. Ze kreeg weer nieuwe hoop toen ze naar de deur liep. 'Ik ga Jeff zoeken en stuur hem meteen op pad.'

Misschien zouden ze het gebed van deze mannen nodig hebben om Gods genezende kracht te ervaren.

Zevenenzeventig

De buren van de familie Tharpe waren maar al te bereid om met Deni en Mark te praten en ze spraken allemaal hun afschuw uit over wat er in hun tuin was gevonden.

Maar zes huizen verwijderd van het huis van Clay en Analee hadden ze succes.

'We hebben in 1995 gelijk eindexamen middelbare school gedaan,' zei Amanda Sellick toen ze hen binnen had genodigd. 'Ik heb het jaarboek nog als jullie dat willen inzien.'

Deni wist wel niet zo goed wat voor nut dat kon hebben, maar ze pakte het niettemin aan. Terwijl Mark Amanda vragen stelden over de vrienden en vijanden van Tharpe, bladerde Deni het jaarboek door. Ze had een aantal jaren later op diezelfde school eindexamen gedaan en ze herkende leraren en klasgenoten. Ze vond een foto van Tharpe in zijn laatste schooljaar in het boek en bekeek ook de gezichten van de anderen in zijn klas. Ze herkende niet een van de gezichten of namen. Toen sloeg ze de bladzijde om.

Ze zag een gezicht met een dikke bos krullend haar. Ze hield haar adem in.

Melissa Anthony die later Melissa Tomlin werd.

'Mark, kijk eens.'

Mark hield midden in een zin zijn mond en keek naar de foto. Hij kreeg een verbaasde trek op zijn gezicht toen hij de foto zag. 'Dus jij kende Melissa Tomlin, Amanda?'

'Nee, ik denk het niet.'

'Melissa Anthony,' corrigeerde Deni hem terwijl ze Amanda de foto liet zien.

'O ja,' zei Amanda. 'Dat is Melissa. Ik was vergeten met wie ze getrouwd was.'

Deni keek naar Mark. 'Melissa vertelde jou toch dat ze Clay Tharpe niet kende?'

'Dat is niet waar,' zei de vrouw. 'Melissa en Clay waren op de middelbare school goede vrienden. Ze hebben zelfs nog een poosje verkering gehad.'

Deni's hart begon sneller te kloppen en de puzzelstukjes begonnen in haar gedachten op hun plaats te vallen. Zou Melissa iets met Clay te maken hebben gehad?

Mark staarde nadenkend naar de koffietafel. 'Weet je het zeker? Ze zei tegen mij dat ze hem niet kende.'

'Daar ben ik zeker van,' zei Amanda. 'Je vergeet je beste vrienden van school toch niet. Zeker niet als je in dezelfde stad woont.'

Waarom zou Melissa liegen? Het zou toch heel natuurlijk en normaal geweest zijn als ze verteld zou hebben dat ze hem kende? Was het een schok voor haar geweest dat hij het was? Het feit dat ze het ontkend had, plaatste alles in een nieuw perspectief.

Deni begon zich af te vragen of die onschuldig lijkende, radeloze vrouw met wie ze eerder op die dag gepraat had, onder één hoedje speelde met de moordenaar van haar man. Zou zij de medeplichtige geweest zijn? Was het zelfs mogelijk dat zij degene was die Tharpe verteld had waar hij Beth zou kunnen vinden?

Ze voelde dat ze een kleur van verontwaardiging kreeg en ze werd zelfs een beetje duizelig. Ze had in Melissa's woonkamer gezeten en medelijden met haar gehad. Voor haar gebeden.

Terwijl Mark nog wat vragen aan Amanda stelde, hield ze zich stil, maar ze voelde haar slapen kloppen. Haar longen trokken samen en ze had moeite normaal adem te halen. Ze stond op. 'Sorry, ik moet wat frisse lucht hebben.'

Ze hoorde Mark vragen of ze het jaarboek mochten meenemen. Amanda vond het goed. Deni strompelde naar buiten en zocht steun tegen de muur.

Ze hoorde de deur achter Mark dichtslaan toen hij naar buiten kwam. 'Schat, is alles goed met je?'

'Nee,' zei ze. 'Mark, zou Melissa Tomlin de medeplichtige kunnen zijn?'

Zijn lippen vormden een strakke lijn. 'Mogelijk. Misschien heeft ze het aan haar vader bekend en heeft hij besloten er alles aan te doen om te voorkomen dat Clay haar zou ontmaskeren.'

'Daarom heeft hij hem onder de ogen van de rechter neergeschoten. Om de aandacht van zijn dochter af te leiden. Hij dacht dat niemand er achter zou kunnen komen als hij Tharpe het zwijgen op zou leggen. Hij gaat dus de gevangenis in voor moord met voorbedachten rade terwijl zijn moordzuchtige dochter vrijuit gaat.'

'Maar hoe bewijs je dat?' vroeg Mark. Het enige wat we hebben, is van horen zeggen en zijn wat praatjes. Dat Clay en Melissa elkaar kenden van de middelbare school, wil nog niet zeggen…'

'Ze hadden verkering,' viel Deni hem in de rede. 'En het zijn niet alleen maar praatjes. We hebben het jaarboek om het te bewijzen.'

'Dat bewijst dat ze elkaar kenden, niet dat ze verkering met elkaar hadden,' zei Mark. 'Maar zelfs als dat zo was, dan wil dat nog niet zeggen dat ze samengewerkt hebben. Misschien hadden ze een verhouding en heeft ze gelogen om dat geheim te houden. Dat wil nog niet zeggen dat ze een moordenaar is. We hebben meer nodig. We moeten erachter zien te komen of ze de afgelopen tijd contact met elkaar hadden.'

Ze pakten hun fietsen en terwijl ze de wijk uit reden vroeg Deni: 'Waarom zou Clay zoiets voor haar doen?'

'Voor geld,' zei Mark.

'Ja, maar ongetwijfeld wilde zij het geld ook hebben. Ik bedoel we zaten allemaal te springen om geld. Ik kan me niet voorstellen dat ze iets zou beramen waarmee ze haar eigen geld kwijtraakte.'

'Misschien heeft Tharpe met haar gedeeld.'

Deni knikte. 'Ze heeft misschien gedacht dat de helft van haar geld kwijtraken een koopje was om van een man die haar mis- handelde af te komen.'

'Als ze een verhouding hadden, waren ze misschien van plan om samen verder te gaan.'

Nu maakten ze vorderingen. Deni voelde haar kracht weer terugkeren. 'Als ze een verhouding hadden, moet iemand dat weten. En die iemand moeten we vinden.'

Achtenzeventig

Het begon al donker te worden toen Craig en twee van zijn werknemers – een elektrotechnisch ingenieur en een pr-man die waarnam tot Deni zou terugkeren – naar het onderstation reden dat de oostzijde van Crockett, waar het ziekenhuis en de wijk Oak Hollow gelegen waren, van elektriciteit zou voorzien. De transmissie-ingenieur die het onderstation weer operationeel moest maken, had gemeld dat hij het deze middag zou proberen.

'Dus we krijgen waarschijnlijk vandaag nog elektriciteit?' vroeg Warren Ames, de pr-man. 'Airco? Koelkasten?'

'Misschien,' zei Jim Sevrino. 'Het zal nog niet helemaal in orde zijn. Lampen zullen waarschijnlijk flikkeren. En er is nog te weinig stroom voor airconditioning.'

Craig hoopte dat de inwoners rekening zouden houden met de waarschuwingen, die ze overal in de stad hadden aangeplakt, om geen airco aan te zetten en geen apparaten aan te sluiten.

'Waarom zullen de lampen flikkeren?' vroeg Warren.

Craig wist niet veel van elektriciteit af – alleen wat hij er de laatste maanden over geleerd had. Maar deze vraag kon hij wel beantwoorden. 'Omdat al onze semiconductors door de pulsaties vernietigd zijn. Zij regelen het voltage. Dus je krijgt niet de verwachte 110 volt, maar minder.'

'Klopt,' zei Jim. 'De spanning zal niet constant zijn. Elektrische klokken lopen niet accuraat. Semiconductors zorgen voor een frequentie van 60 Hertz en geen 58. Maar zonder die semiconductors is dat niet beheersbaar. Dat zal pas weer lukken als ze gemaakt zijn en dat zal tijd vergen. Maar ik denk dat de mensen voorlopig wel genoegen zullen nemen met flikkerende lampen. Het is altijd beter dan helemaal geen licht.'

'Moet iedereen ervoor zorgen dat ze eerst weer meters in hun huizen hebben voordat ze stroom krijgen?'

Craig liet het aan Jim over om die vraag te beantwoorden.

'Sommige meters zullen werken – de mechanische die met een draaiende schijf werken. De vaste meters werken niet, maar dat zal geen belemmering zijn om stroom te krijgen. De meters zijn er alleen maar voor om het gebruik vast te stellen. Als ze niet werken, kunnen we het verbruik niet meten en zullen de mensen dus geen rekening krijgen.'

Craig wierp in zijn achteruitkijkspiegel een blik op Jim. 'De regering houdt de elektriciteitsbedrijven in bedrijf tot ze het verbruik weer kunnen vaststellen en er de mensen voor laten betalen. De reconstructie kan pas verdergaan als we weer elektriciteit hebben.'

Terwijl Jim de situatie aan Warren verder uitlegde, gingen Craigs gedachten naar Deni. Zij zou deze vragen hebben moeten stellen. Zij zou naast hem hebben moeten zitten en kennis hebben moeten nemen van alle technische details om ze om te zetten in een taal die voor iedereen begrijpelijk was, zodat ze aan de pers konden worden doorgegeven. Ze was in staat om alle ingewikkelde details zodanig uit te leggen dat het publiek ze begreep. Maar hij wist dat Deni, zolang Beth niet bijkwam en aan de beterende hand was, niet zou terugkomen naar haar werk.

Ze kwamen bij het onderstation en reden de oprit in. Op een bord op de hoge afrastering stond: 'Hoogspanning. Verboden toegang.' Er waren vanavond meer dan dertig man van de elektriciteitsmaatschappij bezig om het lokale elektriciteitsnet weer op orde te krijgen. Craig stapte uit en liep naar het hek toe. Lee Cowan, de transmissie-ingenieur, kwam hem tegemoet. 'Jullie moeten niet binnenkomen,' zei Cowan. 'Het kan gevaarlijk zijn.'

Craig haalde de helmen uit de koffer en gaf ze aan de andere twee mannen. Ze deden een stap terug en sloegen de werkzaamheden binnen de afrastering gade. 'Hoe gevaarlijk?'

Cowan keek achterom naar het ingewikkelde netwerk van stroomonderbrekers en transformatoren. 'Het distributienetwerk is een jaar lang niet gebruikt, dus we weten niet helemaal zeker hoe de conditie ervan is.' Hij wees naar de kabels die aan de hoge metalen torens bevestigd waren. 'Als er ergens daar kortsluiting ontstaat, kan dat de nodige problemen opleveren.'

Hij gaf geen verdere uitleg maar liep door het hek weer terug naar binnen. Craig vroeg zich af waardoor er kortsluiting zou kunnen ontstaan. Hij hield er niet van om werkeloos toe te kijken naar alle activiteiten zonder daar iets over te zeggen te hebben. Maar hij had geen andere keus.

De uren gingen voorbij terwijl de enthousiaste medewerkers de generatoren een voor een opstartten en een gejuich aanhieven als er weer een tot leven gekomen was.

Mannen kwamen uit het omheinde gebied en keken hoe een aantal andere mannen aan de stroomonderbreker begonnen te sleutelen die het onderstation met de transmissiekabels zou verbinden. Toen de elektriciteit naar het onderstation begon te stromen ging er opnieuw gejuich op. Nu kon het onderstation stroom over het net verspreiden. In gedachten zag Craig huizen en bedrijven – en ook Beth's ziekenhuis – weer de stroom krijgen die ze nodig hadden. Het was alsof ze toekeken naar een wonder dat tot stand kwam.

Hij hoorde een knal en zag tegelijkertijd een lichtflits. Hitte blies in zijn gezicht en hij sloeg tegen de grond. Er sneed iets in zijn arm en olie raakte zijn gezicht. Mannen begonnen te schreeuwen en kwamen in actie.

Het station werd onmiddellijk uitgeschakeld. Er werd gevloekt en geschreeuwd en de met olie bedekte mannen liepen de afrastering weer binnen.

Lee, die eveneens tegen de grond geslagen was, stond weer op. Ook hij zat helemaal onder de olie. 'Iemand gewond?'

Craig controleerde zijn arm. Er stak een stukje metaal uit zijn bovenarm. Toen hij het eruit trok, doorweekte het bloed zijn overhemd en vermengde zich met de olie. Hij veegde de olie van zijn gezicht. 'Wat is er in vredesnaam gebeurd?'

Jim had een wond aan zijn hoofd. 'Wat we hier hebben, beste vriend, is een met olie gevulde stroomonderbreker die geëxplodeerd is. In een van de kabels moet kortsluiting ontstaan zijn. Als je het mij vraagt zal dat nog heel wat keren gebeuren voordat we iedereen weer van stroom voorzien hebben.'

'Hoe is het met je? Zullen we je naar het ziekenhuis brengen?'

Jim lachte. 'Ben je gek? Ik wil dit voor geen prijs missen.'

Craig draaide zich om naar de twee andere mannen. Afgezien van een paar schrammen scheen niemand ernstig verwond. De snee in zijn arm was niet diep, maar moest waarschijnlijk wel gehecht worden. Hij wilde echter niet de enige zijn die naar de Eerste Hulppost snelde. Hij keek naar alle rommel die de explosie veroorzaakt had. Met koolstof vervuilde olie droop van alle machines die om de stroomonderbreker heen stonden. 'Wat gaan we nu doen?' vroeg hij.

Jim grijnsde. 'We maken dat we wegkomen en laten hier eerst alle rotzooi opruimen. Ze zullen de stroomonderbreker moeten vervangen, de fout opsporen en het dan nog eens proberen.'

'We krijgen vanavond dus geen stroom?'

'Nee, vanavond niet.'

Negenenzeventig

Omdat het bureau van de sheriff niet in staat was om een solide verband tussen Clay Tharpe en Melissa Tomlin vast te stellen – althans geen verband dat recenter was dan de middelbare school – besloten Deni en Mark laat in de middag Analee Tharpe een bezoek te brengen. Haar ouders waren overgekomen om haar te troosten en door de begrafenis heen te helpen, maar Analee zag eruit alsof ze allang voor de dood van haar man treurde.

Ze ontmoette hen bij de deur met een achterdochtig gezicht. 'Wat komen jullie doen?'

Deni hield zich voor dat ze hier ter wille van Beth was en deed het woord. 'Analee, we vinden het heel erg wat er met Clay gebeurd is.'

'Nee, dat vind je helemaal niet erg. Je bent blij dat hij dood is.'

Deni vond het maar beter dat niet te ontkennen. 'Analee, mijn zus ligt nog steeds in coma en we willen met je praten over iets wat echt belangrijk is.'

'Ik heb jullie niets te zeggen.'

'Alsjeblieft,' zei Mark. 'We hebben redenen om aan te nemen dat je man dit allemaal niet alleen heeft gedaan. We zouden het erg op prijs stellen als je een paar vragen wilt beantwoorden.'

Ze deed een stap achteruit en Deni begreep dat Analee hen binnenliet. Ze stapte met Mark over de drempel. Star, de baby, zat in een kinderstoel voor een vrouw die, naar Deni aannam, Analee's moeder moest zijn. Ze voerde haar pap, glimlachte en praatte zachtjes tegen haar.

Analee wees met een overdreven gebaar van inschikkelijkheid

naar de bank. 'Oké. Zeg wat je te zeggen hebt. Nog meer verrassingen voor mij? Nog meer lichamen in mijn achtertuin?'

Deni had diep medelijden met haar. Ze ging op de bank zitten maar Mark bleef staan. 'Analee, we proberen erachter te komen of er misschien nog een tweede persoon was die Blake Tomlin wilde vermoorden. En het feit dat de vader van Melissa Tomlin degene is die Clay het zwijgen heeft opgelegd, doet ons vermoeden dat er een verband bestaat met Melissa.'

'Een briljante redenering,' zei Analee. 'Waar krijgen jullie je opleiding precies? In het krankzinnigengesticht?'

Haar moeder liep naar haar toe en sloeg haar arm om haar heen. 'Kind, kalmeer een beetje.'

'Ik wil helemaal niet kalmeren,' zei Analee. 'Mijn hele leven is ingestort en ik weet niet eens waarom. Ik begrijp hier allemaal niets van. We hebben het wel over mijn man. Wie was hij? Ik kende hem zelfs niet! En nog voor hij de kans krijgt om uit te leggen waarom hij zoiets gedaan heeft, duikt er zo maar ineens een vent op die hem doodschiet!'

'Ik weet dat dit moeilijk voor je is,' zei Mark, 'maar het is belangrijk. Heb je ooit redenen gehad om aan te nemen dat je man een verhouding had?'

Ze liet een vreugdeloos lachje horen. 'Ach ja, waarom ook niet? Een verhouding is minder erg dan moord, hè?' Ze veegde haar ogen af en begon in de kamer heen en weer te lopen. 'Weet je, om eerlijk te zijn, dat zou best eens kunnen. Er zijn heel wat avonden geweest dat hij zei dat hij moest overwerken, en ik ben daar een paar keer heen geweest omdat ik hem iets moest vertellen en dan was hij er niet. En dan kwam hij over twaalven thuis en beweerde hij bij hoog en bij laag dat hij er wel geweest was.'

'Wist je dat je man en Melissa Tomlin op de middelbare school vrienden waren?'

Ze staarde hen even aan. 'Ja.'

'Denk je dat het mogelijk is dat ze met elkaar omgingen?'

Ze fronste haar wenkbrauwen. 'Met elkaar omgingen? Wat bedoel je daar precies mee? Denk je dat mijn man haar man uit jaloezie gedood heeft?'

'We proberen alleen maar een paar puzzelstukjes in elkaar te passen,' zei Mark.

Deni wilde wel dat ze ermee konden ophouden om haar onder druk te zetten. Maar ze moesten het weten.

'Ze waren nog steeds bevriend. Dat wist ik. Hij praatte met haar van tijd tot tijd. Maar ik heb er nooit meer achter gezocht.'

'Nadat we de lichamen geïdentificeerd hadden en je te horen kreeg dat het Blake was, ben je je toen geen dingen gaan afvragen?'

Ze kneep haar ogen stijf dicht. 'Ik heb helemaal geen tijd gehad om mij dingen af te gaan vragen dan alleen maar waarom mijn man twee mensen vermoordde en een dertienjarig meisje aanviel. Hoe dan ook, waarom zou ze haar man willen laten vermoorden. Als ze niet van hem hield, had ze toch gewoon kunnen weggaan?'

Deni zei: 'Analee, weet je wat er met het geld gebeurd is dat je man bij die overval gestolen heeft?'

Ze aarzelde. 'Ik heb het hier in huis. Pak het mij alsjeblieft niet af. Het is alles wat ik heb.'

'Hoeveel was het?'

'Vijfhonderd dollar,' zei ze.

Mark ging wat verzitten. 'Het bureau van de sheriff heeft ontdekt dat Blake Tomlin die dag duizend dollar van de bank gehaald heeft. Wat is er volgens jou met die andere vijfhonderd dollar gebeurd?'

'Geen idee. Misschien wilde Clay het voor zichzelf houden.'

Deni geloofde er niets van. Nee, Clay Tharpe had het bedrag gedeeld met Melissa. Zijn helft was de prijs voor het vermoorden van Blake.

Dat zouden ze op de een of andere manier moeten bewijzen.

Voor ze terugging naar het ziekenhuis moest Deni eerst naar huis om iets te eten te halen voor haar familie. Het ziekenhuis gaf alleen patiënten te eten, maar de bezoekers waren op zichzelf aangewezen. Ze bakte snel een paar tortilla's, sneed een paar boterhammen en stopte toen alles in een papieren zak die al een paar keer te veel gebruikt was.

Ze hoorde de sleutel in het slot en liep naar de gang om te kijken wie er binnenkwam.

Craig stond op de drempel, zijn witte overhemd bedekt met iets bruins en zijn gezicht helemaal onder de modder. 'Wat ben ik blij dat je thuis bent,' zei hij. 'Ik moet me verkleden, maar ik wil geen spoor van olie door het hele huis achterlaten.'

'Olie? Hoe kom je helemaal onder de olie?'

'Een met olie gevulde stroomonderbreker op het onderstation explodeerde toen we probeerden het op te starten.'

Ze bracht haar hand naar haar borst. 'Explodeerde? Is alles goed met je?'

Ze kon zien dat hij van zijn stuk gebracht was. 'Ik heb een stuk metaal in mijn arm gekregen.' Hij wees naar de scheur in zijn mouw en ze zag het bloed dat ze eerder door alle olie niet gezien had. 'Maar verder is alles goed met me. Ik moet me alleen wassen en verkleden. Als je wat water voor mij hebt, doe ik dat wel in de achtertuin.'

'We hebben nog wel wat water. Ik kom wel in de achtertuin naar je toe.'

Ze rende naar de badkamer en haalde een kom water die er al dagen gestaan had. Ze pakte een stuk zeep en wat handdoeken en bracht ze naar Craig die op de patio stond. Hij had zijn shirt uitgetrokken, maar had nog steeds oliestrepen op zijn borst en armen. 'Dat overhemd kan ik wel afschrijven.'

De snee in zijn arm was dieper dan hij had doen voorkomen. 'Ga je wassen dan zal ik iets voor je arm gaan halen.'

Ze rende het huis weer in om wat alcohol te halen, die ze tijdens de storing hadden kunnen bewaren en wat antibiotische zalf. Tegen de tijd dat ze weer bij hem terug was, had hij kans gezien de meeste olie weg te wassen. 'Kom, dan zal ik de wond schoonmaken.'

Hij stak zijn arm naar haar toe. Ze onderdrukte een grijns toen ze merkte dat hij een beetje achteruitdeinsde. 'Je had ernstig gewond kunnen raken, weet je?'

'Ja, ik was er niet op bedacht. We namen aan dat het station zonder problemen met het net verbonden kon worden en we namen aan dat jullie vanavond weer stroom zouden hebben. Zo zie je maar, de beste plannen...'

Ze keek naar hem op. 'Wil dat zeggen dat we nu nog een paar maanden moeten wachten?'

'Nee, niet noodzakelijk. Ze hebben mij verteld dat ze de stroomonderbreker kunnen vervangen en de troep weer op kunnen ruimen. Ze moeten nagaan waardoor de kortsluiting ontstaan is en dan kunnen ze het opnieuw proberen. De volgende keer zal ik er wel voor zorgen dat ik er niet zo dichtbij sta. Morgen gaan we proberen een ander onderstation van Crockett op te starten. Misschien hebben we daar meer geluk mee.'

Ze fronste haar voorhoofd toen ze de wond schoonmaakte en had moeite om in het donker goed te zien. 'Je hebt hechtingen nodig. Het is een diepe snee.'

Zijn borst leek te zwellen. 'Ach ja, om het met de beruchte woorden van Clint Eastwood te zeggen: "Ik heb geen tijd om te bloeden."'

Ze begon te lachen. 'Flinke vent, hoor.'

Hij keek glimlachend op haar neer en heel even dacht ze terug aan wat ze voor hem gevoeld had. Verering en bewondering. Ze was aangetrokken geweest tot macht en die had hij, meer dan welke vriend van haar vriendinnen ook. Ze hadden allemaal gezegd dat hij zo knap was, dat hij zo veel verdiende en dat hij een geweldige toekomst voor zich had.

Hij was nog steeds die persoon. Zij niet.

Ze deed een stap achteruit en gaf hem het wasdoekje dat ze gebruikte. 'Misschien zit er nog steeds een beetje olie in die snee. Ik zou het maar goed wassen als ik jou was. Ik moet nu weer naar binnen om wat eten voor mijn familie klaar te maken.'

'Als je even wacht, breng ik je, als ik weer terugrijd naar mijn werk, wel even naar het ziekenhuis.'

Ze dacht dat ze dat maar beter niet kon doen, maar het was wel een verleidelijk aanbod. Wat voor kwaad kon het eigenlijk als hij haar een lift zou geven? Mark zou het wel begrijpen.

'Oké,' zei ze. 'ik ruim het hier wel op als jij je omkleedt.'

Tachtig

Toen de avond viel verzamelden zich vier van de oudsten in het ziekenhuis. Kay had speciale toestemming gekregen van dr. Overton, die een gelovige was, om de mannen toe te laten op de intensivecareafdeling om voor Beth te bidden. De mannen trokken de ziekenhuiskleding aan, kwamen binnen, gingen om Beth's bed heen staan en legden haar de handen op. Kay stond achter hen en bad om geloof toen een van de mannen een druppeltje olie op Beth's voorhoofd liet vallen en de mannen voorging in gebed om genezing.

Kay's geloof nam haar mee naar het moment waarop Beth weer wakker zou worden. Waarop Kay de hand van haar dochter zou pakken om haar te helpen uit bed te komen. In gedachten hoorde ze Beth klagen over de katheter en het infuus, mopperen over haar in de war geraakte haar, vragen naar de vorderingen van het toneelstuk van de kinderen die nu zonder haar moesten repeteren.

Terwijl de gebeden aanhielden verwachtte ze dat Beth haar ogen open zou doen. Het zou zoiets zijn als toen de discipelen baden voor Petrus' vrijlating uit de gevangenis en hij plotseling aan de deur verscheen. Beth zou haar ogen opendoen en hen allemaal met hun gesloten ogen zien en ze zou iemand aan moeten raken om hun aandacht te trekken.

Blijdschap over wat God zou gaan doen trok door haar heen. Ze was er klaar voor om Beth weer mee naar huis te nemen.

Ze deed haar ogen open en keek naar haar dochter terwijl de anderen verder baden. Beth lag nog steeds roerloos op haar bed. De twijfel sloeg toe, maar Kay zette die van zich af. Er was geen plaats voor twijfel. Alleen voor geloof. Ze had genoeg geloof om een berg te verzetten.

Toen de mannen vertrokken waren, ging Kay naast Beth's bed zitten met die verwachting waarvan ze wist dat zij God behaagde. *Ga Uw gang en werk, Vader*, dacht ze. *We zijn klaar voor Uw wonder.*

Toen de uren verstreken en er nog steeds geen verandering was, probeerde Kay zich voor te stellen dat God het hersenweefsel van Beth aan het herstellen was. Die dingen vergden tijd, hield ze zichzelf voor. God zou haar herstellen op Zijn tijd.

Ze moest alleen geduld hebben.

Maar twee dagen later, net toen Kay dacht dat alles niet erger kon, begonnen stuipen door Beth's lichaam te trekken. Haar armen en benen verstijfden en haar rug trok krom en schokte.

De verpleegster riep de dokter, die de familie de kamer uit stuurde. In de wachtruimte gingen ze in een kringetje bij elkaar zitten en baden ze dat God zou ingrijpen en de schade zou herstellen.

Toen de dokter hen liet roepen voor een gesprek in de conferentiekamer, trok Kay's maag zich samen. Ze was er zeker van dat hij slecht nieuws had. Ze zette zich schrap.

Ze had zo veel verwacht nadat de oudsten voor haar gebeden hadden. Nu vroeg ze zich af of de oudsten wel geschikt genoeg waren. Misschien had het niet gewerkt omdat er geen in het ambt bevestigde diakenen waren. Misschien moesten ze een paar ouderlingen van een andere kerk lenen. Of misschien ging het daar wel niet om. Misschien was het allemaal haar schuld. Misschien was haar geloof niet groot genoeg voor de genezing van haar dochter.

Kay probeerde dat beeld van haar dochter, die gezond en wel opstond, in haar gedachten te houden. Maar al die droombeelden werden verdrongen door de herinnering aan Beth's stuiptrekkende lichaam.

In de conferentiezaal was het, afgezien van het beetje licht dat door het raam viel, nog steeds donker. Hoewel het snikheet was, huiverde Kay toen ze naar binnen liep.

De pluche stoelen zagen eruit als stoelen voor de bedrijfs-directeur – ze draaiden en schommelden. Ze was er zeker van dat ze bedoeld waren om families, die een zwaar verlies geleden hadden, een gevoel van behaaglijkheid te geven. Maar toen ze zich in de stoel liet zakken, vond ze er geen troost in.

Dougs stoel piepte toen hij naast haar ging zitten en ze be-dacht dat een druppeltje olie geen kwaad kon. Op de een of andere manier kalmeerde ze een beetje door het geluid. Zo'n piepgeluid kon gemakkelijk verholpen worden. Misschien kon-den Beth's problemen vergeleken worden met kleine piepgelui-den, die met wat olie verholpen konden worden.

Ze voelde zich als een afgewezen sollicitant toen dr. Overton zwijgend binnenkwam en tegenover hen plaatsnam. Hij werd gevolgd door Derek Morton, hun buurman, die het afgelopen jaar hun huisarts was geweest.

'Doug, Kay.' Hij gaf hun met een ernstig gezicht een hand. 'Ik hoop dat jullie het niet erg vinden als ik er bij kom zitten.'

Kay schraapte haar keel. 'Helemaal niet, Derek.' Haar stem leek hol en van heel ver te komen, alsof hij van iemand anders was.

Doug sloeg de begroetingen over. 'Dokter, laten we terzake komen. Wat is er met Beth? Waarom kreeg ze een stuip?'

Dr. Overton sloeg Beth's dossier open en slaakte een diepe zucht. 'Ik had echt gehoopt dat Beth inmiddels was bijgekomen, maar helaas moet ik jullie zeggen dat haar levenstekens zeer on-stabiel zijn. Haar bloeddruk is buitengewoon laag en haar nier-functie baart me grote zorgen. Haar ademhaling is moeizaam en erg oppervlakkig en haar bloed laat zien dat ze niet voldoende zuurstof opneemt.' Hij keek naar hen op. 'In normale tijden zou ik haar medicatie veranderen om die stuipen tegen te gaan, maar we hebben de juiste medicijnen daarvoor momenteel niet.'

Kon het nog erger worden?

'Haar intracraniële druk is veel te hoog. Ik stel voor dat we zo snel mogelijk een ventriculostomie doen.'

'Wat is dat?' vroeg Doug.

Derek nam het woord. 'Dat is een procedure waarbij haar hersenvocht wordt afgetapt om de druk op de hersenen te verminderen.'

'Dat klinkt gevaarlijk,' fluisterde Kay.

'Niet gevaarlijker dan wat er zou kunnen gebeuren als we dat niet zouden doen. Intussen doen we ons best om wat steroïde en anticontractie medicijnen te krijgen die we nodig hebben.'

'Craig Martin doet zijn best om die voor ons te krijgen,' bracht Kay uit.

Overton knikte. 'Dat weet ik. Hij heeft er met me over gesproken. Misschien komt hij er eerder aan dan wij. Maar intussen moeten we wel beslissingen nemen.'

'Welke beslissingen?' fluisterde Kay.

'We kunnen vandaag hersenvocht aftappen. Als we daarna de medicijnen nog niet hebben en de druk in haar schedel neemt weer toe, kunnen we een zeer radicale procedure proberen waardoor het hersenweefsel soms gespaard blijft.'

Doug pakte Kay's hand. 'Wat is die procedure?'

'Het wordt decompressieve craniëctomie genoemd. We verwijderen een gedeelte van de schedel zodat de druk afneemt. Op die manier kunnen de hersens uitzetten zonder het weefsel te beschadigen en de cerebrale bloedstroom normaliseren.'

'Die haalt u weg? Bedoelt u dat haar hoofd dan openligt? Haar hersenen blootgesteld aan de lucht?'

'Ja, tot de druk afneemt.'

Kay's mond zakte open en ze staarde hem niet-begrijpend aan. 'Dat meent u toch niet?'

Derek schraapte zijn keel. 'Het klinkt vreselijk, ik weet het. Maar we hebben er erg goede resultaten mee gehad. In oorlogen, als soldaten verwondingen aan het hoofd hebben, doen doktoren dit als een van de eerste handelingen. De waarschijnlijkheid van beschadiging van het hersenweefsel wordt er aanzienlijk door verminderd.'

'Waarom hebt u dat dan niet meteen gedaan?' vroeg Doug.

De vraag klonk als een beschuldiging, maar dr. Overton vatte het niet zo op. 'Het is niet *onze* eerste handeling. Eerst proberen we de hersendruk met medicijnen te verminderen en houden we de druk goed in de gaten. Daarna doen we wat ik zojuist heb aanbevolen en tappen we hersenvocht af. Als dat niet helpt, nemen we vervolgens de beslissing om tot craniëctomie over te gaan.'

Kay's handen en voeten waren ijskoud. Ze schoof haar stoel achteruit en stond op. Ze kon hier niet zomaar blijven zitten om een zakelijke discussie over het lichten van de schedel van haar kind aan te horen. Hoe zou Beth dat kunnen overleven?

'En hoe staat het dan met infecties?' vroeg Doug. 'Als haar schedel open is...'

'De voordelen wegen op tegen de risico's,' zei Overton. 'We hebben de antibiotica kunnen krijgen die daar voor nodig zijn, dus we kunnen infectie bestrijden.'

Doug scheen zo kalm, zo betrokken bij dit wrede gesprek. 'Wat doet u met de beenderen? Met de schedel, bedoel ik? Kunt u die later weer terugzetten?'

'We implanteren die in de buikwand tot we die weer kunnen terugzetten.'

Het leek of de muren op haar af kwamen. Kay wankelde en zocht steun tegen de muur. De realiteit drukte haar als een loden mantel neer. Ze had het gevoel dat haar handen in ijspegels veranderd waren. Doug stond op en ondersteunde haar.

'Ik ben bang dat Beth's hersens niet haar enige probleem is,' vervolgde dr. Overton. 'Haar nierfunctie neemt af.'

'We geven haar een dialyse,' zei Derek. 'Doug, Kay, dit zijn allemaal problemen waar een oplossing voor is.'

'Een oplossing?' zag Kay kans om uit te brengen. 'Dit klinkt helemaal niet als een oplossing. Dit is een nachtmerrie.'

'Ik weet dat het zo lijkt,' zei Overton.

Kay duwde zich van de muur af. 'Heeft ze pijn?'

'Ik denk het niet. Voorzover wij weten, is ze zich nergens van bewust.'

Maar ze zijn er niet zeker van, dacht Kay. Beth gilde misschien wel van de pijn. Zou ze sterk genoeg zijn voor verdoving of zouden ze het schedeldak zonder verdoving verwijderen?

Doug legde zijn arm om haar heen waardoor er een eind kwam aan haar morbide gedachten. Ze drukte haar gezicht tegen zijn borst.

'Waarom werken haar nieren niet goed meer?' vroeg hij. 'Haar hersens werden beschadigd. Haar nieren toch niet?'

'Ja, maar de hersens controleren het functioneren van alle organen.'

Kay bracht haar handen naar haar gezicht. 'Ze is stervende, hè?'

Dr. Overton vouwde zijn handen voor zijn gezicht. 'Ik heb de moed nog niet opgegeven, Kay, en ik geloof nog steeds in wonderen...'

'Wonderen?' herhaalde Doug. 'Is er een wonder voor nodig om haar te redden?'

'Ja, nu wel. Zelfs als we de benodigde diagnostische apparatuur hadden en de juiste medicijnen... zelfs dan liepen we nog op dun ijs. Maar zonder die dingen...'

Kay kreeg een kleur van woede. Ze sloeg met haar hand op tafel. 'Beth zal weer wakker worden en ze zal weer normaal worden. God zal haar niet van ons afnemen. Begrijpt u?'

Doug ging weer zitten en keek de chirurg aan. 'God kan dit doen. Hij heeft geen diagnostische apparatuur en computers nodig. Maar tot Hij dit doet, willen we alles doen om het leven van onze dochter te redden. We geven het niet op en we willen dat u dat ook niet doet.'

'Dat begrijp ik en ik zal het ook niet doen. Daarom heb ik u ook deze ogenschijnlijk drastische opties voorgesteld. Als ze het overleeft, willen we niet dat ze blijvende consequenties aan deze verwonding...'

'Als ze het overleeft? Beth zal niet sterven,' snauwde Kay. 'En ze zal ook geen kasplantje worden. U moet haar redden, dokter.'

Dr. Overton stond op. 'Ik zal haar klaar laten maken voor de ventriculostomie.'

Doug en Kay bleven achter in de vergaderkamer toen de dokter vertrok. Doug wilde Kay vasthouden, haar troosten, maar het leek wel of zijn spieren versteend waren. Hij kon zich niet bewegen.

Kay *moest* echter in beweging blijven. Ze rilde alsof ze het ijskoud had en ze sloeg haar armen om zich heen alsof ze een verdrietig kind troostte.

Toen ze sprak was haar stem gebroken en schor. 'Iedere dag van mijn leven... iedere, elke dag... heb ik gebeden voor de bescherming, veiligheid en gezondheid van mijn kinderen... heb ik ze een voor een genoemd. Waarom liet God dit dan gebeuren?'

Doug staarde alleen maar naar zijn handen. 'Ik weet het niet, maar we moeten Hem vertrouwen. Er moet een reden voor zijn.'

Ze keek hem aan alsof hij haar verraden had. 'Er is geen reden! Er is geen reden om een kind door een of andere waanzinnige moordenaar te laten kwellen en te laten sterven in een ziekenhuisbed zonder medische apparatuur en medicijnen die nodig zijn om haar te redden!'

'Kay, nu komt het erop aan. Nu wordt alles wat we ooit hebben geloofd op de proef gesteld.'

'Ik ben het zat om op de proef te worden gesteld,' huilde Kay.

Hij keek naar zijn handen. Ze waren vereelt door het werk dat hij het afgelopen jaar gedaan had. Hij kon nu heel veel dingen doen. Maar hij had niet de macht om zijn dochter te redden. Hij opende zijn handen. 'Wat kunnen we doen? We hebben geen andere keus dan op God te vertrouwen dat Hij haar zal redden. Niemand anders kan dat. Met al hun kundigheid kunnen ook dokters maar heel weinig doen.' Hij dacht aan een Bijbelvers. 'De Bijbel zegt ons: "Houdt het voor enkel vreugde, mijn broeders, wanneer gij in velerlei verzoekingen valt, want gij weet, dat de beproefdheid van uw geloof volharding uitwerkt."'

'Volharding voor wat? Zodat we nog meer beproevingen zoals deze kunnen doorstaan? Hoe kan ik er zelfs maar over *denken* om dit als een vreugde te beschouwen. Hier is geen enkele vreugde in.'

Ze had gelijk. Er was geen vreugde. Hoe diep hij ook in zichzelf groef, er was geen blijdschap. Wat was hij voor een geestelijk leider? Prediker?

En nu zag hij niet alleen zijn kind, maar ook zijn vrouw lijden. 'Kay, we hebben al vaker beproevingen meegemaakt en God is toch altijd bij ons geweest, niet soms? We moeten terugkijken naar al die keren dat Hij er ons doorheen heeft geholpen.'

Ze kon geen antwoord geven.

'Weet je nog toen Deni verdwenen was en alles zo hopeloos scheen? God heeft ons toen toch ook niet in de steek gelaten?'

Ze schudde haar hoofd. Hij kon aan haar gezicht zien dat ze haar boosheid vast wilde blijven houden. Het gaf haar energie, adrenaline. Daardoor kreeg ze het gevoel dat ze leefde. Maar het was ook een wreed vergif.

'En God liet ons ook niet in de steek toen de kleine Sarah gekidnapt werd. God verhoorde onze gebeden, ja toch?'

'Ja,' zei ze, 'dat deed Hij.'

'En toen Mark vals beschuldigd werd, baden we weer en God verhoorde.'

Hij zag de boosheid uit haar gezicht wegtrekken, maar niet de angst.

'Kay, Hij zal ook dit keer onze gebeden verhoren. Hij werkt in ons en we moeten Hem Zijn gang laten gaan.'

Ze staarde hem met glazige, bange ogen aan. 'En als Hij meer van ons vraagt dan wij kunnen geven?'

'Hij zal ons de kracht geven om het te dragen,' fluisterde Doug.

Dat antwoord stond haar kennelijk niet aan. Ze schudde haar hoofd. 'Nou, ik geef het niet op. Ik ga vechten en worstelen met God tot Hij mij geeft wat ik wil. Misschien ga ik dan voor de rest van mijn leven kreupel door het leven, maar ik verzeker je, zover het van mij afhangt zal Hij dit gebed moeten verhoren!'

Doug nam haar in zijn armen en ze liet zich gaan. Ze waren blij dat er geen andere families naar de vergaderzaal werden gebracht om slecht nieuws over hun geliefden te horen. Ze bleven er zitten tot ze geen tranen meer over had.

Ze haalde een papieren zakdoek uit de doos die op tafel stond en snoot haar neus. Ze keek ernaar toen ze die opvouwde en toonde een bitter lachje. 'Een paar weken geleden maakte ik een lijstje van alle dingen die ik met ons geld wilde kopen. Allemaal stomme dingen. Verf voor mijn haar. Lippenstift. Suiker. Dingen die toen allemaal erg belangrijk leken. Nu kan het mij niet meer schelen als ik al die dingen nooit meer zou zien. Als we een miljoen dollar hadden om Beth te redden, zouden we er niets aan hebben. Er is niets dat we kunnen kopen om haar beter te maken.'

'We kunnen bidden. Dat is het meest heroïsche wat we nu voor haar kunnen doen. En we zullen God vragen om datgene in ons te werken wat Hij van plan is te doen.'

'Ja, en we moeten er alles aan doen om ons ervan te verzekeren dat onze gebeden verhoord zullen worden. Kay's blik dwaalde door het vertrek alsof ze iets zocht. 'Ik heb geprobeerd aan mijn zonden te denken, om me te bekeren. Maar iedere dag zijn er weer nieuwe zonden. Ik was vanmorgen jaloers toen die oude man in het kamertje naast Beth uit de ic mocht vertrekken. Ik klaagde er zelfs over tegen God. En al die mensen in de wachtkamer… zo veel mensen om Christus mee te delen. Maar ik maak me zo druk over mijn eigen problemen…' Ze krabde op haar hoofd en keek naar de muur. 'Er zijn nog meer zonden. Help me ermee om eraan te denken, Doug.'

'Als je je zonden hebt beleden, zal God je helpen eraan te denken.'

Ze keek naar hem op. 'Hoe staat het met jou? Heb jij je zonden beleden?'

'Ja, Kay. En als ik iets gemist heb, weet ik zeker dat jij mij erop zal wijzen.'

Er kwam zowaar een glimlachje op haar gezicht. Ook hij glimlachte, verbaasd dat hij dat nog kon.

'Ik denk niet dat we gestraft of genegeerd worden omdat we iets verkeerd gedaan hebben. God luistert. Hij werkt. Hij kende het aantal dagen dat Beth had nog voor ze geboren werd. Zoals de vrouw bij de onrechtvaardige rechter blijven we net zolang hemel bestormen tot we eindelijk gehoor zullen vinden. En wat er ook gebeurt, we blijven op God vertrouwen. Ben je het met mij eens?'

Ze knikte, maar hij zag aan haar gezicht dat ze niet al te zeker van zichzelf was. Haar geloof hing aan een zijden draadje.

En hij was er niet zeker van dat zijn draadje sterker was.

Eenentachtig

Toen Doug van Deni hoorde wat zij en Mark hadden ontdekt, werd hij verschrikkelijk boos. Ergens in de stad zat een vrouw die onder een moord probeerde uit te komen. Als het waar was wat Deni vertelde, was Melissa niet alleen maar medeplichtig, maar was ze schuldig aan moord met voorbedachten rade omdat ze de moordenaar van haar man had ingehuurd. En ze had dat willen verbergen door te proberen Beth uit de weg te laten ruimen.

Door zijn ergernis over het feit dat ze nog steeds vrij rondliep, verloor hij bijna de redelijkheid uit het oog. 'Waarom hebben ze haar nog niet gearresteerd?' vroeg hij aan Deni.

'Omdat Brad denkt dat de zaak niet sterk genoeg is om aan de rechter voor te leggen. Hij wil een ijzersterke zaak en daarom heeft hij meer bewijzen nodig dat Melissa en Clay een verhouding hadden – iets anders dan alleen het feit dat ze elkaar kenden.'

Doug wreef over zijn slapen en zuchtte diep. 'Ik moet naar het bureau om hen te helpen.'

'Pa, dat kan toch niet. Niemand verwacht dat. Ze werken eraan. Het zal alleen wat tijd kosten.'

Hij wilde niet dat het lang zou gaan duren. Melissa zou erachter kunnen komen dat ze ontdekt was en de staat uit kunnen vluchten. Hij liep naar het raam in de wachtkamer en staarde naar de parkeerplaats. Hij kreeg het gevoel er voor Beth, als hij deze misdaad zou kunnen oplossen, een omslag zou komen. Als hij een poging zou doen om meer bewijs te vinden, zou hij er Brad misschien toe over kunnen halen om een arrestatiebevel uit te vaardigen.

Hij draaide zich om naar Deni. 'Ik ga naar de ombouwfabriek om met Tharpe's collega's te praten. Als een van hen wist dat hij iets met Melissa had, is dat voor Brad misschien genoeg.'

'Ik ga met je mee.'

Hij had er geen bezwaar tegen. Hij had eerder gezien dat Deni goed was in het stellen van vragen.

Ze liepen naar de ombouwfabriek die een paar straten verderop lag. Deni had haar aantekenboekje en het jaarboek bij zich dat ze van Tharpe's buurvrouw had gekregen, zodat ze Tharpe's collega's een foto van Melissa zou kunnen laten zien. Ze liepen de fabriekshal binnen. Overal stonden motoren te draaien en er was zo veel lawaai dat de mensen die er werkten tegen elkaar moesten schreeuwen om elkaar te verstaan.

Doug zag Ned Emory toen ze in de hal kwamen. Ze liepen naar de fabrieksdirecteur toe, die tevens hun buurman was.

'Hoe gaat het, Doug?'

'We kunnen niet anders dan afwachten,' zei Doug.

'Is Beth al weer bijgekomen?'

'Nee, nog niet.' Hij wilde niet over Beth praten. 'Luister eens, ik wil even praten met de mannen die Clay Tharpe het beste kenden.'

Ned haalde zijn schouders op. 'Waarom? Tharpe is dood. Is de zaak niet gesloten?'

'Nee. We denken dat er iemand is die hem heeft ingehuurd om Tomlin te vermoorden. Een vrouw met wie hij misschien een verhouding had.'

Ned trok zijn wenkbrauwen op. 'Je meent het. Je leert mensen eigenlijk nooit echt kennen.'

Hij wees naar een groepje mannen in een hoek van het gebouw. Hun overalls zaten helemaal onder het vet en het zweet trok sporen in hun vuile gezichten. Twee van hen lagen onder een auto en de andere twee stonden over de motor gebogen. 'Die jongens daar zaten in zijn team. Je kunt met hen beginnen.'

Doug bedankte hem en ze liepen naar het groepje toe. De mannen zagen Deni eerder dan Doug en toen ze dichterbij kwamen, gingen ze wat rechter staan – bijna alsof ze meer indruk op haar wilden maken. Hij vroeg zich af of ze het merkte.

'Hallo,' zei hij. 'Ned Emory vertelde ons zojuist dat jullie meestal samenwerkten met Clay Tharpe.'

De twee mannen onder de auto rolden eronderuit en gingen zitten met hun polsen op hun knieën.

'Ja, niet zo best wat er met hem is gebeurd,' zei een man die een naamplaatje op zijn overall droeg waar 'Gordon' op stond.

'Dat moet voor jullie hard aangekomen zijn,' zei Doug. 'Als een van je vrienden zo sterft.'

'En onder zulke bizarre omstandigheden,' voegde Deni eraan toe.

'Om jullie de waarheid te zeggen, we weten niet of we terneergeslagen of boos moeten zijn.'

Doug keek naar de logge man die over de motor gebogen stond. Op zijn naamplaatje stond 'Smitty.'

'Die kerel was een lastpost,' zei Smitty, 'maar we hebben natuurlijk nooit gewild dat hij zo aan zijn eind zou komen.'

'Heeft hij die mensen echt vermoord?' vroeg iemand anders.

Doug voelde dat er iemand achter hem was komen staan en keek om. Ned had zich bij hen gevoegd.

'Het kleine meisje dat hij probeerde te vermoorden, is de dochter van deze man en haar zusje,' zei Ned tegen hen.

De mannen keken nu met andere ogen naar hen. Doug vond het niet leuk om beklaagd te worden.

'Dat spijt me, man,' zei Smitty. 'Je werkt een heel jaar met een man en dan denk je hem te kennen.'

'Mogen we jullie een paar vragen stellen?' vroeg Doug.

'Zeker, wat willen jullie weten?'

'Toen de politie jullie eerder ondervraagd heeft, hebben jullie gezegd dat Clay Tharpe nogal gek op vrouwen was.'

'Ja,' zei Smitty, 'dat was ik.'

Deni nam het over. 'Hebben jullie hem weleens, afgezien van zijn eigen vrouw, met andere vrouwen gezien?'

'Zo af en toe, maar de laatste maanden niet meer. Maar hij keek wel altijd naar vrouwen.'

Deni sloeg het jaarboek open op de bladzijden waar Melissa's foto stond. 'Hebben jullie hem ooit met deze vrouw gezien? Deze foto werd zo'n jaar of tien geleden genomen, maar ze is niet veel veranderd.'

De mannen bekeken de foto. 'Ja, die kennen we.'

'O ja? Hoe dan?'

'Ze komt hier weleens,' zei Smitty.

'Om Clay Tharpe te bezoeken?'

'Ik weet wel dat ze hem kende. Maar…' Smitty hield zijn mond en wierp een blik op Ned.

Doug keek naar de fabrieksdirecteur. Ned keek Smitty strak aan. Doug keek weer naar de man die midden in een zin zijn mond gehouden had. 'Maar *wat*?'

Ned pakte het jaarboek en keek naar de foto. 'O ja, de vrouw met die blonde krullen.'

'Kwam ze hier voor Clay?'

Iedereen keek naar de grond alsof ze geen antwoord wilden geven. Doug keek weer naar Ned en zag de koele blik in zijn ogen.

Hij kreeg het gevoel dat hij een gevoelige snaar had geraakt.

Hij richtte zich weer tot Smitty die het meest toeschietelijk leek. 'Smitty, je wilde nog iets zeggen.'

Smitty schraapte zijn keel. 'Waarom vraag je naar haar? Clay is toch dood, dus wat doet het er nog toe? Het is toch geen misdaad om er een liefje op na te houden?'

'Had ze dan een verhouding met hem?' vroeg Deni.

Smitty krabbelde terug. 'Nee, dat heb ik niet gezegd.'

'Kun je gewoon de vraag beantwoorden?' vroeg Doug. 'Heb je haar ooit met Clay samen gezien?'

Opnieuw wierp Smitty een blik op Ned. 'Het is gewoon… ik denk niet dat ze hier naartoe kwam voor Clay.'

'Voor wie kwam ze dan wel?' hield Doug aan.

'Voor ons allemaal,' mengde Ned zich in het gesprek. 'Ik denk dat ze het gewoon leuk vond hier bij al die mannen te zijn. Ze vond het leuk om aandacht te krijgen.'

Deni's mond zakte open. 'Ze kwam hier dus gewoon om een beetje met jullie te flirten?'

'Zoiets, ja.'

Doug geloofde er niets van. 'Ze zal toch wel in het bijzonder voor een van jullie gekomen zijn? Had ze geen speciale belangstelling voor Clay?'

'Niet echt,' zei Smitty. 'Ze zei weleens iets tegen hem, zo van "Hoi, hoe gaat het met je" of dat soort dingen. Ik bedoel, ze waren wel met elkaar bevriend. Maar volgens mij was dat alles.'

'Dus ze had geen verhouding met een van de mannen hier?'

Smitty sloeg zijn ogen weer neer. Schouderophalend zei hij: 'Voorzover wij weten niet.'

'Wat denk jij ervan?' vroeg Doug aan Deni toen ze de ombouwfabriek verlieten.

'Ik denk dat ze iets proberen te verbergen.'

'Maar wanneer veranderde hun houding? In het begin wilden ze wel praten.'

'Ze veranderden toen we vragen over haar begonnen te stellen.'

Doug ging het gesprek in gedachten nog eens na. Beeldde hij het zich maar in dat ze tot op dat moment toeschietelijk waren geweest? 'Waarom zouden ze haar willen beschermen?'

Deni liep nadenkend verder. 'Stel dat ze de waarheid zeiden en dat Melissa en Clay geen verhouding hadden. Misschien hebben Mark en ik gewoon verkeerde conclusies getrokken. Of misschien hebben ze kans gezien om het voor de andere mannen geheim te houden.'

'Nee, ik had de indruk dat ze wel op de hoogte waren van een verhouding. Maar ze wilden er kennelijk niet over praten. Het is duidelijk dat ze niet Clay in bescherming namen, dus hebben ze haar willen ontzien.'

Deni keek naar hem op. 'Misschien was het verkeerd van je om Ned te vertellen dat je dacht dat zij betrokken was.'

Doug haalde een keer diep adem. Hij had maar beter in het ziekenhuis kunnen blijven. Hij was te veel afgeleid om goed politiewerk te kunnen doen. Ja, hij had Ned te veel verteld, en als de mannen op de fabriek enige sympathie voor de vriendelijke, aandachtvragende jonge vrouw koesterden, dan had Ned hun waarschijnlijk duidelijk gemaakt dat ze hun mond moesten houden.

Terwijl ze door de stad terugliepen naar het ziekenhuis, kwamen ze langs Brads kantoor. Op het bord aan de muur stond: 'Openbare aanklager van de stad Crockett.' 'Laten we even met Brad gaan praten.'

Ze vonden Brad in zijn snikhete kantoor, begraven onder dossiers. Hij begroette hen met een omhelzing.

'Hoe gaat het met Beth?'

'Ze heeft stuiptrekkingen en dat verhoogt de kans op onherstelbare hersenbeschadiging. En om het allemaal nog erger te maken, ze kunnen de juiste medicijnen om de stuipen tegen te gaan en de zwelling van haar hersenen te bestrijden, niet krijgen.'

Brad wreef over zijn gezicht. 'Man, niet te geloven. Ik wilde wel dat ik iets doen kon.'

'Dat kun je.' Doug ging tegenover zijn beste vriend zitten. Hij vroeg Deni te vertellen wat zij en Mark ontdekt hadden. Brad luisterde aandachtig. Toen Deni haar verhaal gedaan had, vertelde Doug over hun bezoek aan de ombouwfabriek.

'Ze verbergen iets, maar er is geen tijd om het tot de bodem toe uit te zoeken. Als Melissa er lucht van krijgt dat we haar in verband brengen met Clay, zal ze er onmiddellijk vandoor gaan om vervolging te voorkomen. We zullen haar nu meteen in hechtenis moeten nemen.'

Hij zag de moeite op Brads gezicht. 'Doug, als ze Beth kwaad gedaan heeft, wil ook ik dat ze gearresteerd wordt, maar als ze schuldig is, moeten we dat wel kunnen bewijzen. Een verhouding is niet genoeg.'

'Maar begrijp je het dan niet?' zei Deni. 'Haar vader heeft Tharpe misschien vermoord om zijn dochter te beschermen.'

'Maar volgens zijn bekentenis heeft hij het uit wraak gedaan om wat Clay zijn schoonzoon heeft aangedaan.'

'En geloof je dat?' vroeg Doug. 'Brad, waarom zou hij dat doen? Hij had kunnen wachten en justitie gewoon haar werk kunnen laten doen. Clay zat in hechtenis en we hadden overvloedig bewijs. Het is voor de hand liggend dat meneer Anthony wist dat zijn dochter bij de moord op haar man betrokken was. Dat hij Clay Tharpe onder de ogen van de rechter doodschoot omdat hij bang was dat Tharpe zou gaan praten. Denk eens na. Hij zou net door de rechter verhoord worden. Een betere tijd om hem neer te schieten en ervoor te zorgen dat ze niet bij de zaak betrokken zou worden, was er niet.'

Brad schudde zijn hoofd. 'Alles wat je zegt is misschien waar. Maar ik moet haar vervolgen. Zelfs als je kunt bewijzen dat ze een verhouding had, zal geen enkele rechter de zaak doorverwijzen naar de Grand Jury. Je hebt geen enkel bewijs dat ze Tharpe ingehuurd heeft of hem gezegd heeft haar man te vermoorden. En ik ben eerder geneigd te denken dat haar vader degene was die Tharpe ingehuurd heeft. Denk eens na. Melissa's echtgenoot sloeg haar en de jongen, ja toch?'

'Ja, dat is waar.'

'En de vader krijgt er lucht van en besluit de zaak te regelen.'

Deni was niet voldaan. 'Wat was zijn motief dan om Tharpe te vermoorden? Je *bewijst* niet dat je een moordenaar bent door iemand ervan te weerhouden te *zeggen* dat je een moordenaar bent. Hij schoot Clay onder de ogen van de rechter dood om een goede reden. Hij smokkelde een pistool de rechtszaal binnen omdat hij van plan was Tharpe het zwijgen op te leggen. Het is duidelijk dat hij niet zichzelf wilde redden.'

'Deni, ik ben het met je eens,' zei Brad. 'Maar als we Melissa in hechtenis willen nemen, moeten we betere bewijzen hebben. Volg het geld. Probeer te bewijzen dat zij er een deel van gekregen heeft. Probeer erachter te komen of zij en Tharpe elkaar na de moord ontmoet hebben. Geef mij iets waarmee ik aan de slag kan, Doug, en ik geef je een arrestatiebevel.' Hij wreef over zijn kaak en zette toen zijn ellebogen op het bureau.

Brad had gelijk, maar het stond Doug niet aan. Misschien zou hij Mark kunnen vragen om haar uitgavenpatroon na te trekken om te zien of ze meer gekocht had dan ze van de FEMA-uitkering had kunnen doen.

'En probeer iemand te vinden die haar in verband kan brengen met Beth. Als we kunnen bewijzen dat ze gezien heeft dat Beth haar huis in de gaten hield, dan hebben we aanzienlijk meer houvast.'

Doug en Deni liepen met een gevoel van hopeloosheid dat ze ook maar iets zouden kunnen doen terug naar het ziekenhuis. Hun enige hoop was dat Mark erin zou slagen Melissa Tomlin te pakken kon krijgen. Als iemand bewijzen zou kunnen vinden, was hij het.

Tweeëntachtig

Omdat haar broers er meer dan genoeg van kregen om stil in de wachtkamer te blijven zitten, besloten Deni's ouders dat de jongens weer thuis zouden gaan slapen. Het zag ernaaruit dat de familie Branning nog heel lang in het ziekenhuis zou moeten blijven waken, zodat ze iets moesten bedenken om weer een wat normaler leven te gaan leiden – al was het alleen maar om weer wat op krachten te komen. Deni werd naar huis gestuurd om het een en ander op orde te gaan brengen.

Brad en Judith brachten hun eten, wat Deni erg op prijs stelde omdat er nog maar heel weinig eten in huis was. Na het eten deed ze de afwas en ruimde ze alles op zonder de hulp van haar broers. Zodra ze hun maag vol hadden, waren ze verdwenen. Nu moesten de kippen gevoerd worden en de eieren verzameld. Dat was de taak van haar broers.

Ze liep de trap op om hen te roepen. Deni vond Logan in Beth's kamer op de vloer bij Craigs koffer zitten en in Beth's boekenkast kijken.

Terwijl ze in de deuropening bleef staan, sloeg Deni het melancholieke gezicht van haar broertje gade. Hij was tien en altijd de rivaal van Beth geweest. Ze gedroegen zich als normale kinderen, scholden elkaar van tijd tot tijd uit en maakten ruzie. Maar op zijn gezicht zag ze de diepe liefde voor zijn zusje.

'Hoi,' zei ze, 'wat ben je aan het doen?'

Hij keek naar haar op. 'Ik zoek een nieuw boek uit om haar voor te lezen.'

Ze liep de kamer in en ging op het bed zitten. Craig had het opgemaakt maar er lag nog een riem van hem op het bed. Ze pakte hem op.

'Hij moet hier nu echt weg,' zei Logan. 'Als Beth weer bijkomt, heeft ze haar eigen bed nodig.'

'Dat weet ik,' zei ze. 'Door alles wat er gaande is, heeft niemand de tijd gehad om daar aan te denken. Maar hij zal ongetwijfeld op zoek zijn naar andere woonruimte.'

'Kom nou,' zei Logan. 'Hij gaat pas weg als je met hem gaat trouwen.'

Deni kreunde. 'Hij weet dat dat niet zal gebeuren.'

'Nee, dat weet hij niet. Hij probeert ons gezin binnen te dringen, en niemand die dat merkt.' Logan kreeg een kleur. Hij vatte dit zeer persoonlijk op. Het was duidelijk dat hij niet wilde dat er iemand in Beth's bed sliep.

'Ik zal tegen hem zeggen dat hij iets anders moet gaan zoeken, Logan. Maar maak je maar geen zorgen. Als Beth weer thuiskomt, krijgt ze haar eigen kamer weer terug.'

Hij pakte een boek en sloeg het open.

'Hier is dat Dr. Seuss-boek waar mama ons altijd uit voorlas,' zei Logan. *Groene eieren en ham*. Denk je dat ze daar nu te oud voor is?'

'Je bent nooit te oud voor Dr. Seuss. Ik denk dat ze het heel fijn zal vinden als je haar eruit voorleest.'

Hij staarde naar de omslag. 'Denk je dat het net zoiets is als slapen? Denk je dat ze droomt?'

Deni had zich dat zelf ook afgevraagd. 'Ik weet het niet echt, maar ik denk dat het wel zoiets is.'

'Ik hoop dat ze mooie dromen heeft en dat ze niet over die man droomt.' Zijn lippen trilden een beetje.

'Ze zal vast wel mooi dromen,' fluisterde ze. 'Als we haar voorlezen, droomt ze misschien wel over de verhalen.'

'Dat dacht ik ook,' zei Logan met een halfslachtig glimlachje. 'Het zou leuk zijn als ze zou dromen over *Ik ben Sam*.'

Jeff kwam nat van het zweet in de deuropening staan. 'Ik heb water gehaald,' zei hij, 'dus we kunnen ons allemaal wassen. Ik heb ook de tuin gewied. Het heeft gisteren geregend, dus ik hoefde geen water te geven.'

Deni's mond zakte open. 'Wauw. Ik dacht dat je in je kamer rondhing. Ik wilde je net vragen om de kippen te gaan voeren.'

'Ik ben niet zo lui als jij dacht.'

Deni glimlachte om de opmerking van haar broer. Het was een normale reactie van hem en dat had ze nodig.

'Ik heb de kippen al gevoerd en de eieren binnengebracht. Jeremy en Drew voeren om de beurt onze konijnen.'

Ze moest naar beneden om wat eieren te gaan koken die ze mee zou kunnen nemen voor haar ouders in het ziekenhuis. Als er morgen voldoende zon was, zou ze in de zonneoven wat broden kunnen bakken. Jeff zou ze eruit kunnen halen als ze klaar waren. Ze konden genoeg broden maken om er dagen van te kunnen eten.

Maar op dit moment voelde ze zich duf, nutteloos, lusteloos. Ze had nergens zin in.

'Laten we nu allemaal maar gaan slapen. We hebben een paar zware dagen achter de rug. Geen karweitjes meer om...'

Toen begonnen de lichten boven hen plotseling te flikkeren.

Logan hield zijn adem in en keek op. 'Zagen jullie dat?'

Deni staarde naar de gloeilamp. Was het echt waar... kregen ze weer stroom?

Ze zaten allemaal roerloos, met grote ogen, te wachten... De lampen flikkerden opnieuw. Alle drie gaven ze een luide schreeuw en sprongen overeind.

'We hebben weer licht! We hebben weer licht!'

Ze staarden naar de gloeilamp of het een nieuwe uitvinding was. Het ene moment viel het licht uit en het volgende moment was het weer aan. Ze renden van kamer naar kamer, deden alle lichten aan en zagen overal hetzelfde. Ze hadden weer elektriciteit!

'Wauw!' schreeuwde Jeff. 'Heeft Craig daarvoor gezorgd?'

Craig had net zo veel gedaan als ieder ander om weer stroom te krijgen. Maar hij had het herstelteam geadviseerd om hun kantoren in Crockett te vestigen en als hij dat niet gedaan had, zouden ze misschien als laatsten stroom gekregen hebben in plaats van als eersten. Ze kreeg nieuwe hoop dat hij er misschien ook voor zou kunnen zorgen dat Beth de dingen kreeg die ze nodig had.

Alle lusteloosheid viel van Deni af en ze kreeg weer nieuwe energie.

Het leven scheen een nieuwe wending genomen te hebben.

Drieëntachtig

Het nieuws dat ze weer elektriciteit hadden gaf Kay een nieuw gevoel van hoop, alsof er een eind aan de crisis in haar leven zou komen. Het personeel van het ziekenhuis had het plotseling razend druk. Ze renden van patiënt naar patiënt om ze voor te bereiden voor het moment waarop de elektriciteitsvoorziening door de benzinegeneratoren zou worden verwisseld voor die van het normale net. Kay bad dat er geen stroomonderbreking zou optreden, waardoor de beademingsmachine zou uitvallen. Als dat zo was, zou het slechts voor een paar seconden zijn, zeiden ze.

Ze hield haar adem in toen de lichten uitgingen. Het gezoem van de apparatuur op de ic verstomde. De beademingsmachine sloeg af. Kay raakte Beth's borst aan en bad dat het niet lang zou duren. Ze hield evenals Beth haar adem in en telde de seconden af. Toen de tijd verstreek, leek het of haar longen zouden exploderen. Ze moest uitademen. Beth had niet het voordeel gehad om diep in te ademen. Stikte ze nu?

'Kom op…' mompelde Doug.

Het duurde te lang. Ze moest ademen! Kay blies haar adem uit en zoog weer lucht in. Ze voelde zich in paniek raken. Misschien moesten ze het slangetje eruit trekken en mond op mond beademing toepassen. 'Schiet op, mensen!' schreeuwde ze, hoewel ze wist dat de elektriciens buiten waren. Maar toen de donkere stilte zich uitstrekte, hoorde ze het gefluit van een ademtocht.

Beth's borst zakte in toen ze uitademde door het slangetje.

'Doug, ze haalt adem! Op eigen kracht!'

Doug boog zich over Beth heen en legde zijn oor op haar mond. 'O, het is een wonder!'

Kay liep om het bed heen om hem te omhelzen en hij nam haar in zijn armen. 'Ze ademt,' zong ze.

'Ze wordt weer wakker, Kay. Ik weet het.'

Pas een uur later, nadat dokter Overton het personeel had opgedragen het slangetje uit Beth's keel te trekken en zich ervan overtuigd had dat ze zonder moeite kon ademen, drong de volle betekenis van het herstel van de elektriciteit tot Kay door.

Ze waren zo geconcentreerd geweest op Beth, dat ze het nauwelijks gemerkt had. De gebeurtenis waar ze een heel jaar op gewacht hadden, was vrijwel ongemerkt langs haar heen gegaan.

Maar nu Beth weer zelf kon ademhalen, koesterde Kay zich in het licht van de lamp boven haar hoofd. Ze vroeg zich af of de kinderen thuis wisten dat er weer stroom was. Er zouden ongetwijfeld een paar lichtschakelaars aan gestaan hebben al die maanden. 'Ik zou hun gezichten weleens willen zien,' zei ze tegen Doug.

'Ga naar huis en vertel ze het goede nieuws over Beth. Ik blijf hier.'

Kay had het ziekenhuis alleen maar verlaten toen ze naar de gevangenis was gegaan. Nu het beter met Beth ging, durfde ze wel een poosje uit het ziekenhuis weg.

Kay dacht dat ze zweefde. Nu ze weer elektriciteit hadden, zouden er weer allerlei noodzakelijke dingen beschikbaar komen – MRI- en CT-scanners. De farmaceutische industrie zou weer op gang komen en er zouden weer medicijnen beschikbaar komen.

Beth zou het overleven.

Ze boog zich over het bed heen en streelde Beth's haren. 'We hebben weer elektriciteit, liefje. Alles wordt weer normaal.' Beth gaf geen teken dat ze haar hoorde – maar haar regelmatige ademhaling sprak boekdelen. Voorzichtig drukte Kay haar voorhoofd tegen het hare. 'Ik houd van je, liefje. Word gauw weer wakker. Dat wil ik niet missen.'

Ze kuste Doug, liep naar buiten en vond tussen de wirwar van fietsen in het fietsenrek de fiets die Mark haar gebracht had. Toen reed ze naar huis, er hevig naar verlangend de enthousiaste gezichten van haar kinderen te zien.

Vierentachtig

Op de dag nadat de lichten weer waren aangegaan, was Mark verrast Doug op het bureau van de sheriff te zien, helemaal in uniform alsof hij verwachtte de hele dag weer dienst te gaan doen.

Twee van de andere agenten begroetten hem en vroegen hem hoe het met Beth ging toen hij binnenkwam. Mark wachtte tot alle commotie wat was geluwd. Toen Doug naar hem toe kwam, zei Mark: 'Man, je bent toch zeker niet van plan om weer de hele dag aan het werk te gaan. Je moet terug naar het ziekenhuis.'

Het was goed hem weer te zien glimlachen. 'Ik wilde gewoon eens zien hoe het bureau eruitzag nu alle lichten weer aan zijn. Ik heb het bureau nog nooit in het volle licht gezien.' Hij keek om zich heen. 'Het moet nodig geverfd worden. En kijk eens naar al die spinnenwebben in de hoeken. Die heb ik nog nooit eerder gezien.'

'Je had niet je uniform aan hoeven te trekken om dat even te komen bekijken. Wat ben je echt van plan?'

Dougs glimlach verdween en zijn ogen kregen weer de intensiteit die ze de afgelopen dagen hadden gehad. 'Ik wil met de vader van Melissa Tomlin praten. Hij is toch nog niet naar de districtgevangenis overgebracht, hè?'

'Nee, hij is nog steeds hier. Hij beweert nog steeds dat hij alleen maar boos was op de moordenaar van zijn schoonzoon. Maar misschien kan het geen kwaad als jij eens een praatje met hem gaat maken.'

Terwijl Doug in de keuken wachtte, ging Mark Scott Anthony uit zijn cel halen. Nu de lichten weer aan waren, was het in het cellencomplex heel wat aangenamer dan ervoor en waren de gevangenen rustiger geworden. Omdat Mark wist wat het was om in een cel opgesloten te zitten, wist hij dat met name de angst was afgenomen toen de lichten weer aangingen. Er waren weinig dingen erger dan in een cel met moordenaars en dieven te zijn opgesloten als het zo donker was dat je geen hand voor ogen kon zien. Duisternis scheen nog meer kwaad voort te brengen.

Scott Anthony zat op zijn brits in een Gideonsbijbel te lezen die hem gegeven was toen hij werd ingeschreven. Mark wilde wel dat hij er meer in gelezen had voordat hij de moord begaan had. Toch had hij medelijden met hem omdat hij hier volkomen misplaatst leek. Wheaton had kennelijk datzelfde idee gehad, want hij had hem een cel apart gegeven.

Mark bleef voor de tralies van Anthony's cel staan. 'Meneer Anthony, we willen u graag in de verhoorkamer spreken. Kom naar de tralies toe, zodat ik u de boeien aan kan doen.'

Anthony leek vernederd bij het vooruitzicht. Maar voor degenen die een geweldsdelict hadden gepleegd, was het een vaste regel. Hij kwam naar de tralies toe. Mark bukte zich, deed hem de enkelboeien aan en kwam weer overeind om het hek open te maken. Anthony schuifelde naar buiten. 'Is er iets mis? Is er iets met mijn familie?'

'Met uw familie is alles in orde. We willen u alleen een paar vragen stellen.'

Hij liep zwijgend met Mark mee door de personeelskamer naar de afdeling waar de keuken zich bevond, waar Doug met zijn handen in zijn zakken op hem stond te wachten. Hij keek naar Scott Anthony toen die rammelend met zijn enkelboeien binnenkwam. 'Gaat u zitten, meneer Anthony.'

Hij bleef even staan. 'Moet mijn advocaat hierbij aanwezig zijn?'

'Dat laat ik aan u over.' Doug legde zijn handen op de tafel en boog zich wat naar voren. 'Weet u wie ik ben?'

Anthony nam hem even op. 'Ik zag u in de rechtszaal.'

'Beth Branning is mijn dochter.'

Anthony slikte en trok een stoel onder de tafel uit. 'Het meisje dat door Clay Tharpe werd aangevallen?'

'Dat is juist.'

De emotie was duidelijk op zijn gezicht te zien. 'Het spijt mij heel erg van uw dochter. Hoe gaat het met haar?'

'Ze ligt nog steeds in coma,' zei Doug. 'Gaat u alstublieft zitten.'

De man die eruitzag alsof hij een buurman in Oak Hollow zou kunnen zijn, ging zitten.

Doug praatte zacht. 'De reden dat we u willen spreken, meneer Anthony, is dat we geloven dat uw dochter een verhouding had met Clay Tharpe.'

Mark reageerde niet op Dougs bluf. In plaats daarvan keek hij naar Anthony's gezicht in de verwachting dat hij verbijsterd zou zijn en het ten stelligste zou ontkennen. Maar dat deed Anthony niet. 'Ik heb al een verklaring afgelegd. Er waren tientallen getuigen die gezien hebben dat ik Clay Tharpe heb doodgeschoten. In aanmerking genomen wat hij uw dochter heeft aangedaan, zou u mij een trofee moeten geven.'

Doug fronste zijn voorhoofd. 'Is dat alles wat u te zeggen hebt over de verhouding van uw dochter met de moordenaar van haar man? Het spijt me, maar dat was niet helemaal het antwoord dat ik verwachtte.'

Anthony keek bang. 'Ik weet niet wat u van mij wilt.'

'Wist u van die verhouding?'

Anthony zag er gekweld uit. Ten slotte boog hij zich wat naar voren en haalde zijn handen door zijn grijze haar. 'U moet het begrijpen.'

Mark boog zich wat naar voren. 'Wat moeten we begrijpen?'

'U weet niet wat voor soort man Blake was. Hij heeft haar afschuwelijk behandeld. Ze had gebroken botten, blauwe ogen, bloedlippen.'

Doug ging wat rechter zitten. 'Wilt u rechtvaardigen wat u deed… of wat *zij* deed?'

Anthony's gezicht verhardde zich. 'Mijn dochter heeft haar

man niet vermoord en ze had niets met uw dochter te maken. Ze was een slachtoffer.'

Mark besloot een andere kaart te trekken. 'Meneer Anthony, wat zegt u als ik u vertel dat Clay Tharpe ons verteld heeft dat er nog iemand anders was die wilde dat Tomlin vermoord zou worden?'

Hij keek angstig alsof hij betrapt was. 'Hij bedoelde dat ik hem ingehuurd had.'

Doug stond op. 'Dus u komt terug op uw verhaal dat het een moord uit wraakzucht was? Dat u uw hoofd verloor in de rechtszaal?'

'Nee... ja. Ik weet het niet. Ik wil mijn advocaat.'

'We kunnen hem laten halen,' zei Doug. 'Hij zal u waarschijnlijk vertellen dat u uw mond moet houden en dat kunt u doen. U kunt de waarheid voor uzelf houden. Maar desalniettemin zullen wij een zaak tegen uw dochter aanspannen.'

Anthony wreef over zijn gezicht en wist kennelijk niet wat hij moest doen. 'Ik zit hier vast. Ik heb in de rechtszaal een moord gepleegd. Ze zullen mij niet laten gaan, wat u ook ontdekt mag hebben.'

'U bedoelt dat u nog wel wat meer kunt hebben om uw dochter te beschermen?'

'Ik bescherm haar niet! Ik heb het gedaan. Jullie hebben het gezien.'

Doug boog zich weer over de tafel heen, zijn gezicht nu vlak voor Anthony. 'Waarom huurt u van alle mensen die er in te huren zijn nu juist de minnaar van uw dochter in om haar man te vermoorden?'

'Omdat ik wist dat hij het zou doen.'

'Hoe wist u dat?' vroeg Doug. 'Clay Tharpe was nog nooit eerder gearresteerd. Er was geen reden om aan te nemen dat hij bereid was een moord te plegen.'

'Maar hij had problemen. Hij was een gokverslaafde. Hij had heel wat te verbergen. Hij heeft het gedaan voor het geld,' zei Anthony. 'Begrijpt u het niet? Het leverde haar niets op. Ze had dat geld nodig, maar ze kreeg er niets van.'

'Dat geloof ik niet,' zei Mark. 'Tharpe kwam met slechts vijf-honderd dollar thuis.'

Hij kreeg tranen in zijn ogen en wilde Mark niet aankijken. 'Het kan me niet schelen wat u gelooft.'

'Wilt u weten wat ik denk?' vroeg Doug. 'Ik denk dat Melissa u vertelde dat zij het heeft gedaan, niet, meneer Anthony? Ze vertelde u over haar verhouding en hoe ze het plan met Clay Tharpe beraamd had om van de man die haar had mishandeld, af te komen. En u realiseerde zich dat ze er niet mee weg zou komen, dat Clay er niet alleen voor zou opdraaien, dat hij zou doorslaan en dat uw dochter dan voor de rest van haar leven de gevangenis zou ingaan.'

Aan Anthony's gezicht was duidelijk te zien dat Doug doel getroffen had. Doug liet zich in zijn stoel zakken en praatte nu wat zachter.

'En dat kon je niet laten gebeuren, hè, Scott? Je zou er alles aan doen om je dochter te redden en daarom vermoordde je Tharpe onder de ogen van de rechter en in een zaal vol getuigen, zodat Tharpe je dochter niet kon beschuldigen van de moord op haar man.'

Mark zag de zenuwtrek op Anthony's gezicht, de grimmi-ge waarheid die hij in zijn ogen niet kon verbergen. De man wreef over zijn stoppelige kin en keek met verdrietige ogen naar Mark.

'Ik ben niet trots op de relaties van mijn dochter.'

Zo, dacht Mark, hij heeft het toegegeven. Dat was alles wat ze nodig hadden.

'Maar zij is niet degene die u erop aan moet kijken.'

'En wie moeten wij er volgens u dan wel op aan kijken?' vroeg Doug.

'Ned Emory,' zei hij. 'Dat is alles wat ik te zeggen heb.'

Vijfentachtig

De sensationele mededeling van Scott Anthony over Ned Emory deed Doug duizelen. Ned was zijn buurman en de vader van de beste vriend van zijn zoon. Hij had de leiding gekregen over de ombouwfabriek aan de Alabaster Road en had goed werk geleverd. Hoewel Doug soms vraagtekens plaatste bij de manier waarop hij zijn kinderen opvoedde, kon hij zich niet voorstellen dat Ned bij een moord betrokken zou zijn. En zeker niet dat hij betrokken zou zijn geweest bij de aanval op Beth.

Ned kende Beth. Hij was naar haar toneelstukjes komen kijken, had op de juiste momenten gelachen en haar schouderklopjes gegeven.

Beweerde Scott nu dat Ned een verhouding had met Melissa? Wat betekende dat? Dat Ned degene was die Tharpe had ingehuurd? Dat hij de moordenaar erop attent had gemaakt dat Beth in het park was?

Maar dat kon niet kloppen. Scott Anthony zou Tharpe niet gedood hebben om Ned te beschermen. En zoals Deni een paar dagen eerder had gesuggereerd, had Anthony de moord op Tharpe met voorbedachten rade uitgevoerd toen hij het pistool de rechtszaal in gesmokkeld had, waardoor het duidelijk was dat hij niet in een opwelling had gehandeld zoals hij hen wilde laten geloven.

Ze lieten de sheriff halen die vandaag op zijn bureau in Birmingham werkte. Toen hij naar Crockett gekomen was, kwamen ook de andere hulpsheriffs naar het bureau voor nadere informatie.

'Het is te ver gezocht om te geloven,' zei Doug. 'Ik begrijp er niets van. Ned heeft te veel om te verliezen.'

'Mensen doen wel vaker rare dingen als er liefde in het spel is,' zei Wheaton.

Doug dacht terug aan zijn bezoek aan de ombouwfabriek. 'Weet je, toen ik op de fabriek was, leek Ned echt geïnteresseerd in wat ik aan Tharpe's collega's vroeg. En toen ik hun naar Melissa Tomlin vroeg...' Hij probeerde zich de situatie weer voor de geest te halen. 'De jongens zeiden dat ze daar vaak kwam, maar niet voor Clay. Toen ik hun vroeg voor wie ze dan wel kwam, hielden ze allemaal hun mond en keken ze naar Ned. Ik wist dat er iets niet klopte, maar ik heb geen moment gedacht dat ze *hem* wilden dekken.'

'Die jongens zijn waarschijnlijk bang voor hun baan,' zei Wheaton. 'Als de baas wil dat ze hun mond houden over een verhouding, doen ze dat.'

'Maar ze kunnen helemaal niet ontslagen worden,' merkte Mark op. 'Ze werden door de regering aangesteld.'

'Ja, maar ze kunnen wel overgeplaatst worden, zodat ze hun gezin achter moeten laten. Bovendien beseffen ze waarschijnlijk niet dat die verhouding mogelijkerwijs Ned bij die moorden betrekt.'

'Wacht eens even,' bracht London in het midden, 'waarom geloven we eigenlijk wat Scott Anthony zegt?'

'Omdat hij zo'n heel gewone man lijkt,' zei Wheaton. 'Hij beantwoordt in geen enkel opzicht aan het profiel van een moordenaar.'

'Dat doet Melissa Tomlin ook niet en we weten allemaal dat ze loog. Misschien liegt haar vader ook wel.'

'Het doet er eigenlijk niet toe of ze allemaal liegen,' zei Doug. 'Ik wil dat iedereen die iets met die aanval op mijn dochter te maken heeft, er de consequenties van zal dragen.'

'En wat gaan we nu doen?' vroeg Mark.

Wheaton dacht even na. 'We halen die collega's van Tharpe op en we verhoren hen een voor een. We moeten iemand vinden die kan bevestigen dat Ned en Melissa samen iets hadden.

Ondervraag Tomlins buren nog een keer en probeer erachter te komen of ze Ned Emory daar wel eens zagen rondhangen. Na verloop van tijd komen we er dan wel achter.'

Zesentachtig

Craigs werknemers waren in de wolken toen er radio's met elektronenbuizen in het gebouw geïnstalleerd werden. Bij de werkzaamheden die hij moest uitvoeren, was communicatie bijna net zo belangrijk als elektriciteit. Hij hoopte dat de hulpdiensten in het gebied aan het eind van de dag eveneens hun radio's zouden hebben. Spoedig daarop zouden alle regeringsinstanties weer met elkaar kunnen communiceren. Daarna was het slechts een kwestie van tijd voordat de telefoondienst weer hersteld zou zijn.

Omdat ze geen behoefte meer hadden aan morsecodes, plaatste hij Horace Hancock over naar de radio. De andere veteranen uit de Tweede Wereldoorlog kregen baantjes die pasten bij hun ervaring. Hoewel ze in de tachtig waren, was hij niet van plan hen naar huis te laten gaan. Ze hadden het geld nodig en hij verwachtte dat hun wijsheid en vaardigheden de eerstkomende dagen goed van pas zouden kunnen komen. Ze wisten beter dan hij hoe ze allerlei dingen aan moesten pakken zonder technische hulpmiddelen.

Niet lang nadat ze weer radioverbinding hadden gekregen, riep Horace: 'Craig, senator Crawford aan de lijn!'

Craigs hart sloeg een slag over. Hij rende door de hal heen en gleed bijna uit op het gladde linoleum toen hij bij Horace tot stilstand kwam. Hij pakte de koptelefoon en zette hem op. 'Senator, hoe is het met u?'

'Nu we weer kunnen communiceren, voel ik me een stuk beter!'

Craig lachte bij het zwakke geluid van de stem van zijn baas.

'We voelen ons allemaal een stuk beter, meneer. Hebt u de dingen waar ik om vroeg kunnen vinden?'

Er was veel geruis op de lijn. 'Ik heb wat rondgesnuffeld, Craig. Het zal nog wel even duren voordat de scanners, waar je om vroeg, weer gemaakt zullen worden. Zelfs de president kan er niet over beschikken. Maar ik heb momenteel contact met Hope Drugs Manufactoring. Ik verbind je door met Janice Goodwin.'

Dit was te mooi om waar te zijn. Craig wachtte en hield zijn adem in toen de vrouw aan de radio kwam. 'Hallo, Craig. Wat kan ik voor je doen?'

Hij slikte de brok in zijn keel weg. 'Ik probeer het leven te redden van het zusje van mijn verloofde.' Dat was wel niet helemaal waar, maar het was de eenvoudigste verklaring. 'We hebben zo spoedig mogelijk Decadron of een merkloze versie daarvan nodig.' Hij noemde de andere medicijnen die dr. Overton voor hem had opgeschreven.

'Ik heb die medicijnen in merkloze vorm beschikbaar,' zei ze. 'Als je ze kunt betalen, kan ik ze per trein naar je toezenden.'

Craig probeerde te berekenen hoelang het zou duren voordat hij ze zou hebben als ze per trein naar hem werden toegezonden. Dat zou op zijn minst twee dagen duren, met alle stopplaatsen misschien langer. Zo veel tijd hadden ze misschien niet. Hij wierp een blik op zijn horloge. 'Ik zou ze kunnen komen halen.'

'Echt? Helemaal vanuit Alabama?'

'Ja, ik kan nu meteen vertrekken.'

'Maar dat is een reis van twaalf uur heen en twaalf uur terug.'

'Niet als ik honderddertig per uur rijd.' Hij keek op zijn horloge. Het was nu tien uur 's ochtends. 'Ik kan er in acht en een half uur heen rijden, misschien iets korter als ik voldoende benzine kan krijgen. Kan ik u om zeven uur vanavond bij het Senaatsgebouw ontmoeten?'

'Ik zal er zijn,' zei ze grinnikend. 'Maar ik weet bijna zeker dat je er dan nog niet bent. O, en vergeet het recept niet.'

Craig hoopte dat de staatsdirecteur er niet achter zou komen dat hij zijn baan op zo'n kritiek moment in de steek liet en dat hij de bedrijfsauto voor persoonlijke zaken gebruikte. Hij berekende dat hij acht tanks met benzine nodig had om heen en weer te rijden. Zijn auto had een benzinetank voor zestig liter. Hij reed naar de ombouwfabriek die naast zijn kantoorgebouw stond, gooide zijn tank vol en vulde vervolgens dertien jerrycans. De mensen op de fabriek namen aan dat hij het voor regeringszaken nodig had, dus niemand protesteerde. Hij zette de jerrycans op de vloer voor de achterbank en in de koffer van zijn auto. Als hij een ongeluk zou krijgen zou zijn auto waarschijnlijk exploderen. Nu had hij voldoende benzine om in Washington te kunnen komen. Als hij daar was, zou hij de jerrycans opnieuw kunnen vullen om weer terug te rijden.

Toen hij de stad uit reed, ging hij even bij het ziekenhuis langs. 'Ik ga de benodigde medicijnen bij Hope Manufacturing in Washington halen,' zei hij tegen Deni. 'Ik ben morgen weer terug.'

Deni staarde hem alleen maar aan. 'Craig, kun je dat echt doen?'

'Let maar eens op.' Hij pakte haar bij de schouders en drukte een kus op haar lippen. 'Bid voor mij, schat.'

Toen haastte hij zich naar buiten, vastbesloten om zijn missie tot een goed einde te brengen, en biddend dat God zijn reis voorspoedig zou maken om voor Beth de medicijnen te gaan halen die ze nodig had.

Zevenentachtig

Die nacht bleef Deni bij Beth in het ziekenhuis zodat haar ouders wat rust konden nemen, aangezien ze Craig met de medicijnen pas de volgende morgen terugverwachtten. Ze wilde wel dat Mark bij haar kon blijven, maar hem was gevraagd de nachtdienst op het bureau van de sheriff voor haar vader te draaien.

Ze zat op de rechte stoel naast Beth's bed en luisterde naar haar ritmische ademhaling. Het was een heerlijk geluid. Het was warm in de kamer; er zaten geen ramen in de ic-afdeling en het was zo'n 35 graden in het gebouw. Het was hartje zomer en het zag er niet naaruit dat het spoedig wat koeler zou worden.

Ze maakte een washandje nat en bette Beth's gezicht en hals in de hoop haar zus een beetje koelte te kunnen geven. De netspanning varieerde nog steeds en de lampen flikkerden. Maar door de elektriciteit waren ze in staat geweest Beth aan een hartmonitor te leggen en haar compressiekousen aan te trekken. De machine zoemde iedere paar seconden, waardoor de kousen werden opgeblazen om te voorkomen dat ze trombose zou krijgen.

Aangezien ze Beth's benen niet meer hoefde te masseren, had ze weinig te doen. Het zou een lange nacht worden.

Tegen middernacht kwam haar vriendin Chris even langs. 'Hoe gaat het?'

Deni gaf haar een omhelzing. 'Ik weet het niet. Controleer haar kaart en vertel het mij maar.'

'Dat heb ik al gedaan. Dr. Overton heeft opdracht gegeven haar de medicijnen toe te dienen zodra ze er zijn. Waar moeten ze vandaan komen?'

Ze glimlachte. 'Craig is onderweg naar Washington om ze te halen.'

Chris trok haar wenkbrauwen op. 'Wauw, wat een kerel, zeg. Hij is een echte held. Eerst ziet hij kans om ons weer elektriciteit te geven en nu dit.'

Deni besteedde geen aandacht aan haar overdreven gebabbel. 'Chris, denk je dat die medicijnen haar echt zullen helpen? Ik bedoel, zal ze er weer door bijkomen?'

Chris trok aan het maskertje voor haar gezicht. 'Als de zwelling erdoor afneemt, zullen ze geen craniëctomie hoeven te doen en als de druk afneemt, kan er weer herstel gaan optreden. Dat zal niet van de ene dag op de andere gebeuren, maar ze zal er ongetwijfeld baat bij hebben.'

Chris liep naar het hoofdeind van het bed en controleerde Beth's verband.

'Er wordt zeker overal feestgevierd in de stad nu de lichten weer aangegaan zijn?' vroeg Deni.

'Reken maar. In iedere straat. Het is net zoiets als het eind van de Tweede Wereldoorlog toen iedereen op straat elkaar kuste. Mijn ouders hebben alle apparaten in huis aangezet alleen maar om na te gaan of ze nog werken.'

'Raar hè, dat we dat allemaal moeten missen. Als dit allemaal niet was gebeurd, zouden we nu hetzelfde doen.'

'Heeft Craig gezegd wanneer we weer telefoon krijgen?'

'Nee, we hadden nauwelijks tijd om met elkaar te praten.'

'Ga je weer voor hem werken?'

Ze aarzelde, keek naar haar handen en dacht terug aan de kus die hij haar gegeven had voordat hij was vertrokken.

'Ik weet het niet. Ik denk er eigenlijk over om weer terug te gaan naar de krant.'

'De krant? Waarom?'

Deni keek naar haar op. 'Het is eigenlijk niet zo'n goed idee om voor Craig te werken. Met ons verleden en zo.'

Chris scheen er begrip voor te hebben. Deni was blij dat ze geen verdere verklaring hoefde te geven. Na een paar minuten ging Chris weer terug naar haar afdeling.

Deni probeerde het zich gemakkelijk te maken in een stoel. Ze schoof hem tegen de muur, legde haar hoofd ertegenaan en probeerde zich in de stoel uit te strekken. Maar erg gemakkelijk zat ze niet. Ze verlangde er hevig naar in haar eigen bed te liggen, met Beth naast haar. Ze stond op en streelde het haar van haar zusje. Zou ze nog ooit wakker worden?

Deni ging weer zitten en bad dat Craig niet zomaar wat praatte – dat hij echt de medicijnen kon krijgen die Beth nodig had. Toen vouwde ze haar armen op Beth's bed, legde haar hoofd erop en probeerde weg te doezelen.

'Ik ben weer terug, schat. Met de medicijnen.'

Deni schrok en keek op. Hoe lang had ze geslapen? In de deuropening stond Craig, gekleed in een ziekenhuisjas en met een maskertje voor zijn gezicht. Ze sprong op. 'Heb je ze? Echt?'

Zijn ogen glinsterden. 'Ik wist niet dat mijn auto zo snel was. Ik moet voortdurend honderdvijftig gereden hebben. Het was gelukkig nacht, anders had ik misschien een paar mensen kunnen overrijden.'

Ze sloeg haar armen om hem heen en hij tilde haar op en draaide met haar in het rond. 'Ik zei je toch dat ik ze te pakken zou krijgen.'

'Hij heeft ze inderdaad.' De verpleegster liep met twee injectiespuiten langs hen heen. 'Dr. Overton heeft mij gezegd ze haar te geven zodra ze binnen waren.' Ze injecteerde er een in Beth's infuus. 'U bent een wonderdoener, meneer Martin.'

'Ik doe gewoon wat ik kan.'

Deni keek toe terwijl de verpleegster de vloeistof langzaam injecteerde. 'God is de wonderdoener.'

Craig knikte alsof hij dat ook bedoeld had.

De verpleegster diende het tweede medicijn toe en controleerde toen Beth's hartslag en bloeddruk. 'Ze is in Gods handen. We kunnen alleen maar voor haar bidden.'

De verpleegster vertrok en Deni boog zich over Beth heen om te zien of ze al iets van verbetering zag, hoewel ze wist dat het daar nog te vroeg voor was. Ze legde zachtjes haar hand op

Beth's hoofd en begon hardop te bidden. Ze voelde Craigs hand in haar rug.

Nadat ze gebeden hadden, gingen ze zitten. Deni veegde haar ogen af. 'Ik vind het geweldig wat je gedaan hebt, Craig. In een dag helemaal heen en weer naar Washington. En het was niet eens werk voor de regering.'

Zijn ogen waren rood van vermoeidheid, maar ze lichtten weer wat op toen hij naar haar keek. 'Ik deed het omdat ik van je houd, Deni. En ik houd ook van je familie.'

Ze wist niet wat ze daarop zeggen moest. 'Het is gewoon fantastisch wat je gedaan hebt.'

Hij pakte haar hand en wreef met zijn duim over haar handpalm. 'Ik blijf bij je tot het weer licht wordt,' zei hij.

Ze trok haar hand niet terug. Hoe zou ze dat kunnen doen na alles wat hij gedaan had? 'Dat is niet nodig. Je moet naar huis gaan en proberen nog een beetje te slapen.'

'Ik kan toch niet slapen als ik weet dat jij hier zit.'

Hij was lief, heel anders dan de apathische Craig die haar na de pulsaties zo teleurgesteld had. Naar dit soort gedrag had ze verlangd, maar ze had het nooit van hem gekregen. Was niet alleen zijn geest, maar ook zijn karakter veranderd nu hij christen geworden was?

Ze slikte en ontmoette zijn blik. 'Craig, ik heb eens nagedacht. Ik weet dat ik gezegd heb dat ik weer terug zou komen naar het herstelteam, maar ik denk dat het beter is dat je iemand anders voor mij zoekt.'

'Ik houd de baan voor je open, Deni. Ik heb wel iemand anders aangenomen om mij met de pr te helpen, maar als je terugkomt, is die baan weer voor jou. Er zijn nog heel wat gebieden die nog geen elektriciteit hebben en nadat we al die gebieden weer van stroom voorzien hebben, zijn er nog tal van andere dingen te doen om de infrastructuur weer op te bouwen. En daar hebben we jou bij nodig.'

'Dat waardeer ik natuurlijk, maar ik denk dat ik het niet meer wil.'

Craig verstijfde. 'Waarom niet?'

'Omdat…' Ze stond op en trok de deken op Beth's bed recht. 'Ik houd van verslaggeving en onderzoek. Ik denk toch dat ik maar liever journalist blijf.'

'Maar Deni, het geld. Wij kunnen je zo veel meer betalen.'

'Dat weet ik, maar dat vind ik momenteel niet zo belangrijk.'

Hij keek haar aan alsof ze hem zojuist gevraagd had weg te gaan. Hij stond op, raakte haar schouder aan en trok het maskertje onder zijn kin. 'Deni, we begonnen echt een team te worden. We hadden zulke grote plannen. Ik geloof vast dat God mij hierheen gestuurd heeft om je terug te winnen. Ik was hier niet naartoe gekomen als ik geen hoop had. Ik weet dat je eens van mij gehouden hebt, maar ik was toen stom.'

Zijn oprechtheid ontroerde haar. 'Craig, ik zie dat je bent veranderd.'

'Toen je onze verloving verbrak, wist ik dat je dat voornamelijk deed om je geloof. Weet je nog dat je tegen mij zei dat we een ongelijk juk vormden? Ik heb dat in de Bijbel opgezocht en probeerde te begrijpen wat dat betekende, en ten slotte ging ik het begrijpen. Ik ging beseffen dat je niet met iemand kon trouwen die andere doelstellingen en andere prioriteiten had. Wat voor leven zou dat zijn?'

'Dat was niet de enige reden dat ik het heb uitgemaakt, Craig.'

'Dat weet ik,' zei hij. 'Toen de pulsaties begonnen was ik een hark. Ik ging helemaal op in mijn werk; ik had het zo druk dat ik nauwelijks aandacht voor je had en je niet ben komen halen. En ik begon na te denken over alle dingen die jij gedaan had om naar mij toe te komen en dat je je leven ervoor waagde. Ik was zielig en ik wist dat ik moest veranderen. En daarom ging ik naar de kerk.'

'Welke kerk?' vroeg ze.

'Christ Fellowship. Ik was er honderden keren langsgelopen zonder dat ik de kerk gezien had. Maar op een dag zag ik er mensen naar binnen gaan. Aanvankelijk ging ik in de achterste rij zitten en luisterde ik alleen maar. De dominee had het over dingen waar ik nog nooit van gehoord had. Dan ging ik naar huis, zocht het op en las het in de Bijbel. Ik voelde me hulpeloos. In het senaatsgebouw maakten we al die plannen en probeerden we alles voor te bereiden voor het herstel. Ten slotte begon het tot mij door te dringen dat al onze pogingen vruchteloos waren omdat God alle dingen bestuurt. Hij had de pulsaties veroorzaakt en wij konden er geen eind aan maken en de crisis beëindigen.'

Deni keek hem gefascineerd aan.

'En toen ging ik op zondagen ook 's avond naar de kerk en op een avond vroeg de dominee mij naar voren te komen voor gebed. Ik ging naar hem toe en zei dat ik gebed nodig had omdat ik geen christen was. Ik had mijn leven nooit overgegeven aan Christus en ik wist niet precies wat er voor nodig was om dat te doen. Broeder Harris bad met mij en voor ik het wist had ik mijn leven overgegeven aan Christus. En vanaf dat moment wist ik dat ik veranderd was.'

Deni knipperde haar tranen weg. 'Ik ben blij voor je, Craig.'

Hij pakte haar hand weer. Door alle kantoorwerk waren zijn handen nog steeds zacht, niet hard en vereelt zoals van Mark.

Maar deze handen deden belangrijk werk.

'Deni, ik weet dat, toen ik terugkwam en vertelde dat ik christen geworden was, jij en je familie dachten dat het alleen maar een slimmigheidje was. Maar dat is niet zo. God heeft mijn leven veranderd.'

'Ik geloof je.'

'Daar ben ik erg blij mee. Je bent eens verliefd op mij geweest, schat.'

Ze keek van hem weg, maar hij raakte haar gezicht even aan waardoor ze weer naar hem keek. 'Met Christus in het middelpunt kunnen we een geweldig huwelijk hebben, Deni. We zullen prachtige kinderen krijgen en een gezamenlijk doel hebben. Onze carrières zullen in dezelfde richting gaan. We hebben dezelfde interesses, intellect en gedrevenheid. We zouden een geweldig paar vormen. En dat weet je.'

Ze zei niets. De compressor zoemde en ze keek naar Beth's kousen die weer opzwollen. Hij draaide haar gezicht weer naar zich toe.

'Ik begrijp wel waarom je belangstelling voor Mark hebt,' zei hij. 'Hij is een sterke vent. Daar heb je gelijk in. Hij kan heel veel. Maar Deni, hij is niet de juiste man voor jou.'

Ze glimlachte en ging weer zitten. 'Grappig, hij zei een paar maanden geleden hetzelfde over jou.'

Craig boog zich naar haar toe. 'Hij had gelijk. Op dat moment. Maar ik ben veranderd, Deni.'

Wat deed hij nu? Hij zat op zijn knieën voor haar. Ze probeerde hem overeind te trekken. 'Craig…'

'Nee, niet doen.' Hij legde zijn vinger op haar lippen om haar tot zwijgen te brengen. 'Alsjeblieft, laat mij praten. De afgelopen maanden is mijn leven zonder jou ellendig geweest. Ik heb voortdurend het knagende gevoel dat ik iets mis. Ik kan de gedachte dat ik zonder jou zou moeten leven niet verdragen en ik weet dat ik je gelukkig kan maken. Ik kan je alles geven wat je verlangt.'

'Wat doe je?'

Hij stak zijn hand in zijn zak en haalde er de ring uit die ze bijna een jaarlang gedragen had.

Ze ging rechtop zitten en verstijfde. 'Mijn ring…'

Toen ze de tranen in zijn ogen zag, werd ze ontroerd. Ze dacht terug aan de hoop die ze voor hen samen gehad had, aan alle plannen die ze samen gemaakt hadden. Hoe opgewonden ze geweest was en hoe vereerd dat hij haar als vrouw wilde.

'Luister naar mij, Deni. Ik wil dat je die ring weer aan je vinger schuift en dat we samen een datum voor onze trouwdag vaststellen. Ik wil mijn leven met jou delen. Zeg alsjeblieft geen nee.'

Deni raakte de ring aan en dacht aan de blijdschap die hij haar maanden geleden gegeven had.

Plotseling begon Beth's monitor te piepen. Deni sprong op en stootte de ring uit zijn hand.

Beth's gezicht was roze, warm. Deni hield haar adem in toen ze haar ogen onder haar oogleden zag bewegen. 'Beth!'

Beth deed haar ogen open en keek haar strak aan. 'Niet doen, Deni.'

Beth had gepraat! Deni's hart hield bijna op met kloppen en terwijl de tranen in haar ogen schoten, boog ze zich over haar zus heen. 'O, liefje!'

Toen twee verpleegsters binnenrenden, deed Beth haar ogen weer dicht. 'Wat is er gebeurd?'

'Ze is wakker geworden!' riep Deni. 'Ze is wakker geworden en ze heeft tegen me gepraat!'

De verpleegster liep naar haar bed en tikte Beth op haar wang. 'Beth, Beth, kun je mij horen?'

De andere verpleegster luisterde naar haar hart. 'Hartslag is goed. Bloeddruk normaal.'

Deni draaide zich om. 'Craig, ga mijn ouders halen. Opschieten!'

'Ik ben al weg,' zei hij en rende de deur uit.

Achtentachtig

Door het gebons op de deur van haar slaapkamer schrok Kay wakker uit een diepe slaap en ze schoot overeind. 'Wie is daar?' Ze stak haar hand uit naar de lamp en knipte hem aan toen de deur openvloog.

Craig kwam haastig naar binnen. 'Ga mee naar het ziekenhuis,' zei hij buiten adem. 'Beth is wakker geworden.'

Kay kon niets zeggen. Hij moest toch in Washington zijn? Had ze hem goed verstaan?

'Meen je het echt?' Doug sprong uit bed en pakte zijn broek.

'Ja, ze deed haar ogen open en praatte. Deni heeft mij gestuurd om jullie op te gaan halen.'

Eindelijk drong de realiteit door de mist heen. Kay greep haar ochtendjas. 'Is ze bijgekomen? Heeft ze gepraat?'

Het vage licht verdiepte de schaduwen op Craigs gezicht. 'Ik heb maar drie woorden gehoord voordat ik wegging, maar ja, ze heeft echt gepraat.'

Kay deed de lamp aan het plafond aan zodat ze nu zijn vermoeide gezicht beter kon zien. 'Drie woorden? Wat zei ze dan?'

Craig aarzelde even. 'Ze zei: "Niet doen, Deni."'

Kay staarde hem aan. 'Wat moest ze niet doen?'

Hij haalde zijn schouders op en keek naar de vloer. 'Dat doet er niet toe. Waar het om gaat is dat ze haar zus herkende.'

'O, Craig!' Ze sloeg haar armen om hem heen en hij viel bijna. 'De medicijnen – je bent al weer terug?'

'Ja, ze hebben haar een uur geleden de medicijnen gegeven.'

Kay stak in een vertoon van overwinning haar armen in de

lucht. 'Daarom is ze natuurlijk bijgekomen. Craig, hoe kunnen we je ooit bedanken?'

Hij grijnsde haar halfslachtig toe. 'Jullie bedenken wel iets.'

Ze wist dat hij op Deni doelde. Maar ze had er nu geen tijd voor om er verder aan te denken. Ze keek om zich heen om te zien wat ze aan moest trekken. Ze had in dagen niet gewassen. Ze pakte de kleren die ze had uitgetrokken toen ze naar bed was gegaan van de stoel en draaide zich weer om naar Craig. 'Over twee minuten zijn we klaar.'

Toen de deur weer dicht was, rende ze naar de kast. Doug kwam haar tegemoet en ze lachten beiden. 'Ze is bijgekomen!' riep Kay.

Doug tilde haar op en kuste haar in de hals. 'Opschieten nu.'

Ze trok haar kleren aan en greep haar schoenen. Doug was de deur al uit toen ze zich door het huis haastte. Ze was halverwege de trap toen ze Jeff en Logan riep. 'Beth is wakker geworden! Opschieten, jongens. Trek wat kleren aan. We gaan.'

De slaperige jongens tuimelden bijna de trap af en ze klommen allemaal in Craigs auto. Kay zat de hele weg naar het ziekenhuis te huilen en ze dankte God voor de verhoring van hun gebeden.

Negenentachtig

Omdat haar toestand zo kritiek was geweest en het nieuws zo goed, mochten ze met hun allen de kamer van Beth binnen. Kay worstelde met de ziekenhuiskleding en stak haar been in de verkeerde pijp. Geërgerd trok ze de broek weer uit en probeerde het nog een keer.

Toen ook de jongens zich omgekleed hadden, vloog ze Beth's kamer binnen. Deni stond over haar heen gebogen en praatte zachtjes tegen haar.

'Is ze nog steeds bij?' vroeg Kay.

Deni keek op, haar ogen moe maar sprankelend van hoop. 'Nee, mam. Ze slaapt weer.'

'Maar ze is toch wakker geweest? Ze herkende je toch?'

'Heel even maar. Maar haar bloeddruk is nu stabiel en ze heeft weer kleur op haar gezicht.'

Kay raakte Beth's gezicht aan. 'O, waarom was ik er niet bij?' Ze schudde haar zachtjes. 'Liefje, kun je mij horen? Kun je weer wakker worden? Alsjeblieft. Mama wil echt zien dat je weer beter wordt.'

Beth reageerde niet.

'Sorry, mam. Ik heb geprobeerd haar wakker te houden.'

Kay vocht tegen haar teleurstelling. 'Dat geeft niet. Als ze wakker is geweest, wordt ze wel weer wakker. De medicijnen hebben kennelijk geholpen. We moeten gewoon geduld hebben.'

Doug kwam naast haar staan. 'O nee. Ze is weer weggezakt.' Hij ging rechtop staan en keek Deni aan. 'Vertel eens wat er gebeurd is. Niets weglaten.'

Logan en Jeff kwamen binnen en Deni keek achter hen naar de deur. 'Waar is Craig?'

'In de wachtkamer. Hij dacht dat het te vol zou worden.'

Deni slikte. 'Het was zo gek. Craig en ik zaten te praten... over ons. En toen haalde hij de ring uit zijn zak en vroeg mij opnieuw. En toen zei Beth ineens: "Niet doen, Deni."'

Logan lachte. 'Nou, dat weet je dan, zus!'

Kay sloeg haar handen voor haar mond en lachte. Doug kuste Beth op haar roze wang. 'Dat is mijn dochter.'

'Was dat alles?' vroeg Jeff. 'Zei ze niet meer?'

'Dat was alles,' zei Deni. 'En toen knipperde ze even en deed haar ogen weer dicht. Maar mam, pa, ze kan ons wel horen. Dat weet ik zeker. Ik heb al die tijd tegen haar gepraat.'

Logan kwam naar haar bed en schudde aan haar arm. 'Kom op, Beth. We weten nu allemaal dat je maar doet alsof.'

Kay legde haar hand op zijn schouder. 'Nee, ze doet niet net alsof, jongen.'

Logan knipoogde naar haar en nu begreep ze hem. Hij wilde proberen ruzie uit te lokken. Als dat zou kunnen werken.

Toen er geen reactie kwam, probeerde hij het nog eens. 'Jimmy is hier geweest. Hij wilde je zien. Als je niet opschiet, geeft hij je de bons. Omdat zijn vader ook zo'n tijd in het ziekenhuis gelegen heeft, baalt hij van ziekenhuizen.'

Beth bleef stil en zwijgend liggen.

De uren gingen voorbij en ze konden haar niet wakker krijgen. Ten slotte stuurde de verpleegster hen allen op twee na de kamer uit. Kay en Doug bleven tegen haar praten en haar strelen, maar ze kwam niet opnieuw bij.

Teleurgesteld liep Kay ten slotte naar de wachtkamer en trommelde haar gezin bij elkaar. 'Ik blijf hier,' zei ze, 'en jullie gaan naar huis.'

Deni weigerde. 'Nee, mam, jij moet gaan slapen. Ik blijf wel bij haar.'

'Je kunt mij niet dwingen nu weg te gaan, Deni. Als ze weer bijkomt, wil ik erbij zijn. Bovendien heb ik al een paar uur geslapen.' Ze wees naar het raam. 'Het is al ochtend.'

Deni keek verbaasd naar het ochtendlicht dat door het raam viel. 'En hoe staat het met papa?'

'Hij blijft ook. We hebben hier te lang op gewacht. We voelen dat er een doorbraak komt.'

Negentig

De ochtendzon wierp haar licht op de Tungsten Road toen Craig hen naar huis reed en prikte in zijn vermoeide ogen. Hij wilde niets liever dan een poosje gaan slapen, maar hij moest weer terug naar kantoor. Hij had geen tijd om een dag vrij te nemen.

Vermoeidheid versterkte zijn depressie en maakte de betekenis van wat Beth gezegd had nog erger. Hij had gewild dat ze weer bij zou komen. Dat was de reden geweest dat hij helemaal naar Washington gereden was om de medicijnen te gaan halen. Maar hij had niet verwacht dat ze hem net op het moment dat hij op zijn knieën zat om een aanzoek te doen, zou afvallen.

Hij zweeg en besteedde geen aandacht aan het gepraat van de jongens die achter in de auto zaten. Deni zat naast hem, haar hoofd tegen de leuning en haar ogen gesloten. Ze was al even uitgeput als hij. Hij vroeg zich af of de woorden die Beth gezegd had ook voortdurend door haar hoofd speelden of dat ze ze alleen maar als een verward gemompel had opgevat. Hij moest het weten.

Deni deed haar ogen weer open toen ze het garagepad op reden. Ze stapte moeizaam uit de auto en volgde haar broers naar de deur. Toen ze binnen waren, gingen Jeff en Logan meteen de trap op naar hun kamer.

Deni draaide zich naar hem om. 'Bedankt voor alles wat je vannacht gedaan hebt, Craig. Het lijkt erop dat er, dankzij jou, een grote verbetering is opgetreden.'

Niet bij jou en mij, dacht hij. Het heeft geen enkel verschil gemaakt. Als ze met hem zou willen trouwen, zou ze wel zijn teruggekomen op het gesprek. Haar zwijgzaamheid zei meer dan hij wilde horen.

Maar hij zou het er niet bij laten zitten. Hij stak zijn handen in zijn zakken. 'Deni, kunnen we praten over wat er is gebeurd?'

Ze keek hem aan en het was duidelijk dat ze wist wat hij bedoelde. 'Craig, ik ben echt moe. Laten we er later over praten.'

Dat ergerde hem. 'Ik ben ook moe, Deni. Ik denk dat ik in geen dagen geslapen heb. Ik heb er nota bene voor gezorgd dat er weer stroom is. Ik ben helemaal naar Washington heen en weer gereden.'

'Het spijt me. Ik wilde je niet…'

'Ik had je net een aanzoek gedaan en je aangeboden de ring weer terug te geven. Ik verdien het niet dat je daar nu niet op in wilt gaan.'

Deni ging op de bank zitten. 'Het spijt me dat het zo gelopen is, Craig. Ik weet niet wat ik moet zeggen.'

Hij liet een kort lachje horen. 'Nou, ik denk dat je daarmee alles gezegd hebt.'

Ze keek hem bedroefd aan. 'Ik wil je niet kwetsen. Echt niet. Ik geef heel veel om je.'

Hij slaakte een diepe zucht en liet zich in Dougs stoel vallen. Afwijzing had een smaak, dacht hij. De bitterheid ervan deed zijn ogen branden.

'Heeft Mark je eigenlijk ooit ten huwelijk gevraagd?'

Ze keek naar de grond. 'Niet met zo veel woorden. De afgelopen tijd is alles nogal vreemd verlopen.'

Hij wilde dat spoor verder volgen, haar laten denken dat Mark helemaal niet van plan was haar te vragen om met hem te trouwen. Maar hij wist wel beter, en zij ook. Hij dacht terug aan het moment in het ziekenhuis, toen ze zo blij was geweest over de medicijnen die hij opgehaald had. Toen hij haar de ring had aangeboden, had hij de vreugde in haar ogen gezien. Hij had haar zover gekregen. Ze zou ja gezegd kunnen hebben. Maar toen was Beth wakker geworden.

Hij liet een kort lachje horen. 'Nou, ik moet wel zeggen dat je zus weet wanneer ze iets moet zeggen. Ze heeft mij nooit gemogen.'

Deni keek hem aan. 'Dat is niet waar. Toen we net verloofd waren, aanbad ze je.'

'Ze houdt meer van Mark. Ze steunt hem, zelfs als ze in coma ligt.'

Zijn opmerking irriteerde haar en ze keek hem strak aan. 'Craig, wees blij voor Beth. Dit gaat niet om jou.'

Nu voelde hij zich een schoft. 'Dat weet ik. Dat bedoelde ik ook niet. Je weet dat ik voor haar heb gebeden en dat ik heb gedaan wat ik kon.'

'Dat weet ik. We zijn je veel verschuldigd. We krijgen haar weer terug.'

Misschien had Mark wel gelijk. Nu al Deni's gedachten om Beth draaiden en ieder gesprek uiteindelijk over haar ging, was het niet zo'n goed idee om haar ten huwelijk te vragen.

Hij stond op en keek op haar neer, wachtend op iets wat ze hem niet kon geven. Hij stak zijn hand in zijn zak, voelde de ring en schoof hem aan zijn pink. Hij wilde wel dat hij de man was die een vrouw zoals zij gelukkig kon maken. Als dat zo was, zou ze hem trouwens de ring nooit hebben teruggegeven.

Hij wreef over zijn nek. 'Nou, ik kan maar beter teruggaan naar mijn werk, denk ik.'

'Je kunt toch wel een uurtje gaan slapen?'

Hij haalde zijn schouders op. 'Ik vind wel een plekje op kantoor waar ik later op de dag een dutje kan doen. Het gaat wel. Iemand zal wel koffie hebben gezet.'

Ze stond op, liep naar hem toe en omhelsde hem. Hij hield haar iets te lang vast en haatte zichzelf erom dat hij zo wanhopig scheen. Toen kuste ze hem op de wang.

De platonische kus sneed als een mes door zijn hart. Hij liet haar los en ze liep de trap op. Hij keek haar na en vroeg zich af waarom hij nog steeds hier was.

Eenennegentig

Deni ging naar haar kamer en sloot de deur. Lusteloos ging ze met haar kleren nog aan op het bed liggen en staarde naar het plafond. De gebeurtenissen van de afgelopen nacht waren erg verwarrend geweest. Toen Craig haar had herinnerd aan hun begin, had ze weer een zekere vertedering voor hem gekregen.

Maar had God Beth gebruikt om tot haar te spreken?

Had ze, met een voet in de hemel en een voet op aarde, een bijzonder inzicht?

Deni probeerde de dingen door Beth's ogen te zien. Natuurlijk wilde Beth dat ze met Mark zou gaan trouwen. Beth hield van hem. Mark had haar een bijzonder koosnaampje gegeven en had haar dingetjes gegeven die hijzelf gemaakt had. Hij had haar geholpen met de rekwisieten voor haar toneelstukjes en had haar het gevoel gegeven dat ze een ster was. Hij behandelde haar als een vriendin, niet als het kleine zusje van zijn vriendin.

Deni twijfelde er geen moment aan dat Beth's 'Niet doen, Deni', alles te maken had met Craigs huwelijksaanzoek. Ze glimlachte.

Ze probeerde zich een huwelijk met Craig voor te stellen. Ze zouden ongetwijfeld een luxueus leven leiden. Zijn werk in het herstelteam was een reusachtige stap in zijn carrière. Als ze bij hem zou blijven, zou ze binnen een mum van tijd ook zelf carrière maken. Tegen de tijd dat ze dertig was, zouden ze beiden bekend zijn en gerespecteerd worden als een invloedrijk echtpaar.

Het leven met Mark zou heel anders zijn. Als ze bij hem bleef, zou ze hier in Crockett blijven wonen en voor de krant blijven werken. Hij zou zijn bedrijfje beginnen in zonne-energie en zij zou hem daarbij helpen. Ze zou kinderen opvoeden en dicht bij haar familie blijven.

Waarom klonk dat beter dan wat Craig haar zou kunnen bieden?

Ze hoorde een bel en ging zitten, zich afvragend waar het geluid vandaan kwam. Toen ze het geluid weer hoorde, besefte ze met een glimlach dat het de deurbel was. Ze had het geluid sinds de stroom uitgevallen was niet meer gehoord.

In de hoop dat het nog meer goed nieuws over Beth was ging ze de trap af. Door het raampje in de deur zag ze dat Mark op de veranda stond.

Ze trok snel de deur open. 'Mark, heb je het gehoord?'

'Ja, ik ben net in het ziekenhuis geweest,' zei hij terwijl hij haar in zijn armen nam. 'Je moeder vertelde het mij. Nu komt het weer goed, Deni. Dit is het begin van haar genezing.'

Ze drukte haar gezicht tegen zijn hals en ademde zijn geur in. 'Ben je net zo moe als ik?'

'Waarschijnlijk niet. Kom bij me zitten.' Hij trok haar mee naar de bank en plofte erop neer. Ze nestelde zich in zijn armen en legde haar hoofd op zijn schouder.

'Je moeder vertelde me ook wat er is voorgevallen tussen jou en Craig.'

Ze ging rechtop zitten en keek hem aan. 'Het stelt niets voor, Mark. Maak je er alsjeblieft geen zorgen over.' Maar de kwetsbare blik op zijn stoppelige gezicht brak haar hart.

'Craig wilde je de ring dus teruggeven. Ik dacht al dat het onvermijdelijk was.'

'Ik heb hem niet aangenomen.'

'Ik hoorde dat jullie werden onderbroken.'

Ze glimlachte. 'Ja, onderbroken door mijn zus die in coma lag. Als dat geen boodschap van God was, weet ik het niet meer.'

Hij streek het haar uit haar gezicht. 'Had je een boodschap nodig?'

De kwetsbaarheid op zijn gezicht overwon haar irritatie. 'Je weet dat ik die niet nodig had.'

'Maar hij heeft het er niet bij laten zitten, neem ik aan? Jullie zijn samen thuisgekomen. Hij zal er wel op teruggekomen zijn.'

'Ja, dat deed hij,' fluisterde ze.

Hij keek haar strak aan. 'En wat zei je?'

'Ik probeerde het gesprek zo'n beetje te ontwijken.'

Zijn gezicht betrok. 'Je hebt hem dus niet afgewezen?'

'Ik was te moe om een lang, uitvoerig gesprek te hebben.'

Hij probeerde te glimlachen. 'Zoals je nu met mij hebt?'

'Ik houd van lange, uitvoerige gesprekken met jou. Altijd. Waar dan ook.' Ze kuste hem en streelde over zijn stoppelige gezicht en nek. Haar hart smolt toen ze zijn hart sneller voelde kloppen. 'Hij heeft me heel goed begrepen, Mark.'

De zorg verdween uit zijn ogen toen hij haar hoofd weer tegen zijn schouder trok. Ze nestelde zich in zijn armen en doezelde weg.

Terwijl Deni in zijn armen sliep dankte Mark God voor het voorrecht haar te kennen. Hij probeerde zich te concentreren op Beth's herstel en niet aan zijn eigen moeheid te denken. Deni had de laatste tijd erg veel doorgemaakt en ze had waarschijnlijk in geen weken goed geslapen. Nadat Craig Beth's medicijnen in Washington was gaan halen, had Craig haar zwaar onder druk gezet. Mark moest toegeven dat het een opofferende en heroïsche daad was geweest. Als hij Craig was geweest, zou hij ook van de gelegenheid gebruik hebben gemaakt.

Terwijl ze sliep, haar hoofd onder het zijne, bad hij. *Ik beloof dat ik haar gelukkig zal maken, God. Ik zal proberen dat mijn hele leven te doen.*

Hij was al sinds de middelbare school verliefd op haar geweest, hoewel ze dat niet geweten had. Toen had ze weinig belangstelling voor hem gehad, hoewel ze vriendschappelijk met elkaar omgingen. Toen ze naar de universiteit ging, had hij zich ertoe gezet verder te gaan. Maar een jaar geleden toen hij haar weer zag, was alles weer teruggekomen.

De afgelopen jaren had hij natuurlijk vaker een meisje gehad, maar er was er niet een geweest die zo'n hoofdrol in zijn dromen gespeeld had. Niemand.

Alstublieft, God.

Na een poosje realiseerde hij zich dat ze echt in slaap gevallen was. Hij hield van het geluid van haar ademhaling. Hij wilde er iedere nacht voor de rest van zijn leven naar luisteren en zou zich een bevoorrecht mens voelen.

'Ik houd van je, Deni,' fluisterde hij, in de wetenschap dat ze hem niet hoorde. 'Je weet dat Beth gelijk had.' Hij legde zijn hoofd tegen de leuning en viel toen zelf ook in slaap.

Tweeënnegentig

Dougs hoop nam af toen Beth 's middags nog niet wakker geworden was. De medicijnen hielpen niet. En toen haar bloeddruk tot 60/40 daalde en haar ademhaling onregelmatig werd, nam dr. Overton het besluit haar weer aan de beademing te leggen.

Doug probeerde ter wille van Kay, die niet van Beth's bed was weg te slaan, sterk te blijven. Maar zijn teleurstelling was groot.

Hij verliet de ic-afdeling, gooide de ziekenhuiskleding in de wasmand, en ging naar een rustig plekje te vinden om te bidden. Hij ging naar de kapel maar vond daar drie of vier anderen, die stil op de drie lange banken zaten en naar het kruis aan de muur of naar de opengeslagen bijbel op het podium keken. Hij wilde daar niet tussen vreemden gaan zitten, ook al waren het broeders en zusters in Christus. Hij wilde hardop tot God praten, in alle eerlijkheid zijn hart uitstorten.

Hoewel de liften weer functioneerden, liepen er in het trappenhuis allerlei mensen heen en weer en het was onmogelijk om je er af te zonderen. In alle wachtkamers zaten mensen en de binnenplaats was de verzamelplaats voor rokers.

Er was geen plaats om alleen te zijn met God.

En daarom ging Doug bij het raam in de hoek van de wachtkamer van de ic staan en fluisterde boze, wanhopige gebeden tegen de ruiten. Hij beoefende het geloof zonder twijfel, riep om genezing voor zijn kostbaar kind en verwachtte dat die onmiddellijk zou plaatsvinden zoals Lazarus uit zijn graf gekomen was.

Toen twijfelde hij aan zijn geloof en vroeg zich af of het wel sterk genoeg was om zijn gebeden te over te brengen. Was er iets van ongeloof waardoor ze niet bij de hemelpoort kwamen?

Net als de vader die ter wille van zijn gekwelde zoon bij Jezus kwam, fluisterde hij tegen de ruiten: 'Heer, kom Mijn ongeloof te hulp.'

Jezus had het gebed van die vader verhoord en zijn zoon genezen. Maar Doug vroeg zich af of zijn geloof misschien verflauwd en misvormd was. Wilde God Beth gebruiken om hem te laten zien hoe oppervlakkig het was?

Tranen rolden over zijn wangen en hij veegde ze weg. 'God, ik smeek U haar te redden,' fluisterde hij. 'Ik ga eraan ten onder en Kay ook. We kunnen dit niet verdragen. We hebben Uw hulp nodig. Als het mijn schuld is, als het mijn tekortkomingen zijn, laat het mij dan zien. Straf mij, niet Beth.'

Plotseling voelde hij een vrede over zich komen die hem vervulde met de warmte van een vader die zijn zoon troost – het onmiddellijke gevoel dat Beth niet in coma lag omdat hij of Kay iets misdaan hadden. De plotselinge, zekere wetenschap dat het om liefde ging.

Liefde? Hoe kon dat nu? Als God van hen hield, zou Hij hun toch het diepste verlangen van hun hart geven? Dan zou Hij hun kind toch redden?

Zijn menselijke geest zocht naar menselijke antwoorden en bracht hem tot conclusies. Natuurlijk zou God haar redden. Waarom zou Hij dat niet doen? Wie was er met haar dood gediend? Dat zou toch geen liefde zijn?

Op zekere dag, nadat ze weer genezen was, zouden ze voor gemeenten staan en Gods goedheid loven. Ze zouden zeggen dat gebeden die in geloof werden gedaan, altijd werden verhoord. Ze zouden het wonder van haar wakker worden en opstaan beschrijven. Ze zouden hun dankbaarheid delen.

Hij zou een boek schrijven om anderen te bemoedigen. Beth zou haar eigen boek schrijven. En als ze opgroeide, zou ze evangelist worden, zou ze over gebedsgenezing vertellen en zou ze God verheerlijken. Iedereen die hen kende, zou door het wonder voor Christus worden gewonnen.

Die gedachte verdreef zijn zwaarmoedigheid.

Maar de conditie van zijn dochter was niet veranderd. De realiteit ervan viel als een loden deken over zijn hart.

'Doug, kan ik je even spreken?'

Doug veegde zijn ogen met zijn mouw af en draaide zich om. Craig stond er. 'Hoi, ben je weer terug? Heb je wat geslapen?'

Craig keek naar Dougs ogen. 'Het spijt me. Ik wist niet dat je…'

'Aan het bidden was. Geeft niet. Laten we gaan zitten.'

Craig ging op een van de vinyl stoelen zitten en keek Doug bezorgd aan. Doug haalde zijn zakdoek uit zijn zak en snoot zijn neus.

'Is alles goed? Het gaat toch niet slechter met Beth?'

'In feite wel, ja. Ze ligt weer aan beademing.' Hij schraapte zijn keel om de neerslachtigheid uit zijn toon weg te krijgen.

'Dat spijt me. Ik dacht dat ze vooruitging.'

'Ik ook. Maar goed, ze is vanmorgen even wakker geweest. Dat kan weer gebeuren.' Zijn toon was neutraal. 'En, heb je wat geslapen?'

'Ik heb een uurtje op kantoor geslapen. Toen moest ik naar Birmingham omdat ze daar weer een onderstation hebben aangesloten.' Craig zuchtte. 'Ik kwam even langs om over Deni te praten, maar als het je niet schikt…'

Dougs borst trok samen. Romantiek was nu wel het laatste waarover hij wilde praten. Maar Craig had zo veel voor hen gedaan. 'Ik luister.'

Craig keek naar zijn handen. 'Ik weet dat ze gespannen is om Beth en ik weet niet hoe ik haar kan helpen. Je zult ongetwijfeld gehoord hebben dat ik haar vannacht, voordat Beth wakker werd, ten huwelijk heb gevraagd. Ik dacht dat de zaken er anders voor zouden staan als jij er je goedkeuring aan zou geven.'

Zijn goedkeuring? Doug hoopte dat zijn verbazing niet op zijn gezicht te zien was. Daar kon hij zijn goedkeuring niet aan geven. Maar hij wilde Craigs gevoelens sparen. 'Ik praat daar liever niet met Deni over.'

'Maar je hebt wel met haar over Mark gepraat.'

Dat was waar. Hij had heel wat keren met Deni over Mark gepraat. En Mark had met Doug over haar gepraat. Hij had hem zelfs om haar hand gevraagd. Dat had Craig nooit gedaan.

'Luister eens, Craig. Ik mag je graag. Echt waar. Je bent een prima kerel en ik weet zeker dat je een goede echtgenoot voor een vrouw zult zijn.'

Craig beet op zijn lip. 'Waarom voel ik nu een "maar" komen?'

'Maar... voor je terugkwam, waren Deni en Mark erg gelukkig met elkaar. Ze konden goed met elkaar overweg en Kay en ik hadden er een goed gevoel over. Deni was nog nooit zo gelukkig geweest.'

Het was duidelijk dat Craig dat niet kon aanvaarden. 'Heb je wel eens overwogen dat God mij misschien op tijd terugstuurde om te voorkomen dat die relatie verder zou gaan?'

Als er al sprake was van goddelijk ingrijpen, dacht Doug, dan was dat toen Beth even wakker werd om Deni te zeggen dat ze het niet moest doen. Maar hij wilde Craig niet verder kwetsen. 'Ik ben er vast van overtuigd dat, als God wil dat ze met jou zal trouwen, ze dat ook zal doen en als Hij wil dat ze met Mark zal trouwen, zal ze dat ook doen. En als Hij iemand anders voor haar op het oog heeft, dan zal Hij haar naar die persoon toe leiden.'

Craig boog zich wat naar voren en keek hem strak aan. Hij liet zijn stem zakken tot een fluistering en zei: 'Doug, wie kan haar een beter leven geven? Je weet dat ik dat kan.'

'Ja, als we het financieel bekijken, heb je gelijk,' zei Doug. 'Er was een tijd in Deni's leven waarin ik dacht dat dat het enige belangrijke was. Als er iemand was die heel veel verdiende en mijn dochter alles kon geven wat ze verlangde, dan was dat de kerel die ze moest krijgen. Maar ik heb het afgelopen jaar veel geleerd. Met geld kun je geen geluk kopen. Op de dag dat de bank openging, kreeg ik negenhonderd dollar en ik heb er nog nauwelijks aan gedacht. Met geld kan ik momenteel mijn kind niet redden. En geld zou mij niet helpen als we haar zouden verliezen.' Zijn stem brak en zijn gezicht vertrok. Hij wachtte even en probeerde zich te beheersen. 'Ik wil graag denken dat zowel jij als Mark beiden de eigenschappen hebben om Deni gelukkig te maken. Maar we zullen de beslissing aan Deni zelf over moeten laten.'

Craig keek met een uitdagende blik om zich heen naar de mensen die in de wachtkamer rondliepen. Ten slotte richtte hij zijn blik weer op Doug. 'Jullie hadden je er helemaal op voorbereid dat Mark jullie schoonzoon zou worden, hè? Je hebt mij niet vergeven dat ik teruggekomen ben.'

'Craig, we hebben je al de tijd dat je terug bent bij ons in huis opgenomen. Dit heeft niets met wrok te maken. Je bent mijn gezin erg behulpzaam geweest, en ik bewonder je om wat je doet. Ik ben je als een vriend gaan beschouwen.'

'Maar niet als een schoonzoon?'

'Alleen maar als Deni dat wil.'

Craigs ogen werden wat milder toen hij hem aankeek. 'Hoe kan ik je bewijzen wat voor man ik ben?'

'Dat heb je al bewezen,' zei Doug. 'Wat je voor Beth gedaan hebt, is geweldig. Ik hoef geen verdere bewijzen.'

'Nee, maar ik wel.' Craig keek hem fel aan toen hij zijn stem weer liet dalen tot een gefluister. 'Ik wil je laten zien dat ik haar gelukkig kan maken. Als ze met mij trouwt, zal ze zich geen dag ongelukkig voelen, zal ze geen dag bedroefd zijn. Daar zal ik voor zorgen.'

Doug stootte een droevig lachje uit. 'Dat kun je haar niet beloven, Craig.'

'Jawel, dat kan ik wel.'

Doug wilde wel dat het zo was. 'Ik weet dat je het zou proberen. Maar niemand kan dat aan wie dan ook beloven. Jezus zei: "In de wereld zal je verdrukking hebben." We zitten hier in de wachtruimte van de ic terwijl mijn dochter hier aan beademing ligt. Jij kunt Deni niet beloven dat je haar van problemen en verdriet kunt vrijwaren. Die macht heb je niet.'

Craig leunde achterover tegen de muur. Hij keek met glinsterende ogen naar het plafond. 'Wat ik nog wel even wil opmerken, toen ze zei: "Deni, niet doen," was dat volgens mij niet meer dan een droom.'

'Dat zou kunnen.'

'En zelfs als Beth bij volle bewustzijn was en haar eigen wensen kenbaar maakte, betekent dat nog niet dat ze gelijk had. Als ze weer bijkomt, kan ik haar voor mij winnen. Ik heb niet zo veel tijd gekregen als Mark.'

De verslagenheid op het gezicht van de jongeman raakte Dougs hart. 'Craig, zelfs als Beth wist wat ze zei – zelfs als het een woord van God was – was het geen getuigenis over je karakter.'

Hij kreeg rimpels in zijn voorhoofd toen hij weer naar het plafond staarde. 'Ja, dat was het wel.'

Doug raakte Craigs schouder aan. 'Soms leidt God ons in een andere richting omdat Hij van ons houdt. Niet omdat we minder zijn dan iemand anders.'

Craig probeerde door zijn tranen heen te lachen. 'Dit is zo vreemd. Ik voel me zelden inferieur.'

Doug glimlachte. 'Ik denk dat niets je nederiger maakt dan verliefd worden.'

Craig keek naar zijn voeten en Doug klopte hem op de rug. 'Ik denk dat ik maar weer eens aan het werk moet.'

Doug gaf hem een hand. 'Vertrouw op God, Craig. Als het Zijn bedoeling is dat jij Deni krijgt, zal je haar krijgen en krijg je mijn zegen. Maar als dat niet zo is, is er iemand die beter bij je past.'

Craig liet zijn schouders hangen toen hij de wachtkamer uit liep.

Drieënnegentig

Mark sliep maar een uur voor hij weer wakker werd. Hij legde Deni behoedzaam op de bank. Ze lag vast te slapen toen hij naar buiten liep en de vermoeidheid van zich af probeerde te schudden. Er was werk aan de winkel.

De afzonderlijke gesprekken met de collega's van Clay Tharpe hadden weinig opgeleverd. Geen informatie waar hij wat aan had. Hij kreeg bij ieder gesprek het gevoel dat ze hem niet alles vertelden wat ze wisten. Iets of iemand weerhield hen ervan om te praten. Hij vermoedde dat hun baas hun een reden gegeven had om hun mond te houden.

Toen ze Ned Emory ondervroegen, kregen ze met diezelfde muur van weerstand te maken. Hij ontkende dat hij een verhouding met Melissa of een bijzondere relatie met Clay Tharpe had en beweerde dat hij gelukkig getrouwd was. Mark wist wel beter. Neds vrouw was meestal zwaar overspannen, depressief en min of meer suïcidaal – niet de juiste eigenschappen voor een gelukkig huwelijk. Ned zei ook dat hij niet had geweten dat Blake Tomlin zijn vrouw mishandelde.

Dus waarom had Melissa's vader hen op het spoor van Ned Emory gezet? Ze had hem waarschijnlijk niet verteld dat ze een verhouding had. Misschien was hij er op de een of andere manier achter gekomen en had hij ook de moord ontdekt. Hij had Neds naam misschien laten vallen met de bedoeling hen van het spoor van Melissa af te halen.

Mark had zich over laten plaatsen naar de nachtdienst, zodat hij overdag Melissa Tomlin in de gaten kon houden, vastbesloten om de nodige verbanden te leggen. Om haar huis te kunnen bewaken zonder op te vallen, deed hij net of hij in dienst was van de stad Crockett en nam hij zijn gereedschapskist mee naar Magnolia Park om alle speeltoestellen in het park te gaan controleren. Met een honkbalpetje en een zonnebril op hoopte hij geen aandacht te trekken.

Hij draaide bouten aan tot hij haar garagedeur open zag gaan. Toen ze van huis ging, volgde hij haar op zijn fiets en bleef op afstand terwijl ze boodschappen deed. De weduwe maakte geen treurige indruk. In plaats daarvan scheen ze vrolijk en gelukkig te zijn. Ze liep opgewekt en levenslustig over straat alsof het leven haar toelachte. Dat haar man was vermoord en dat haar vader een doodvonnis wachtte, scheen haar weinig te deren.

Maar dat was waarschijnlijk niet genoeg om haar te arresteren.

Vierennegentig

Terwijl Doug waakte aan Beth's bed verslond hij boeken over gebed die ongelezen bij hem thuis in de boekenkast hadden gestaan. Hij had de boeken gekocht toen hij net christen geworden was, boeken die hem door vrienden waren aangeraden en waarvoor hij nooit de tijd gevonden had om ze te lezen. Nu dronk hij de inhoud van de boeken in, dorstig als een spons, zoekend naar iets wat zijn gebedsleven zou versterken waardoor veranderingen zouden optreden.

Maar hoe oprecht en ernstig hij ook bad... Beth ging achteruit.

Hij was aan het eind en uitputting maakte hem wanhopig. Sinds ze even was bij geweest zaten ze nu al dagen in het ziekenhuis, wachtend op een ander teken dat ze weer naar hen zou terugkeren.

Op dinsdagavond haalde Deni hen ertoe over om naar huis te gaan. Ze wilden eigenlijk Beth niet nog eens achterlaten, maar als hij niet een nacht in zijn eigen bed goed zou kunnen slapen, zou hij nergens meer toe in staat zijn.

Het bed was een luxe. Hij hield Kay vast terwijl ze naast hem lag.

'We doen iets verkeerd,' fluisterde ze. 'Onze gebeden worden niet verhoord. Wat doen we verkeerd?'

Hij streelde haar schouder en staarde naar het plafond. 'Ik heb alles wat ik over gebed kon vinden, gelezen,' zei hij. 'Sommige boeken geven mij het gevoel dat ik een totale mislukking ben. Dat mijn gebeden niet verhoord worden omdat ik niet hard genoeg bid. Dat ik niet ernstig genoeg bid. Maar wat kunnen we nog meer doen dan onszelf binnenstebuiten keren met onze smekingen naar de hemel?'

'Misschien moeten we vannacht niet gaan slapen, maar de hele nacht doorgaan met bidden.'

'We zijn iedere nacht opgebleven om te bidden,' zei hij. 'Ik denk niet dat het dat is.' Zijn ogen brandden van vermoeidheid en al zijn spieren deden zeer. 'Sommige boeken die ik heb gelezen, suggereren dat Beth's leven helemaal van ons afhangt, alsof de energie die we aan gebed besteden het enige is wat haar kan redden. Maar volgens mij kan dat allemaal niet waar zijn,' zei hij. 'Jezus zei dat Zijn juk zacht en Zijn last licht is. Maar dit is verpletterend.'

Ze ging zitten en keek op hem neer. 'God moet onze gebeden verhoren,' zei ze. 'Hij houdt meer van Beth dan wij.'

'Maar stel dat…' Zijn stem haperde. 'Stel dat het niet Zijn wil is om haar te redden.'

Kay keek hem aan alsof hij haar verraden had. 'Doug, dat kun je niet zeggen. Dat mag je zelfs niet denken.'

'Maar ik moet wel, Kay.' Hij stond op en liep door de kamer naar het raam. 'Jezus bad dat Zijn drinkbeker zou voorbijgaan en toen zei Hij: "Niet Mijn wil, maar Uw wil geschiede." Paulus bad voor de doren in zijn vlees en toen God nee zei, aanvaardde hij dat. Job verloor zijn gezin, al zijn bezittingen, zijn gezondheid…'

Kay sloeg met haar vuist op het kussen. 'Doe dat niet,' zei ze tussen haar tanden door. 'Geef je dochter niet op. We moeten geloven!'

Zijn ogen brandden toen hij haar aankeek. 'Ik geloof dat, als Jezus ons kind wil genezen, Hij dat zal doen. Ik heb alle geloof dat Hij dat kan als Hij dat wil.'

Ze zag eruit alsof ze ieder moment kon instorten. 'Waarom zou Hij dat niet willen?'

Die wanhoop waartegen hij zich verzette, dreigde hem te verstikken. Hij kwam naar het bed, ging zitten en keek haar aan. 'Kay, soms haalt Hij Zijn heiligen thuis.'

Ze deinsde achteruit en sloeg naar hem.

Hij pakte haar hand toen ze die terugtrok en drukte hem tegen zijn gezicht.

Ze rukte zich los. 'Wil je zeggen dat God onze gebeden niet zal verhoren?'

'Nee, Kay, dat zeg ik niet. Ik weet dat Hij ons zal verhoren.'

'Maar je denkt dat zijn verhoring negatief zal zijn?'

'Schat, misschien heeft Hij een groter doel. Misschien probeert Hij iets in *ons* te doen.'

'Laat Hem ophouden!' schreeuwde ze. 'Ik heb genoeg geleden en ik wil niet zo sterk zijn. Ik wil een middelmatig leven leiden waarin iedere dag op de voorgaande lijkt. Dat hadden we eens en al onze kinderen waren veilig. Waarom kan dat niet opnieuw?'

Hij wilde wel dat hij de antwoorden had. 'Misschien kan dat wel. Misschien heeft Hij haar al genezen. Misschien hebben we die plaats op de tijdbalk, wanneer ze weer op zal staan, nog niet bereikt.'

'Bid dan dat Hij dat tijdstip versnelt. God bestuurt toch ook de tijd? Hij heeft de medische wetenschap toch gecreëerd? Hij kan het weefsel in Beth's hersens toch genezen?'

'Natuurlijk kan Hij dat.'

Ze raakte zijn borst aan alsof hij degene was die overtuigd moest worden. 'Waarom doet Hij dat dan niet? Wat kan de reden dan zijn?'

'Misschien is het geen aardse, maar een hemelse reden.'

Ze draaide zich van hem weg. 'Dat wil ik niet horen, Doug.'

'Ik ook niet.' Hij viel in haar armen en huilde. 'Ik ook niet.'

Vijfennegentig

De dagen gingen voorbij en ondanks het gebruik van de medicijnen die Craig uit Washington had gehaald, nam de druk op de hersens van Beth toe. In de gevreesde vergaderzaal besprak dr. Overton de enige mogelijkheid met hen.

'Haar hersenen moeten ruimte hebben om te kunnen zwellen,' zei hij. 'Hoe drastisch craniëctomie ook lijkt, er zijn veel levens mee gered.'

Kay sloeg haar handen voor haar gezicht. 'U wilt haar schedel dus lichten.'

Kay's pijn scheen op het gezicht van dr. Overton weerspiegeld te worden. 'Kay, Doug, ik weet dat dit erg zwaar voor jullie is, maar als we het doen, moet het vandaag gebeuren.' Hij keek naar Doug en wachtte op zijn beslissing.

Doug had zijn handen voor zijn gezicht ineengeslagen. 'We zullen het wel moeten doen.'

Kay probeerde zich te beheersen. 'Wat moeten we tekenen?'

Dr. Overton overhandigde hun de toestemmingsformulieren om Beth's schedel te openen. Kay's hand trilde toen ze tekende.

'Ik zal haar laten klaarmaken voor de operatie.' De dokter aarzelde toen ze opstonden, kwam toen naar Kay toe en omhelsde haar. Ze werd erdoor verrast, maar ze klemde zich aan hem vast en wist dat hij zijn uiterste best zou doen om Beth te redden.

Terwijl ze Beth opereerden, liep Kay door de gang. Toen ze langs de wachtruimte liep, zag ze dat vrienden zich daar verzameld hadden om voor hen te bidden. Doug zat tussen hen in en praatte zachtjes. Maar ze wilde nog niet naar binnen gaan. Ze wilde alleen zijn.

Ze liep door de gangen van dood, ziekte en verdriet en haatte de geur van ontsmettingsmiddelen, de glimlach van de verpleeg-sters die ze passeerde, de gereserveerdheid van de artsen die op patiëntenkaarten aantekeningen maakten.

Ze dacht erover om naar de kapel te gaan om op een van de drie banken te gaan zitten, op te kijken naar het kruis aan de muur en God te smeken haar kind te genezen. Maar deze keer zou ze de Bijbel op kunnen pakken die opengeslagen lag bij Psalm 32, de pagina's eruit kunnen scheuren, verfrommelen en ze tegen de muur gooien. En dan zou er iemand binnenkomen, iemand die nog kon bidden, en zien dat ze verloren had, dat ze zich overgaf aan haar persoonlijke woede... aan haar persoon-lijke verdriet.

Overal schenen mensen te zijn. Het gebouw was te klein voor de behoeften van al die mensen. Waar kon ze heen om alleen te zijn?

Een eindje verderop zag ze een werkkast. Ze trok de deur open en glipte naar binnen. De kast was niet groter dan twee bij twee meter, met planken langs de muur vol schoonmaakmiddelen. Ze zag een lichtschakelaar, maar gaf de voorkeur aan het donker.

Ze deed de deur achter zich dicht en liet zich op de grond zakken. Met gekruiste benen zat ze op de vloer zoals ze als kind op de zondagsschool had gedaan als mevrouw Nigel hun ver-halen vertelde uit de Bijbel over de wonderen die Christus ge-daan had. Ze dacht terug aan de verwondering die ze ervaren had toen ze hoorde dat Jezus het dode meisje opwekte, de man met de demonen genas, de vrouw genas die de zoom van zijn kleed aanraakte.

Haar hele leven had ze over de wonderen gehoord en gelezen en ze had ze zonder een moment te twijfelen geloofd. Waarom zou ze niet? De Bijbel was waar. Stond er niet dat, als je het ge-loof van een mosterdzaadje had, alles wat je vroeg gedaan zou worden? Stond er niet dat je met een beetje geloof bergen kon verzetten?

Nou, zij had een berg waarin geen beweging te krijgen was. Ze had eerder om wonderen gebeden en God had ze gedaan. Deni was weer gezond en wel thuisgekomen. De kleine Sarah was gevonden. Ze waren beschermd en ze hadden alles gekregen wat ze nodig hadden. Allemaal zoals God had beloofd. Maar deze berg wilde niet wijken.

Ze staarde in het donker omhoog naar het plafond en hoopte dat God wist dat ze naar Hem uitkeek. '*U* hebt het gezegd, Vader! *U* hebt het beloofd! *U* hebt gezegd dat, als een kind zijn vader om een vis vroeg, hij hem geen steen zou geven." "Hoeveel te meer zal uw Vader die in de hemelen is dat doen?"' De woorden waren bitter in haar mond. 'Dat hebt *U* gezegd. Het is niet een of andere leerstelling die we verzonnen hebben. Het staat in *Uw* Woord.'

Haar geest brak en ze trok haar knieën op en legde haar hoofd erop. 'Ik heb gebeden en gebeden en ze is nog steeds stervende! Ik heb meer dan de zoom van Uw kleed aangeraakt! Ik heb de Heilige Geest. Ik heb het gescheurde voorhangsel. Ik kan vrijmoedig Uw heiligdom betreden!' De teksten die ze in haar leven uit haar hoofd geleerd had, stroomden als vanzelf uit haar mond.

Ze besefte dat ze bijna zat te schreeuwen, haar handen gebald tot vuisten. De aderen in haar hals voelden strak alsof ze ieder moment zouden kunnen barsten. 'Ik wil niet geloven dat die beloften niet waar zijn! Ik wil niet denken dat U geen aandacht besteedt aan mijn verzoek om een vis. Ik wil U dienen, maar hoe kan ik anderen over geloof leren als mijn eigen geloof aan stukken gevallen is?'

Ze liet zich op de vloer vallen, plat op haar buik en haar gezicht op de vuile tegels. 'Laat mij het begrijpen. Ik moet geloven, ik moet. Maar ik kan er niet voor zorgen dat U iets doet!'

Ze ging in een foetushouding liggen en snikte hartverscheurend. 'Doug maakte alle excuses voor U die ik ken. Dat U iets groters in gedachten hebt dan wij kunnen zien... dat U ons geloof wilt versterken... dat U iets in ons werkt. Maar Beth is zo zwak. Ze heeft niet veel tijd meer! Wat probeert U in mij te werken? Mij een zenuwinzinking geven? Mij uitputten door verdriet?'

Haar keel deed zeer door haar geschreeuw. 'Mijn kind is stervende en U kunt daar iets aan doen. Bij U is niets onmogelijk. Dat hebt U zelf gezegd.'

Ze voelde zich als Mozes, God smekend voor de zielen van de Israëlieten, Hem biddend hen niet te vernietigen. God had zich door Mozes laten vermurwen. Maar Beth was nog steeds stervende. En ze had niets verkeerd gedaan.

Woede laaide weer in haar op. Was God ook boos? Misschien zou Hij Kay doden. Dan zou alles voorbij zijn.

Maar Hij doodde haar niet. Hij deed iets veel ergers.

Hij bleef zwijgen.

Wat zou ze doen als Hij niet zou luisteren? Zou ze dan niet meer in Hem geloven? Zou ze alles waarop ze haar leven gebouwd had, van nul en gener waarde verklaren?

Er was geen andere Schepper van hemel en aarde. Er was geen geheim dat mensen magische krachten verleende. Er was geen wet die Beth terug kon brengen als God niet Zelf besloot om het te doen.

Of Hij haar nu wel of niet ter wille was – Hij was nog steeds Degene die Hij was.

Haar geroep werd zachter. 'Ik heb Uw kracht nodig, Jezus. Ik moet weten dat U hier bij mij bent. Ik kan dit niet aan als U niet bij mij bent. Ik geloof nog steeds... ik reken er nog steeds op dat U mijn gebeden verhoort.'

Ze kreeg het gevoel dat God zich naar haar toe boog en Zijn arm om haar heen legde, haar koesterde en wiegde. Hij had ook zelf gehuild, net als zij. Hij had God aangeroepen om de loop van de geschiedenis te veranderen. Hij had gevraagd verlost te worden.

En toen had Hij die zeven angstaanjagende woorden geuit: 'Niet Mijn wil, maar Uw wil geschiede.'

Ze kon er niet toe komen die woorden uit te spreken als dat zou betekenen dat God Beth tot Zich zou nemen. Maar ze ervoer nog steeds Zijn aanwezigheid, dat ze gekoesterd werd zoals een dochter door haar vader. Hij gaf haar geen pieken boven de horizon, of voorgevoelens dat Beth zou genezen. Hij gaf haar geen woorden van kennis of profetieën van goed nieuws.

Hij hield haar alleen maar vast en liet haar huilen.

De deur ging open en een schoonmaker knipte het licht aan. Kay stond haastig op en veegde haar gezicht af.

De man schrok. 'Is alles goed met u, mevrouw?'

Ze dacht er even over om een verhaal op te hangen over wat ze hier deed. Maar hij zag er niet dom uit. 'Ja, ik wilde gewoon een stil plekje... een plekje om te kunnen huilen.'

Ze zag medelijden op zijn gezicht. 'Ik kan later terugkomen.'

Ze schudde haar hoofd en liep langs hem heen. 'Nee, het gaat wel weer. Ik moet toch terug naar mijn gezin.'

De man keek Kay na toen ze wegliep.

Zesennegentig

De wachtruimte was een verschrikkelijke plaats om te wachten. Mark wilde wel dat er iemand binnen zou komen die zou bevelen dat iedereen zich stil moest houden. Een familie aan de andere kant van de kamer was feest aan het vieren na een gunstige uitslag over hun patiënt. Er waren vrienden gekomen om zich bij de feestvreugde aan te sluiten.

In een andere hoek zat de familie van een klein kind dat kanker aan de alvleesklier had bijeen, hun gezichten verbijsterd en nat van tranen.

En hier, waar de familie Branning hun terrein had afgebakend, zaten ze met spieren die zo gespannen waren dat ze zeer deden. Mark voelde hoofdpijn achter zijn ogen opkomen. Hij had het gevoel dat, als ze niet snel kwamen vertellen dat Beth de operatie goed had doorstaan, hij zou kunnen ontploffen. En hij zou niet de enige zijn.

Maar als ze dat kwamen vertellen, wat dan? Ze zou in een steriele kamer moeten liggen met een geopende schedel, zodat haar hersenweefsel de ruimte zou hebben om te zwellen. Hij kon het zich niet eens voorstellen.

Naast hem zat Deni te draaien en afwezig in haar handen te wrijven. Hij hoopte dat ze de huid niet stuk zou wrijven. Hij tilde zijn arm op en wilde die achter haar op de stoelleuning leggen – maar hij kwam tot de conclusie dat Craigs arm daar al lag.

Ze keken elkaar achter Deni's hoofd aan. Mark kreeg er meer dan genoeg van. Hij dacht erover om Craigs arm weg te stoten, maar dit was niet het moment om een worsteling te beginnen.

Ten slotte stond hij op en liep naar buiten het balkon op. Daar was geen frisse lucht. Er stonden mensen te roken en er hing een mist van rook. Hij liep naar de ene kant, boog zich over de balustrade heen en zag op de slecht onderhouden binnenplaats nog meer mensen rondlopen.

'Gaat het een beetje?'

Mark draaide zich om en zag Jeff staan, die eveneens naar buiten was gekomen.

'Ja, hoor.'

De zestienjarige jongen ging met zijn rug tegen de balustrade staan. 'Ik zag wat er tussen jou en Craig voorviel.'

Mark stootte een kort lachje uit. 'Nou ja, daar zijn we zo van lieverlede aan gewend.'

'Het is je eigen schuld, weet je dat?'

Dat had Mark niet verwacht. 'Wat is er mijn schuld?'

'Dat Craig nog steeds een oogje op haar heeft. Man, waarom heb je haar nog niet gevraagd?'

Dit was voor het eerst. Jeff had nog nooit belangstelling laten blijken voor het liefdesleven van zijn zus. Verbaasd dat hij er nu plotseling wel over begon haalde Mark de ring uit zijn broekzak. 'Ik wilde haar op een avond vragen – en toen bleek het de avond te zijn waarop Craig plotseling in de stad opdook. En toen gebeurde dit met Beth. Het juiste moment heeft zich tot nu toe niet voorgedaan.'

'Mooie ring,' zei Jeff. 'Maar Craig zal er ook wel een bij zich hebben.'

Mark kon niet nalaten te grinniken. 'Ik weet zeker dat je gelijk hebt.'

'Craig zal heus niet weggaan, man. Daar kun je maar beter aan wennen. Hij zal hier waarschijnlijk wel blijven. Je moet gewoon doen wat je doen moet.'

Mark draaide zich weer om en keek naar de bomen achter de binnenplaats. 'Dat weet ik.'

'Man, ik probeer te zeggen dat je geen dag meer moet wachten. Hij haalt alles uit de kast en ik wil niet met hem als zwager worden opgezadeld. Niet dat zij hem wil, maar hij heeft haar al twee keer gevraagd en jij nog helemaal niet.'

De waardering verwarmde hem en hij voelde zich wat ont-spannen. Hij draaide zich om en keek door de glazen deuren. Hij zag Deni opstaan en naar de deur naar de gang toe lopen, alsof ze verwachtte dat de chirurg nu ieder moment kon komen. Haar gedachten waren bij Beth, niet bij Craig. Hij zag Craig opstaan en iets in haar oor fluisteren. Hij raakte op zijn typisch bezitterige manier haar rug even aan. Deni leek geïrriteerd en deed een stap opzij alsof ze afstand wilde scheppen.

Jeff had gelijk. Misschien moest hij niet wachten op het vol-maakte tijdstip of een avondje voorbereiden voor een roman-tisch huwelijksaanzoek. De maan en de sterren hoefden niet per se mee te helpen. Hij had alleen maar een ring nodig en een plekje waar hij op een knie kon gaan zitten. Als Beth goed door de operatie heen zou komen, zou hij haar vanavond kunnen vragen.

Hij liep weer naar binnen en Deni draaide zich om. Hun ogen ontmoetten elkaar en hij zag geen ergernis maar blijdschap. Ze ging op een andere plaats zitten en klopte op de plek naast haar.

Mark wierp een blik op Craig. De ogen van zijn rivaal daag-den hem uit, waarschuwden hem weg te gaan. Mark liep langs hem heen en ging zitten.

Ze pakte zijn hand, zo natuurlijk en intiem dat hij wist dat ze van hem was. Als hij haar ten huwelijk zou vragen, twijfelde hij er geen moment aan dat ze ja zou zeggen. Hij nam een beslis-sing. Hij zou haar vanavond meenemen naar de kapel van het ziekenhuis, bij het altaar voor haar knielen en haar voor Gods aangezicht ten huwelijk vragen en dan de ring aan haar vinger schuiven. Ze zouden voor de rest van hun leven met elkaar ver-bonden zijn.

Als Beth goed door de operatie heen zou komen.

Zevenennegentig

De conferentiekamer werd nu door alle lampen helder verlicht, waardoor hij een huiselijke indruk maakte die Kay eerder niet was opgevallen. Maar hij bood geen ontspanning. Het was een plaats waar vonnissen werden uitgesproken en waar beslissingen werden genomen die door het hart sneden.

Een half uur geleden hadden ze gehoord dat er iemand gestorven was en hoewel ze niet wisten van welke patiënt het hart was opgehouden met kloppen, had Kay diep van binnen gevoeld dat het Beth was. De warmte en liefde van God, die ze in de werkkast had ervaren, waren verdwenen en nu zat ze met haar gezin te wachten tot hen verteld werd of Beth leefde of gestorven was.

Dr. Overton kwam de kamer binnen, zijn masker naar beneden getrokken om zijn nek. Hij had zweetkringen onder zijn oksels en op zijn borst. Zijn gezichtsuitdrukking was veelzeggend.

'O, God, ze is gestorven, hè?' fluisterde Kay.

Zijn adamsappel ging even op en neer toen hij probeerde zijn boodschap onder woorden te brengen. 'We hebben alles geprobeerd om haar te redden. We hebben gedaan wat we konden.'

Dat kon niet waar zijn. Haar Beth, die zeventien dagen geleden nog zo levendig was geweest, kon niet gestorven zijn. Ze voelde dat ze nog aanwezig was, wachtend achter die muren, huilend om haar moeder. Wat ze ook gedaan hadden, het was niet genoeg geweest. Kay wist niet of ze haar gedachte hardop uitsprak. Haar woorden weerklonken in haar gedachten, weerkaatsten tegen de muren en buitelden over elkaar heen. Ze hoorde Doug naast haar snikken, zag Deni's rode neus terwijl ze huilde, zag Logans lege blik en Jeffs woede.

'Wat zegt u?' vroeg Jeff. 'Dat kan niet. U zou haar toch redden?'

Deni stond op. 'Mam!' Ze liep om de tafel heen en viel in Kay's armen. Kay hield haar vast, en kon onmogelijk geloven dat er aan het leven van Beth een einde was gekomen. *God, wek haar op. Dan zal iedereen zich verwonderen over Uw wonder. U hebt het al eerder gedaan.* Maar die kreten van haar geest schenen niet verder te komen dan het plafond en werden niet gehoord.

Niemand kwam haar vertellen dat er een wonder was gebeurd. Beth's leven was voorbij. Terwijl ze Deni, toen Jeff en Logan en Doug vasthield, allemaal in een stevige, wanhopige omhelzing, voelde haar lichaam de verpletterende pijn van die waarheid.

Haar lieve Beth was gestorven en niemand kon haar terugbrengen.

Achtennegentig

Kay kende mensen die bij een begrafenis geen zwarte kleding droegen. Ze wilden het leven van hun geliefde vieren in kleur. Maar Kay vond geen vreugde en had niets te vieren bij de begrafenis van haar kind. Er was geen kleding in haar kleerkast die zwart genoeg was en de tranen die haar eens gereinigd hadden, deden nu zeer aan haar ogen.

Ze begroeven Beth vijf dagen nadat ze gestorven was. Kay zat op de eerste rij op de begraafplaats waar ze ook hun vriendin Eloise begraven hadden. Terwijl Doug zich door de grafrede heen worstelde, die hij per se wilde houden, keek ze met koele gereserveerdheid toe. De zon scheen onbarmhartig op hen neer en er was geen zuchtje wind dat enige verkoeling gaf. Er waren heel veel mensen naar de begrafenis gekomen. Buren en vrienden uit de stad hadden zich om het graf heen verzameld om Beth de laatste eer te bewijzen. Ze had het leven van veel mensen beroerd. Ze hadden in het overlijdensbericht 'Breng uw eigen tuinstoel mee' laten zetten, alsof het een of andere muziekuitvoering op een zaterdagmiddag betrof. Mensen van wie ze zich de namen niet kon herinneren, staarden haar vol medelijden aan en fluisterden elkaar toe hoe sterk ze wel was.

Het was allemaal schijn. Ze was helemaal niet sterk. God wist het en zij wist het. Ze was een lege, holklinkende huls van iemand die ze zelf nauwelijks meer kende.

Haar ouders waren overgekomen uit Florida; ze zaten een eindje verderop in de rij en huilden openlijk. Logan zat aan de ene kant naast haar en hield haar hand vast. Sinds het overlijden van Beth had hij nauwelijks nog iets gezegd, hoewel ze wist dat hij huilde als hij alleen was. Jeff zat aan de andere kant naast haar zijn neus te snuiten in een verfrommelde zakdoek. Een eindje verderop leunde Deni tegen Mark aan, die ervoor had gezorgd dat ze rond hadden kunnen komen door hun eten en water te brengen en dingen te regelen waar ze zelf hun hoofd niet bij hadden. Craig, die aan de andere kant van Deni zat, had geholpen met het in kennis stellen van de familie. Hij had radioberichten laten verzenden naar de kantoren in de steden waar familie woonde en hun opgedragen het bericht aan de betreffende personen door te geven. Verbazingwekkend genoeg hadden ze allemaal kans gezien om per trein naar hen toe te komen. Ze had in haar rouw gastvrouw moeten zijn, terwijl ze niets liever had gewild dan alleen te zijn.

Terwijl Doug voor hen stond hingen zijn kleren om zijn magere gestalte. Hij worstelde zich door zijn verhalen over Beth heen en probeerde ragdunne draden te weven die de hele toestand nog enige zin moesten geven. Maar in feite was er geen enkele zin.

Kay zat als een standbeeld terwijl verraad haar gedachten doortrok. God had ervoor gekozen haar gebeden niet te verhoren. Hij was de God die de wereld tot aanzijn had geroepen, een wereld vol rampen en ziekten en gewelddadige mensen die hun harteloze wreedheid op onschuldige kinderen uitleefden. De God die Lazarus uit het graf geroepen had, was Beth voorbijgegaan.

Ze had momenteel geen tedere gevoelens voor de Heer. Ze kon Hem niet prijzen. Ze kon geen lofliederen voor Hem zingen of haar knieën buigen om Hem te danken voor Beth's leven. Ze hield haar mond dan ook stijf dicht en zat stijf rechtop. In haar hart en gedachten ging ze tegen Hem tekeer en eiste antwoorden die ze, naar ze wist, nooit zou krijgen. Toen ze Beth's glanzende witte kist in het graf lieten zakken, richtte haar woede zich tegen haarzelf.

Ze was een verschrikkelijke moeder. Ze had alles verkeerd gedaan. Ze had haar kind in haar donkerste momenten niet begrepen. Ze had gefaald haar te beschermen.

Ze verdiende alles wat er was gebeurd.

Haar verdriet en woede zakten weg en deed haar ziel bezwijken. Toen de mensen hun condoleances fluisterden en haar omhelsden, hoorde ze geen woord van wat ze zeiden.

Ze kon zich niet voorstellen dat ze zich ooit zou kunnen laten troosten.

Negenennegentig

Doug vond Kay in de donkere slaapkamer zittend op de rand van het bed. Ze staarde voor zich uit. Hij draaide een lamp aan. Het licht van de lamp verdiepte de schaduwen op haar gezicht

Hij voelde zich zwak en leeg toen hij naast haar ging zitten. 'Gaat het?'

Kay's ogen waren droog, hard, killer dan hij ze ooit had gezien. 'We vroegen om een vis en Hij gaf ons een steen. God heeft ons verraden. Ik geloofde en mijn geloof was *groot*.'

Hij keek naar zijn handen. Ze wachtte op antwoorden. Waarom kon hij ze niet geven? Hij was de geestelijk leider. De effectenmakelaar die predikant geworden was. Sinds hij zijn kerkje aan het meer begonnen was, waren er heel wat Bijbelse vragen aan hem gesteld en gewoonlijk kon hij die vragen vanuit de Bijbel kalm beantwoorden. Maar hij had geen teksten voor Kay's vragen, geen Schriftuurlijke eerste hulp voor onverhoorde gebeden. 'Ik heb dezelfde vragen die jij hebt.'

Kay's gezicht vertrok alsof hij het nog erger maakte. 'Hoe gaan we dan verder?'

Hij liep naar een stoel, ging zitten en zette zijn ellebogen op zijn knieën. Hij keek naar de vloer en zocht in zijn gedachten naar iets wat Kay's pijn zou kunnen verzachten. 'Toen ik nog een jongen was, had ik een vriend die Joey heette. Joey had vanaf zijn derde jaar vioolles gehad. Zijn ouders waren talentvolle musici die in de stad bij het symfonieorkest speelden. Soms mocht ik met hen mee naar repetities en terwijl zij repeteerden, speelden wij in het gebouw. Ze maakten een grammofoonplaat en Joey speelde onberispelijk met hen mee, in volmaakte harmonie, alsof hij bij hen in dat orkest zat.'

Hij zag het ongeduld in Kay's ogen, maar hij sprak evenzeer tegen zichzelf als tegen haar. 'Ik was jaloers op hem en toen ik tien was, vroeg ik mijn ouders of ik ook vioolles mocht nemen. Ze kochten een viool voor mij. Ik oefende en leerde *Twinkle, twinkle, little star* te spelen.' Hij grinnikte zachtjes. 'Toen ik er echt goed in was, zette ik een plaat op – de Vijfde van Beethoven. Ik probeerde mee te spelen, maar het leek er zelfs niet op. Mijn snaren krijsten en het klonk heel erg vals. Ten slotte nam ik mijn toevlucht weer tot *Twinkle, twinkle little star* en speelde dat maar. Maar de plaat bleef doorspelen. De Vijfde van Beethoven klonk prachtig. Ze misten geen noot.'

'Waar wil je heen, Doug? Ik ben niet in de stemming om over je mislukte muziekcarrière te praten.'

'Luister nu maar.' Hij stond op, liep terug naar het bed en ging tegenover Kay zitten. 'Naar Gods wil bidden is net zoiets. Hij zegt ons dat, als we overeenkomstig Zijn wil bidden, zal het gebeuren. Maar onze gebeden zijn niet altijd in overeenstemming met die symfonie.'

Haar ogen fonkelden. 'Dus jij denkt dat mijn gebeden voor Beth zoiets waren als *Twinkle, twinkle, little star*?'

Zijn ogen vulden zich met tranen. 'Ik denk dat God iets veel mooiers speelde.'

Ze sloeg met haar hand op het kussen. 'De Heilige Geest helpt ons te bidden! Jezus komt Zelf voor ons tussenbeide met onuitsprekelijke verzuchtingen.'

'Maar dat is het hem juist. Jezus kent de melodie en wij niet. De Vader, de Zoon en de Heilige Geest interpreteren onze gebeden overeenkomstig *hun* muziek, zelfs als wij vals of heel iets anders spelen.'

'Wat heeft het dan voor zin om te bidden? Waarom zouden we er dan moeite voor doen?'

'Onze gebeden zijn wel belangrijk, Kay. Hij luistert ernaar. Maar Zijn symfonie is grootser dan de onze.' Hij tuitte zijn lippen en probeerde verder te gaan. 'Hij heeft ze niet genegeerd. Hij kende het getal van haar dagen al, nog voordat er maar een van bestond.'

Kay kneep haar ogen dicht. 'Ze was een kind! Hoe kan Hij nu kinderen wegnemen?'

'Hij neemt ons allemaal weg, Kay. Daar zijn we mens voor. We leven en we sterven.'

'Zeg mij niet dat onze gebeden geen zin hebben.'

'Denk je dat Jezus' gebeden geen zin hadden? Hij bad: "Niet Mijn wil, maar Uw wil." Hij begreep dat er een symfonie speelde. Stel dat God Zich gedwongen had gevoeld om die drinkbeker weg te nemen. Dan moesten we nog steeds voor onze zonden betalen. Maar in plaats daarvan zag de Vader het eind vanaf het begin. Zijn wil werd gedaan. En daar mogen we God dankbaar voor zijn. Jezus' leven werd niet verspild aan dat kruis. En ook Beth's leven werd niet verspild.'

Dat maakte haar nog bozer. Ze gleed van het bed af en liep de kamer door. 'Dat waren dingen die een geweldige invloed op de wereld hadden. Wij zijn maar een klein gezin. Zij was een klein meisje! Waarom heeft Hij haar ons eigenlijk gegeven? Waarom heeft Hij ons haar al die jaren gegeven om haar lief te hebben en dan plotseling van ons weg te nemen *terwijl* ik bad?' Ze keek hem strak aan en knarste haar tanden. 'Ik lag in de werkkast in het ziekenhuis plat op mijn gezicht en bad voor haar terwijl ze stierf! Wat voor betekenis kan dat hebben?'

Dougs borst verstrakte toen ook zijn verdriet hem te veel werd. 'Het heeft geen zin.'

'Waarom heeft Hij haar weggenomen en *mij* hier gelaten, terwijl ik ook *wil* sterven?'

'Dat mag je niet zeggen, schat.'

'Waarom niet, als dit alles is wat er is? Strijd en verdriet en verspilling. Ik wilde wel dat ze nooit geboren was!'

'Kay, dat meen je niet.'

'Wil je het zien?' Nadat ze dit gezegd had, smeet ze de deur open en stormde naar buiten.

Hij was zo wanhopig dat hij niet in beweging kon komen. Hij had geen argumenten, geen verweer meer. Hij kon zijn vrouw niet helpen. Hij kon zichzelf niet eens helpen.

Honderd

Kay stormde door de keuken en de woonkamer heen en rende de trap op. De deur naar Beth's slaapkamer zat dicht. Sinds ze overleden was, had Craig op een veldbed in Dougs studeerkamer geslapen. Sinds de laatste nacht in het ziekenhuis was de kamer niet meer geopend. Ze draaide de knop om en gooide de deur open. Hij klapte tegen de muur aan. Terwijl ze naar binnen stapte, hijgde ze van het diepe verdriet dat haar hierheen gedreven had.

De kamer zag er vredig en netjes uit en dat maakte haar nog bozer. Toen Beth tien was geweest had ze hem zelf ingericht. Ze had het behang uitgezocht, de kleuren, de gordijnen, de sprei. Ze herinnerde zich dat Beth van blijdschap gedanst had toen ze zag wat haar moeder van de kamer had gemaakt.

Wat moest ze er nu mee?

Laaiend van woede trok ze Beth's lievelingskinderboek van de plank. Beth had het uit haar hoofd geleerd nog voor ze kon lezen. Ze smeet het tegen de grond.

'Waar was het voor?' vroeg ze God tussen haar tanden door. 'Wat had het allemaal voor zin?'

Ze haalde de boeken een voor een van de plank en gooide ze op de vloer. Ze trok de sprei van het bed. Daaronder lagen roze flanellen lakens. Ze rukte ze er met matras en al af. Ze waren niet meer nodig.

'Mam! Wat doe je?' Deni kwam binnen en probeerde haar tegen te houden.

Kay gooide het kussen op de grond. Toen gooide ze de laden leeg en trok Beth's kleren eruit, haar sokken, haar gele korte broek, haar T-shirts. Ze trok de bovenste la open en liet die op de grond vallen. Petten en linten en haarborstels vielen op het vloerkleed. Papieren zakken, en doosjes met Beth's kostbare spulletjes erin.

'Houd op,' zei Deni.

'Ik houd niet op,' riep Kay. 'Het was allemaal bedrog!'

'Waar hebben jullie het over?'

Jeff kwam de kamer in en Logan gluurde met een van afschuw vertrokken gezicht om de deur.

'De zwangerschap, de geboorte.' Ze rukte een andere la uit de commode en liet die op de vloer vallen. 'Iedere dag dat ik haar opvoedde en liefhad en voor haar zorgde. Dat ik me zorgen maakte over wat ze at en met wie ze omging.'

Ze veegde met haar arm over Beth's kaptafel heen en smeet de foto's die erop stonden tegen de grond.

'Je maakt al haar spulletjes kapot!' Logan wierp zich op de vloer. 'Houd op, mam!'

Gesterkt door adrenaline rolde ze het kleed op de vloer met alle spulletjes erin op. 'Die dingen zijn niet belangrijk meer. Dit wilt U toch van ons, God? Dat we haar uit ons leven bannen?'

'Het is wel belangrijk!' schreeuwde Logan. Hij trok aan het tapijtje dat ze in haar handen had. 'Pa!'

Ze hoorde Dougs voetstappen op de trap, maar ze was nog niet klaar. Ze trok de foto's van de muur en scheurde Beth's posters eraf.

Doug pakte haar bij de schouders en trok haar achteruit. 'Kay, dit mag je niet doen.'

'Je kunt mij niet tegenhouden!' schreeuwde ze. 'Ze moeten weg, allemaal!' Ze gooide de fotolijstjes op het kleed en probeerde het weer op te rollen.

Dougs gezicht vertrok toen hij bij haar op de vloer ging zitten en alle spulletjes begon op te rapen. 'Alsjeblief, Kay. Verniel niet wat ze heeft achtergelaten.' Hij raapte een foto van Beth met haar vriendinnen op. Het glas was gebroken, maar de herinnering kon gered worden. 'Ik wil dit bewaren.' Hij pakte de strikken en Beth's haarborstels, en de papieren zak die uit een la gevallen was. Hij trok hem open en keek erin.

'Ach…' Hij viel tegen de muur aan en sloeg zijn hand voor zijn gezicht.

Kay hield op met haar plundertocht. Ze pakte de zak en haalde er een pluk van Beth's haar uit. Ze kon de geur van haar dochter bijna ruiken. Haar bijna voelen.

Ze raakte nu volkomen van streek en zakte door haar knieën. Ze viel tegen Doug aan. 'O, kijk eens wat ik met haar spulletjes heb gedaan.'

'Het geeft niet,' zei hij zacht en sussend. 'We leggen het allemaal wel weer terug. Tot we er afstand van kunnen nemen. Wij allemaal.'

Wat had ze haar kinderen aangedaan? Ze had zich door haar verdriet laten meeslepen en was door haar rouw tot razernij gekomen. Wat voor moeder was ze? Al die jaren had ze zo haar best gedaan om goed voor hen te zorgen, hen te beschermen. Wie moest hen nu beschermen tegen haar?

Logan veegde met de rug van zijn hand zijn gezicht af. 'We helpen je wel, mam.'

Deni en Jeff lieten zich op de vloer zakken, rolde het kleed weer uit en raapten de sprei op.

Doug hield haar als een hulpeloze baby vast terwijl haar kinderen de kleren van hun zusje weer opvouwden. Kay keek toe, volkomen uitgeput, terwijl ze de kleren teruglegden in de laden, de petjes en strikken weer in de toilettafel stopten en de boeken weer op de boekenplank zetten.

'Haar sluier.' Deni's lippen trilden toen ze de sluier opraapte die Beth had gedragen toen ze in het kerstspel Maria had gespeeld. 'Ze was een goede Maria.'

Gedachten aan Maria, de moeder van Jezus, gingen door Kay's hoofd toen ze zich Beth's voorstelling herinnerde van het meisje dat niet veel ouder dan zij was geweest – misschien zelfs dezelfde leeftijd had gehad – dat in verwachting was geweest van de Heilige Geest. Plotseling voelde Kay een grote affiniteit met de vrouw, die de zoon had gebaard die ze later aan het kruis zag sterven. Maria had net zo geleden als Kay. Ze had zich waarschijnlijk ook afgevraagd waartoe dit alles diende. Aan al die liefde en zorgzaamheid, aan al die jaren van opvoeding, koestering en zorg scheen een eind gekomen te zijn door die spijkers en een speer. Kay kende Maria's hartzeer. Deze vrouw, aan wie tweeduizend jaar later nog werd teruggedacht, had niet het hele beeld gezien toen zij haar kind aan het kruis had moeten afstaan.

Het offer was te groot. Kay kon het niet dragen. Als ze door alles wat ze het afgelopen jaar had moeten doormaken, sterker had moeten worden, was dat jammerlijk mislukt. Ze had zich nog nooit zo zwak gevoeld.

Maar ze legde haar hoofd tegen de borst van haar man en aanvaardde zijn kracht.

Toen alles weer op zijn plaats was gelegd, zag de kamer er bijna weer net zo uit als ervoor.

Maar hij was anders. Beth zou niet terugkomen en Kay wist niet of ze dat God ooit zou kunnen vergeven.

Honderdeen

De dag na de begrafenis vierde Crockett de vierde juli op het sportveld. Vanavond zou vuurwerk hun vrijheidsfeest en het begin van het herstel luister bijzetten. Maar Mark was niet geïnteresseerd. Hij bleef bij Deni om haar steun te verlenen. Toen hij 's middags van haar wegging, voelde hij zich erg depressief. Dat verdriet bracht hem laat in de middag weer terug bij het Magnolia Park en de schommel waarop Beth zo vaak gezeten had. Hij keek naar het huis waar Melissa Tomlin woonde met haar geheim over de moordenaar.

Was Melissa al naar het sportveld vertrokken? Was ze in een feestelijke stemming of werd ze door haar geheim verteerd? Ze was niet één keer naar de gevangenis gegaan om haar vader te bezoeken, maar haar moeder ging er iedere dag heen.

Er zaten een paar mensen op de banken in het park terwijl hun kinderen aan het spelen waren, maar de meeste buren waren naar het sportveld gegaan. Mark zat alleen en bad dat God een oplossing in de zaak van Beth zou brengen – en gerechtigheid aan de medeplichtige van Clay Tharpe. Misschien zou de familie Branning er troost uit kunnen putten.

Hij hoorde het getik van fietswielen en toen hij omkeek zag hij een man de straat in komen fietsen. Hij fietste voorbij zonder een blik in Marks richting te werpen.

Marks hart sloeg een slag over toen het tot hem doordrong dat de man Ned Emory was. Mark kwam van de schommel af, verborg zich achter het klimrek en zag Ned het garagepad van Melissa's huis op fietsen. De garagedeur ging open alsof ze naar hem had uitgekeken. Melissa stond in de schaduwen van de garage. Ned fietste naar binnen, stapte af en kuste haar.

Dus Ned had gelogen en al zijn arbeiders hadden hem gedekt. Hij was hier in het volle daglicht naartoe gekomen in de veronderstelling dat de buren wel naar het vuurwerk zouden zijn gegaan.

Terwijl de garagedeur weer dichtging, dacht Mark aan Neds zoon, Zach, die nog steeds niet helemaal hersteld was van het geweerschot van een paar maanden geleden. Aan zijn andere zoon Gary en aan zijn depressieve vrouw Ellen. Hij zag met eigen ogen hoe een gezin uit elkaar werd gescheurd.

Clay Tharpe had gezegd dat er nog iemand was geweest die Tomlin dood wilde hebben. Melissa's vader had hun Ned Emory's naam gegeven, waarmee hij had laten doorschemeren dat hij met de moorden te maken had. Maar waarom had Scott Anthony Tharpe doodgeschoten? Hij had het vast niet gedaan om Ned te beschermen.

Maar nu waren Melissa en Ned samen in haar huis. Mark moest iets doen, maar wat? Een buitenechtelijke relatie was niet voldoende om een arrestatiebevel te rechtvaardigen.

'Hé, Mark. Wat doe jij hier?'

Mark draaide zich om. Jimmy Scarbrough liep met zijn fiets aan de hand naar hem toe. Mark slaagde erin naar de zoon van de vroegere sheriff te glimlachen. 'Hé, Jimmy. Dat kan ik jou ook vragen.'

Jimmy haalde alleen zijn schouders op, maar zijn blik dwaalde even naar het bosje bomen waar Beth was gevonden. 'Ik moet steeds weer aan haar denken.'

Mark gaf de veertienjarige jongen een aai over zijn bol. 'Ja, ik ook.'

'De laatste keer dat ik haar gezien heb, was hier. Ik zei iets stoms over haar haar en ze begon te huilen.'

Mark draaide zich nu helemaal naar de jongen om. Hij herinnerde zich vaag dat hij er iets over gehoord had. 'Wanneer was dat precies?'

Jimmy haalde zijn schouders op alsof hij het zich niet meer precies herinnerde. 'Nadat de banken waren opengegaan. Een paar dagen voordat... het gebeurde. Ik volgde haar om haar te zeggen dat het me speet, maar ze bleef maar huilen en vertelde me over die mevrouw van wie de echtgenoot gestorven was. Ze zei dat ze had gehoord dat die mevrouw op de bank in het park had gezegd dat haar man verdwenen was en ze had heel erg medelijden met haar.'

Mark keek weer naar het huis van de familie Tomlin. Dus Melissa was hier geweest toen Beth hier ook was. Hij draaide zich weer om en deed een stap dichter naar de jongen toe. 'Jimmy, heeft ze gezegd dat ze met die mevrouw gepraat heeft?'

'Ik denk het niet.'

'Denk eens goed na. Kan die mevrouw op die dag achter haar naam gekomen zijn?'

'Nou, toen ik haar zag, heb ik wel haar naam geroepen. Die heeft ze waarschijnlijk gehoord. Nadat ik Beth gevraagd had wat ze met haar haar gedaan had, zag ik haar naar hen kijken, alsof ik haar in verlegenheid had gebracht.'

Of alsof hij haar doodvonnis had getekend. Mark veegde het zweet van zijn bovenlip. Hij probeerde zich voor te stellen wat er die dag gebeurd was. Als Melissa de medeplichtige van Clay Tharpe was geweest, dan zou Clay haar verteld hebben dat er een getuige was geweest. 'Ze leek bang en ze zei dat ze niet kon praten omdat iemand dan kwaad gedaan zou kunnen worden. Toen stapten we van het onderwerp af en begonnen we over Craig te praten. Ik wilde wel dat ik beter geluisterd had.'

Mark ging de feiten nog eens na. Op de een of andere manier was de moordenaar achter haar naam gekomen en had hij die aan zijn medeplichtige doorgegeven. Als Melissa haar op die dag in het park geïdentificeerd had, zou ze Clay verteld kunnen hebben dat ze haar uiterlijk veranderd had en waar hij haar zou kunnen vinden. 'Jimmy, je hebt mij vandaag enorm geholpen.'

'Echt? Hoe dan?'

'Laat maar. Ik zal het je later allemaal wel vertellen. Maar nu moet je met mij meegaan naar het bureau van de sheriff om een getuigenverklaring te tekenen over alles wat je je nog van die dag kunt herinneren.'

Jimmy's borst zwol een beetje op. 'Natuurlijk. Dat wil ik graag doen.'

Op het bureau kreeg Mark zijn getuigenverklaring en ging ermee naar het kantoor van Brad Caldwell. 'Ik heb een arrestatiebevel voor beiden nodig, Brad, terwijl ze beiden nog in het huis zijn. We hebben sterke aanwijzingen om een zaak op te baseren. Melissa Tomlin heeft een verhouding met Ned Emory. Melissa werd door haar echtgenoot mishandeld. Zij en Ned hebben de moord gepland en Tharpe, die voor Ned werkte, ingehuurd. Ned loog over zijn verhouding met haar en zij loog dat ze Clay kende. En nu kan Jimmy Melissa met Beth in verband brengen en bewijzen dat ze heeft geweten dat Beth iedere dag op hetzelfde tijdstip naar het park kwam.'

Brad nam de getuigenverklaring door. 'Dit is allemaal boterzacht, Mark. Het zijn alleen maar bijkomende bewijzen. Dat Ned een verhouding met haar heeft, wil nog niet zeggen dat hij een moordenaar is. Ik ken die man. Hij lijkt mij geen moordenaar.'

'Als we op hard bewijs wachten, zouden ze misschien nog een moord kunnen plegen. Kom op, Brad. Vertel mij niet dat ze de volmaakte misdaad gepleegd hebben. Dat ze hiermee kunnen wegkomen. We hebben het wel over Beth. Melissa heeft haar in de val laten lopen en Ned is haar minnaar. We moeten ze arresteren terwijl ze nog samen zijn. We moeten het nu doen.'

Brad bestudeerde de getuigenverklaring nog een keer. Ten slotte slaakte hij een diepe zucht. 'Ik hoop dat ik hier geen spijt van zal krijgen.' Hij schreef de arrestatiebevelen uit. 'Arresteer Melissa voor samenzwering tot moord. We hebben momenteel niets om Ned te arresteren, behalve dat hij tegen de politie gelogen heeft, dus houd hem aan voor meineed.'

Dat was voorlopig goed genoeg. Marks last werd wat lichter toen hij zich haastte om de arrestatie te gaan verrichten.

Mark ging even bij het bureau van de sheriff langs om assistentie te gaan halen. Sheriff Wheaton en twee andere agenten gingen met hem mee. Ze parkeerden de bus bij het Magnolia Park, zodat Melissa en Ned niet gealarmeerd zouden worden door het motorgeluid. Gebruikmakend van dezelfde techniek die ze bij de arrestatie van Clay Tharpe hadden gebruikt, liep London naar de achterkant van het huis, voor het geval Ned door de achterdeur zou proberen te ontsnappen. Wheaton bonsde op de voordeur, hard genoeg om iemand die in huis was een hartverlamming te bezorgen. 'Politie. Opendoen of we trappen de deur in!'

De deur vloog open. Angst nam alle kleur uit Melissa's gezicht weg toen ze naar binnen sprongen en haar de handboeien omdeden. 'U wordt gearresteerd voor samenzwering tot moord op uw man en Beth Branning. U hebt het recht om te zwijgen...'

'Wat? Waarom zou ik dat doen? Ik kende dat meisje niet eens!'

De achterdeur ging open en London duwde een zeer geërgerde Ned Emory naar binnen. Ook hij had handboeien aan. Zijn shirt hing open en zijn gezicht was vuurrood. 'Sheriff, ik ben hier niet bij betrokken. U begrijpt er niets van!'

'Je hebt tegen een politieagent gelogen, Ned,' beet Mark hem toe. 'Doug vroeg je onomwonden of je een verhouding had met Melissa Tomlin en je zei nee.'

'Ik ben een getrouwd man!' riep hij uit. 'Ik wilde niet toegeven dat ik een verhouding had.'

'We hebben geen enkele wet overtreden!' zei Melissa. 'Als mijn advocaat dit hoort, zitten we nog geen kwartier vast! Ik heb dat meisje nooit gezien. En op de dag dat mijn man werd vermoord, paste ik op kinderen uit de buurt. Dat kan ik bewijzen.'

Hij ging vlak voor haar staan en zei: 'Je hebt Clay Tharpe ingehuurd! Hij heeft je de helft van het geld gegeven dat hij van je man had afgepakt.' Hij klapte zijn kiezen op elkaar. 'En je zag Beth in het park. Je hoorde haar naam. Je wist dat ze iedere dag kwam om de krantenautomaten te vullen. Jij hebt Tharpe geholpen om haar aan te vallen!'

'Dat heb ik niet gedaan!' schreeuwde ze. 'Ik ben onschuldig!'

Ned rukte zich los uit Londons greep en kwam, zijn handen op zijn rug geboeid, naar hen toe. 'Ik wist hier allemaal niets van.

Het enige wat ik gedaan heb, is mijn vrouw bedriegen. Ik zou nooit een verhouding aangegaan zijn met iemand die zoiets kan beramen, en zeker niet tegen Beth.'

Bij het noemen van haar naam werd Mark woedend. 'We zullen zien wat de rechter en de jury daarvan zeggen.'

'Luister eens,' zei Ned, 'ik ben een vader. Ik heb op de ic naast het bed van mijn zoon gezeten die vocht voor zijn leven. Denk je soms dat ik een andere familie zoiets aan zou doen?' Hij knikte naar Melissa. 'Ze kwam iedere dag naar de ombouwfabriek en flirtte met iedereen die aandacht aan haar besteedde.'

'Houd je kop, dwaas!' schreeuwde ze.

Hij besteedde geen aandacht aan haar en vervolgde: 'Ze had iets met Clay, maar ze begon ook iets met mij. Ik dacht bij mezelf: waarom niet? Na wat er met Clay gebeurd is, zou ik niets meer met haar te maken gehad willen hebben als ik had gedacht dat ze schuldig was. Maar ze betekent niet genoeg voor mij om een moord voor haar te doen. Ze is gewoon een slons. Een verzetje dat niets voorstelt.'

Melissa werd razend. 'Een slons?' schreeuwde ze. 'Je zei tegen mij dat je van me hield! Jij *zou* Blake hebben moeten doden! Hij terroriseerde en mishandelde mij! Als je een vent was geweest, zou jij hebben moeten ingrijpen zoals Clay gedaan heeft, in plaats van dat ik zelf een plan moest bedenken. *Hij* hield genoeg van mij om me te helpen! Jij was gewoon een lafaard!'

Mark voelde pijn in zijn borst terwijl Melissa zichzelf in een vlaag van woede beschuldigde. Ironisch genoeg scheen haar tirade Ned vrij te pleiten. Misschien was hij er toch niet bij betrokken geweest.

Tegen de tijd dat ze de twee in de bus hadden geladen, stonden de buren in hun tuin. De zaak was nu aan het licht gebracht, tezamen met Melissa's dodelijke plannen.

'Mijn zoon,' huilde Melissa. 'Ik wil mijn jongetje zien.' Ze snikte en probeerde de bus weer uit te gaan. Ze richtte zich tot Sharon, haar buurvrouw die op de rand van het gazon stond. 'Sharon, alsjeblieft, ga naar het huis van mijn moeder en vertel haar wat er aan de hand is. Zeg haar dat ze voor een advocaat moet zorgen. Zeg haar dat ze voor Danny moet zorgen tot ik weer terug ben.'

Mark had diep medelijden met Melissa's moeder, die zo veel verloren had. Haar man, die kennelijk geprobeerd had zijn moordzuchtige dochter te redden. En nu dit.

Ned was zo verstandig om zijn mond te houden toen ze naar het bureau van de sheriff reden. Melissa hield haar mond niet en elk woord dat ze uitte, kon in de rechtszaal tegen haar gebruikt worden. Brad zou de rechter adviseren haar niet op borgtocht vrij te laten. Ze zou in de vrouwenafdeling van de gevangenis van Birmingham in hechtenis worden gehouden. Mark hoopte dat ze zou leren wat echte angst betekende – angst zoals Beth gekend had voordat ze stierf.

Honderdtwee

Oktober bracht kleur in het donker van Kay's leven en ze bevond zich nog steeds onder de levenden. Langzaam kocht men terug wat verloren was gegaan. Er kwamen weer drie tv-stations in de lucht en gezinnen die het zich wel konden veroorloven, vervingen hun flatscreens voor ouderwetse buistoestellen – wachtend op de dag waarop er weer nieuwe toestellen gemaakt zouden worden.

Kay en haar gezin deden niet mee aan de ren op tv-toestellen. Ze zagen de uitbundigheid van hun buren met een zekere gelatenheid aan. Hun leven weer vullen met lawaai en gebabbel hielp hen niet in hun genezingsproces. Tijd met elkaar doorbrengen wel, ook als er in die tijd hard gewerkt moest worden.

De beschuldigingen tegen Ned werden ingetrokken wegens gebrek aan bewijs dat hij betrokken zou zijn geweest bij het beramen van de moorden. Verbazingwekkend genoeg nam zijn vrouw hem terug. De familie Branning woonde de rechtszitting van Melissa Tomlin bij vanaf de eerste hamerslag tot aan het vonnis. Ze werd schuldig bevonden op drie punten van samenzwering tot moord en veroordeeld tot dertig jaar gevangenisstraf. Melissa's vader, Scott Anthony, kreeg levenslang zonder de mogelijkheid van voorwaardelijke vrijlating. Na de uitspraak van elk vonnis voelde Kay geen enkele reden om feest te vieren. Er waren al zo veel levens door hebzucht en egoïsme verwoest. Ze had er geen genoegen in dat er nog twee vernield werden.

Toen Wall Street weer openging en er weer voldoende politieagenten waren – waardoor er niet langer behoefte was aan vrijwilligers – besloot Doug niet terug te keren naar zijn beroep als effectenmakelaar. In plaats daarvan begonnen hij en Mark aan hun apparaten op zonne-energie te werken voor de duizenden mensen die niet langer afhankelijk wilden zijn van het elektriciteitsnet.

Intussen werd Doug door zijn vroegere gemeente bevestigd als dominee, zodat hij verder kon gaan met preken in zijn steeds groeiende gemeente. Het was na een van zijn preken aan het eind van oktober dat Brads vrouw, Judith, Kay terzijde nam.

'Kay, ik weet niet hoe je dit zult opvatten, maar ik wil het je toch laten weten. De kinderen uit de buurt zijn de afgelopen tijd bezig geweest met het laatste toneelstuk dat Beth geschreven heeft. Ze voeren het zaterdagavond op.'

Kay staarde haar aan. 'Hoe zijn ze aan het script gekomen?'

'Beth schijnt het aan Cher gegeven te hebben en haar verteld te hebben dat ze niet kon regisseren. Toen ze overleden is, hebben ze er niet meer aan gewerkt. Maar een paar weken geleden heeft Cher de kinderen bij elkaar geroepen en hebben ze besloten het stuk ter ere van Beth op te voeren. Het helpt hen bij de verwerking van hun verdriet.'

Die slopende droefheid stak zijn kop weer op. Maar Kay kreeg er genoeg van. De energie om het in stand te houden, sloopte haar. En de kinderen deden dit niet met kwade bedoelingen – zij wilden zich dichter bij Beth voelen.

'Wat een verrassing. Ik weet niet wat ik zeggen moet.'

'Ze hebben mij gevraagd om jou te vragen ook te komen.'

'Ik weet het niet, Judith. Ik denk eigenlijk dat ik dat niet kan.' Ze konden het stuk dan wel opvoeren als ze dat wilden, maar ze konden niet verwachten dat ze daar in het volle publiek zou gaan zitten terwijl ze het stuk speelden.

Judith hield niet aan. 'Dat begrijp ik. En iedereen zal er begrip voor hebben. Maar mocht je je bedenken, dan willen ze graag dat jij en je gezin de eregasten zullen zijn.' Er trok een glimlachje over haar gezicht. 'Kay, alleen maar om het je te laten weten, Beth heeft het stuk "De geschiedenis van de wereld" genoemd.'

Kay lachte. 'O ja? Heeft ze het zo genoemd?'

'Meid, ze moest wel,' zei Judith. 'Het is precies waar het over gaat.'

Die avond deelde Kay het nieuws mee aan haar gezin en ze zei dat ze konden gaan als ze wilden, maar dat zij van plan was thuis te blijven.

'Ik ga,' zei Logan.

'Ik ook,' zei Jeff. 'Ze hebben al die moeite gedaan. We kunnen er op zijn minst heen gaan.'

Deni was wat fijngevoeliger. 'Mam, ik weet dat het moeilijk zal zijn. Maar ze zullen zeggen wat Beth opgeschreven heeft. Dat wil ik horen. Ze zullen graag willen dat wij er bij zijn. Wil je niet weten wat ze met "De geschiedenis van de wereld" bedoelde?' Ze grinnikte zachtjes. 'Mam, *de hele wereld!*'

Kay moest toegeven dat de titel haar intrigeerde. Maar haar hart was nog steeds gekwetst en bloedend en ze wist niet of ze in staat was om zich lang genoeg te kunnen beheersen om het toneelstuk te zien. Maar anderzijds wilde ze Beth's gevoel voor humor en inzicht, gespeeld door de kinderen die zeiden wat Beth had opgeschreven, graag zien.

Misschien werd het tijd om haar aandacht te verleggen van de dood naar het leven en de herinneringen die Beth had achtergelaten, te omhelzen.

Honderddrie

Zodra Mark hoorde dat het stuk opgevoerd zou worden, bood hij de kinderen aan hen te helpen met het podium en de rekwisieten, zoals hij bij al Beth's toneelstukken had gedaan. De kinderen deden geheimzinnig over de inhoud van het stuk, maar Cher, Beth's beste vriendin, vertelde Mark dat hij drie verschillende achtergronden moest schilderen. Een van een tuin, een van een open veld met bomen en een met een stenen muur.

De dag voordat het stuk zou worden opgevoerd, moest hij zich haasten om alles op tijd klaar te krijgen. Craig, die de klok rond gewerkt had om de telefoondiensten weer operationeel te maken, nam een dag vrij om hem te helpen. Mark en zijn rivaal werkten zij aan zij bij het schilderen, timmeren en opzetten van het podium op het publieke terrein bij het meer. Toen ze het podium voltooid en de drie achtergronden opgehangen hadden, dansten de kinderen van blijdschap.

'Goed gedaan, man.' Mark gaf Craig een klap op zijn schouder. 'Je had niet hoeven helpen, maar ik heb het erg op prijs gesteld.'

'Graag gedaan,' zei Craig. 'Het was het minste wat ik voor Beth kon doen.'

Kay had er zich op voorbereid dat ze op de dag van het toneelstuk veelvuldig zou moeten huilen, maar in plaats ervan merkte ze dat ze moest lachen. De kinderen hadden de voorste rij voor de familie Branning gereserveerd en toen ze aankwamen, kostte het Kay moeite om zich te beheersen.

Het stuk begon met een moeder en een dochter, die samen

op een tweezitsbank zaten op een lager gedeelte van het podium. Chris Horton speelde de moeder, haar haar opgestoken om er wat ouder uit te zien dan haar tweeëntwintig jaar. De achtjarige Olivia Huckabee, de kleindochter van Hank en Stella, speelde het kind dat, tegen haar moeder aangekropen, luisterde terwijl haar moeder voorlas.

Kay's hart kromp ineen toen de woorden van Beth tot leven kwamen.

'In het begin schiep God de hemel en de aarde. En toen schiep Hij man en vrouw. Het leven was prachtig en toen maakten ze er een potje van.'

De gordijnen schoven open en op de achtergrond verscheen de tuin met Adam en Eva, gespeeld door twee van Beth's klasgenoten en een grappig jongetje, Matt, dat een slangenkostuum droeg en op zijn buik rondkroop.

Eva zei met een verontschuldigend stemmetje: 'Nou ja, het spijt me. Oké? Ik heb alleen maar een stukje van die stomme appel gegeten. Daar heb ik heus geen vloek mee over de mensheid gebracht.'

Adam sloeg zijn armen over elkaar en keek naar het publiek. 'Eh... o nee? Dat heb je wel gedaan.'

Matt, de slang, was het met hem eens. 'Ja, dat heb je zeker gedaan. Nu krijg ik er pas echt lol in.' De slang lachte als een verdorven wetenschapper en wreef zich in de handen.

Kay en Doug lachten toen Jozef ten tonele werd gevoerd en verkocht werd door zijn broers, die praatten als een stelletje bendeleden en een rapliedje zongen terwijl slavenhandelaren Jozef wegvoerden.

Vervolgens kwam Daniël in de leeuwenkuil aan de beurt. De leeuwen werden gespeeld door vier kinderen uit de tweede klas, van wie de moeders reusachtige manen hadden gemaakt, waardoor ze nog kleiner leken dan ze al waren. Daniël was een jongen uit de vijfde klas met een grote plaksnor. Toen de leeuwen op hem afkwamen, zei hij: 'Braaf,' gooide een stok weg en zei: 'Zoek.' De leeuwen brachten de stok als goed gedresseerde hondjes weer terug.

Het stuk volgde de belangrijkste gebeurtenissen uit de Bijbel tot aan de geboorte van Jezus. Ambers jongste kind speelde baby Jezus en Cher en Jimmy Scarbrough speelden Maria en Jozef. Op het toneel verschenen nu de jongste acteurs – peuters en kleuters – die werd gezegd dat ze moesten krijsen toen een gemene koning Herodes het toneel op kwam stampen om de jongetjes te doden. Cher en Jimmy vertrokken haastig met de baby van het toneel. De kinderen schreeuwden met vrolijke gezichtjes.

Kay wierp een blik op hun vroegere sheriff, Ralph Scarbrough, die na een lange herstelperiode eindelijk weer in staat was om in het publiek te verschijnen. Hij straalde van trots over Jimmy's opvoering van Jozef.

In de voorstelling van Jezus' wonderen speelde Ben Latham een melaatse met allemaal vlekken op zijn lijf, en Jezus genas hem. Drew Caldwell speelde de bezetene in ketenen. Hij raasde en sloeg zichzelf tot Jezus hem genas. Toen schudde hij zijn ketenen af en maakte een hiphopdansje tot het doek opnieuw viel.

De stemming werd ernstig toen Chris over Jezus in de Hof van Gethsemané voorlas en de valse beschuldigingen en het verraad van zijn vriend.

Terwijl Chris las, kwam er een herinnering bij Kay boven: Beth die naar buiten kwam terwijl Kay over het vuur gebogen stond, druipend van het zweet terwijl ze kookte.

'Mam, ik heb een probleem met Jezus.'

Kay's olie siste en borrelde en ze had niet veel tijd om opzij te kijken. 'Wat voor probleem?'

'Als ik over Hem schrijf, lijkt het zo oneerbiedig om een van de kinderen zijn rol aan het kruis te laten spelen. Mensen lachen als ze hun kinderen op het toneel zien. Hoe kan ik Jezus aan het kruis zodanig laten zien dat Hij het goedvindt?'

Kay herinnerde zich dat ze geglimlacht had. 'Denk er even over na, schat. Dan zal Jezus je ongetwijfeld laten zien hoe je dat moet doen.' Ze had niet geweten wat Beth aan het schrijven was en later had ze er haar niet meer naar gevraagd. Tot nu toe had ze er niet meer aan gedacht.

Maar nu de gordijnen weer opengingen, zag ze op het toneel twee jongens die aan een kruis gebonden waren, met een grotere paal in het midden. De jongens keken naar de top van de paal in het midden, alsof Jezus' kruis hoger was dan het publiek kon zien.

'Als je echt de Christus bent, red jezelf dan en ons!' schreeuwde een van hen.

'Houd je mond, jij schurk!' riep de ander. 'Wij hangen hier omdat we de wet overtreden hebben. Maar Hij heeft niets gedaan om dit te verdienen!' De eerste jongen keek op naar de paal tussen hen in. 'Jezus, denk aan mij als U in Uw koninkrijk bent binnengegaan, ja?' Zijn gezicht veranderde en hij begon te glimlachen. 'Hoorde je dat? Hij zei dat ik heden met Hem in het paradijs zal zijn!'

Het publiek klapte toen de gordijnen weer dichtschoven. Chris las over Christus' opstanding en Zijn belofte dat 'Waar Ik ben, zal ook jij zijn.'

Toen de gordijnen weer opengingen, was de laatste achtergrond de tuin weer, een mooie weergave van Beth's idee over de hemel. Beth was kennelijk tot de conclusie gekomen dat het niet oneerbiedig zou zijn een hemelse Christus in de gelukkigste plaats op aarde te laten zien. Jimmy speelde die rol als dubbelrol. Hij droeg een wit kleed en een lange bruine pruik en zijn gezicht was zodanig goudkleurig geverfd dat het leek te glanzen.

Voor hem verzamelde zich een hele menigte kinderen in witte jurken die dansten en net deden of ze vlogen en appels aten van de Boom des Levens. Aan de poort verscheen een blinde jongen en Jezus liet hem binnen als de lang verloren zoon en genas hem toen hij binnen was.

'Wauw, wat een kleuren!' zei de jongen toen hij zich bij de andere kinderen aansloot.

Er kwam een doof meisje binnen, dat met gebarentaal iets probeerde te zeggen. 'Daar is hier geen behoefte aan,' zei Hij en Hij genas haar.

'Geweldig,' riep het dove meisje uit. 'Ik heb jullie zo veel te vertellen!' En toen praatte ze aan een stuk door.

De volgende persoon die optrad, was opnieuw Cher. Beth's beste vriendin droeg een verband om haar hoofd.

Kay's hand ging naar haar hart.

Het werd muisstil in het publiek. Kay probeerde zich te beheersen toen Jezus het meisje oppakte en met haar ronddraaide alsof Hij op haar had staan wachten. Hij zette haar weer neer, trok het verband van haar hoofd en gooide het op de grond. 'Dat hebben we niet meer nodig. Hier hebben we geen verbanden of gebroken beenderen of ziekte en tranen.'

Kay pakte Dougs hand. Ze zag dat hij Deni's hand pakte en Deni pakte die van Logan, en Logan die van Jeff.

'Hier ben je veilig. Niemand en niets kan je hier nog kwaad doen. Er gebeurt hier nooit "iets verschrikkelijks." Alleen maar goede dingen. En je familie zal hier ook spoedig zijn.'

Tegen de tijd dat het toneelstuk voorbij was, hadden Jimmy en Cher evenals Kay tranen in hun ogen. Haar hart liep over toen de kinderen een voor een op het podium naar voren kwamen en zinnen voorlazen uit de laatste hoofdstukken van de Bijbel.

Olivia zei: 'En ik hoorde een luide stem van de troon zeggen: Zie, de tent van God is bij de mensen en Hij zal bij hen wonen.'

Een leeuw stapte naar voren. 'Zij zullen Zijn volken zijn en God zelf zal bij hen zijn en Hij zal alle tranen van hun ogen afwissen, en de dood zal niet meer zijn noch rouw, noch geklaag, noch moeite zal er meer zijn, want de eerste dingen zijn voorbijgegaan.'

De slechte broers van Jozef stapten naar voren en zeiden gelijktijdig: 'En Hij die op de troon gezeten is, zei: Zie, Ik maak alle dingen nieuw!'

De kleine acteurs kregen een groot applaus en ze dansten en bogen.

Kay sprong op uit haar stoel en terwijl de tranen over haar wangen stroomden, gaf ze hun een staande ovatie. Beth... o, Beth. Ze had helemaal alleen tientallen kinderen de belangrijkste gebeurtenissen uit de Bijbel voorgehouden en ze had hen en hun ouders er waarschijnlijk toe gebracht om meer in de Bijbel te gaan lezen. Zelfs over de dood heen had ze hun het Evangelie gebracht.

Ten slotte liep Chris het podium op. 'Op dit punt zouden we normaal gesproken de auteur een applaus geven,' zei ze. 'Maar aangezien ze niet hier is, willen we u op de hemel wijzen. Beth zou degenen onder u die Jezus niet kennen, de kans willen geven Hem nu te leren kennen. De mannen van onze kleine kerk komen nu naar voren om met iedereen die meer wil leren over Christus, te praten.

Terwijl de muziek speelde, kwamen de mannen naar voren – de mannen die Doug in deze afgelopen, moeizame maanden pastoraal had geleid en onderwezen – en in reactie op de uitnodiging kwamen verscheidene kinderen van het toneel naar hen toe.

En toen zag Kay een wonder gebeuren. Brad Caldwell, haar buurman, de openbare aanklager die eerder niet in staat of bereid was geweest om te geloven, liep tussen de tuinstoelen door naar voren. In plaats van naar de mannen te gaan die stonden te wachten, liep hij naar Doug toe.

Doug liet Kay's hand los, stond op en omhelsde zijn beste vriend.

'Dit was allemaal niet voor niets, hè?' vroeg Brad terwijl de tranen over zijn wangen liepen. 'Er is een patroon... een plan... een God.'

'*De* God,' zei Doug.

Brad knikte. 'Ik geloof dat Jezus voor mijn zonden stierf – en voor de zonden van al degenen die ik dagelijks vervolg. En ik geloof dat Beth in de hemel bij Hem is, net zoals ze schreef, wachtend om ieder van ons te begroeten.'

Kay stond op en omhelsde hem eveneens. Haar hart voelde alsof het gezuiverd en lichter was. Beth's doelstelling was in vervulling gegaan. Nu zag ze het voorrecht om daar deel van te mogen uitmaken.

Brad had gelijk. Het was niet voor niets geweest.

Later, toen ze naar huis waren teruggekeerd, ging Kay naar haar slaapkamer om haar schoenen weg te zetten. Zich koesterend in de goede herinneringen die weer terugkwamen, knielde ze in haar inloopkast. Ze voelde grote dankbaarheid. Beth had haar laten zien dat ze genezen was. Haar gebroken schedel was weer heel, het verband was weg. Ze treurde niet om haar familie zoals zij om haar treurden. God was zo goed geweest Beth zo'n toneelstuk te laten schrijven – een toneelstuk dat gebruikt zou worden om haar familie te troosten als ze gestorven was.

Werkte Hij niet altijd zo? Op een ingewikkelde manier weefde Hij een web van gebeurtenissen door hun leven, verweven met die van anderen en de punten zodanig met elkaar in verband brengend dat zelfs een genie dat niet zou kunnen doen.

Kay's droefheid over Beth werd een poosje weggenomen. Nu kon ze zich vastklemmen aan de herinneringen van de blijdschap die Beth haar familie had gebracht en aan alles waar ze naar uit mochten kijken.

Honderdvier

Mark voelde zich blij gestemd toen de menigte zich verspreidde en de ouders het podium begonnen af te breken. Craig sloot zich bij hen aan om hen te helpen.

Maar Mark wilde op dit moment niet helpen. Aan het eind van de aanlegsteiger zag hij Deni zitten met haar voeten in het water. Hij stopte zijn hand in zijn zak en voelde de ring die hij nu al een paar maanden bij zich droeg. Na het overlijden van Beth was Deni te verdrietig geweest om haar ten huwelijk te vragen. Maar hij had vandaag gezien dat de wolk van rouw optrok en dat er weer wat blauw aan de lucht kwam.

Hij fluisterde tegen Chris: 'Houd jij Craig een poosje bezig, wil je?'

Ze glimlachte. 'Eindelijk het juiste moment?'

Mark grijnsde naar haar. 'We zullen zien.'

Hij haalde een keer diep adem en liep de steiger af. Deni keek op en glimlachte toen hij naast haar ging zitten.

'Alles goed met je?' vroeg hij.

'Ik voel mij prima. Het is net of ik Beth vandaag weer gezien heb. Of ik een glimp heb opgevangen van waar ze is. Dat alles goed met haar is en dat ze wil dat wij ons ook goed voelen. Er waren zo veel dingen die ze voor ons wilde. Ik hoop dat ze het zal weten als die dingen uitkomen.'

Mark voelde zich plotseling zo zenuwachtig als een jongen op zijn eerste afspraakje. Hij schoof de ring aan het topje van zijn wijsvinger en haalde hem uit zijn zak. 'Nu we het toch hebben over dingen die Beth wilde… ik draag deze ring al bij me sinds de dag dat Craig hier in de stad kwam opdagen. Het was daarna nooit het geschikte moment.'

Ze zuchtte en haar ogen werden wat groter toen hij haar de ring liet zien. Hij hield hem omhoog, gleed van de steiger af en knielde in het ondiepe water op een knie. Het water kwam tot aan zijn kin. De ring bleef droog.

Hij moest een belachelijke indruk maken, maar het kon hem niet schelen. 'Deni, wil je met mij trouwen?'

Deni lachte, liet zich eveneens in het water glijden en trok hem overeind. 'Ja, ik wil met je trouwen. Natuurlijk wil ik met je trouwen.'

Ze lachten toen hij de ring aan haar vinger schoof. Ze omhelsden elkaar en vielen samen lachend met een plons in het water. Deni krabbelde weer overeind en stak haar linkerhand in de lucht. 'Hé, hebben jullie het allemaal gehoord? Hij heeft me ten huwelijk gevraagd!'

Mark droeg haar als een bruidegom die zijn bruid over de drempel draagt, uit het water. Vrienden en buren verdrongen zich om hen heen om hen te feliciteren. Zijn droom was eindelijk uitgekomen.

Deni zou zijn vrouw worden.'

Honderdvijf

Craig had geen verlicht uithangbord nodig. Hij kon zien dat Mark Deni ten huwelijk had gevraagd en dat Deni ja had gezegd. Ze was verliefd op Mark en daar kon hij niets tegen doen. Ze had een grootse toekomst opgegeven ter wille van een man die haar een middelmatig leven kon bieden. Het was haar verlies.

Maar het was ook zijn verlies. Hij klemde zijn kaken op elkaar en liep naar zijn auto.

Hij ging achter het stuur zitten en sloeg het portier dicht. Chris kwam naar hem toe en boog zich voor het raampje naar hem toe. 'Alles goed met je?'

Hij greep het stuur met beide handen vast. 'Ik kan het niet geloven. Ze gaat met hem trouwen. Na alles wat we samen hebben doorgemaakt.'

Ze schonk hem een verontschuldigend glimlachje. 'Het spijt me, Craig. Maar het kan toch geen verrassing voor je zijn. Ze heeft het je van het begin af aan laten weten.'

'Ze was eerst van mij.' Hij keek achterom naar het gelukkige paar. 'Waar heeft hij trouwens dat geld vandaan gehaald om een ring voor haar te kopen?'

Chris keek om naar haar vrienden. 'Hij heeft nog wel wat geld achter de hand.'

Hij slikte, haalde een keer diep adem en wilde wel dat ze hem niet in deze situatie zou zien. Hij wilde geen verliezer zijn. 'Ach ja, je hebt gelijk. Ik zag het aankomen. Ik wilde het alleen niet zien, denk ik. Maar ja, op dit moment heb ik toch geen tijd voor een vrouw. Ik heb belangrijk werk te doen.'

'Ja, dat is zeker waar. We rekenen allemaal op je.' Ze sloeg haar ogen neer. 'Waar ga je nu heen?'

Hij draaide het sleuteltje om en de motor sloeg aan. 'Weer aan het werk, denk ik.'

'Daar komt nooit een eind aan, hè?'

'Nee, dat gaat maar door.'

'Heb je al gegeten? Mijn ouders hebben een paar biefstukken op de kop getikt. Ze zijn ze momenteel aan het braden op de grill. Ga je misschien mee?'

Hij aarzelde. 'Klinkt verleidelijk, moet ik zeggen.'

'Ik kan ook goed luisteren als je misschien je hart wilt luchten.'

Hij zei bijna ja. Maar zelfbeklag zou hem geen goed doen. Hij kon maar beter meteen weer aan het werk gaan. Dat was de enige manier om ervoor te zorgen dat hij niet aan zijn verlies dacht.

'Een andere keer misschien.'

'Oké.' Ze deed een stap achteruit en hij reed weg.

Misschien dat hij nog eens naar haar zou teruggaan.

Honderdzes

Deni trok de rok van haar japon een beetje op en liep behoedzaam het trapje van de veranda af. Voor het huis stonden twee rijtuigen te wachten – een glanzend zwarte voor haar moeder en broers. Het tweede was wit met verguld filigreinwerk en werd door twee witte paarden getrokken. Op de bok zaten twee mannen in smoking die de teugels vasthielden.

Vol ontzag sloeg ze haar hand voor haar mond. 'Waar komt die witte koets vandaan?'

'Die heeft je bruidegom speciaal voor jou gebouwd,' zei Kay. 'Hij heeft eraan gewerkt vanaf het moment dat je ja zei.'

Deni had geweten dat hij in het geheim met iets bezig was geweest, maar toen hij het prieeltje aan het meer had geplaatst, had ze gedacht dat dat het was. Het was net zo mooi gemaakt met datzelfde vergulde filigreinwerk en vakkundig houtsnijwerk dat van toegewijde liefde getuigde.

'Je ziet er prachtig uit, kind.' Kay kuste haar op de wang en trok toen met glanzende ogen de sluier over haar gezicht. 'Hij lijkt in de verste verte niet op een Vera Wang, maar ik vind deze eigenlijk mooier.'

Deni lachte zachtjes. Met de modieuze japon die ze voor haar bruiloft met Craig had gehad, was het slecht afgelopen, maar dat was maar goed ook. Ze was niet dezelfde debutante die behoefte had aan merkkleding. Allerlei buurvrouwen waren bereid geweest om haar hun bruidsjapon te lenen. Ze had uiteindelijk de eenvoudige maar elegante zijden japon van Judith gekozen. Met wat kleine veranderingen paste die haar uitstekend.

Toen ze met Craig verloofd was geweest, had Deni een bruiloft voor ogen gestaan met tien bruidsmeisjes van haar meisjes-studentenclub, tien bruidsjonkers, een miniatuur bruid en brui-degom, vijf bloemenmeisjes en twee ringdragers. Maar haar dro-men waren veranderd. Nu had ze alleen Chris als bruidsmeisje, haar twee broers en Marks stiefvader als bruidsjonkers.

'Je had er niet mooier uit kunnen zien,' zei haar moeder. 'Ik ben zo trots op je.'

'Maak me niet aan het huilen, mam. Ik wil mijn sluier niet be-derven. Ik moet er mooi uitzien als Mark mij door het gangpad aan ziet komen.'

Het was een emotionele dag geweest. Ze was van overwel-digende blijdschap, dat ze nu eindelijk Marks vrouw zou wor-den, gegaan naar verpletterend verdriet, dat haar zusje niet naast haar zou staan. Ter compensatie hadden ze een lege stoel in het prieeltje gezet, met de jurk die Beth gedragen zou hebben en een boeketje rode en witte rozen. Als Deni en Mark elkaar het jawoord zouden geven, zou ze niet vergeten worden.

'Kom op, mam. Ik wil nu weleens weten hoe dat ding rijdt.' Logan had plaatsgenomen naast de koetsier op het voorste rij-tuig. Jeff was op de grond blijven staan om Kay te helpen met instappen.

'Laat hem niet mennen,' zei Jeff tegen de koetsier, 'want dan komen we zeker in de sloot terecht.'

'Ik kan maar beter gaan,' zei Kay.

Deni keek vanaf de trap toe toen haar moeder in het rijtuig klom. Ze zwaaide toen ze wegreden. Deni liep over het gazon naar haar eigen rijtuig toe.

Haar vader stond er met betraande ogen naast. 'We kunnen nog niet gaan. Ik wil niet dat iemand je ziet voordat je door het gangpad naar voren loopt.' De emotie was op zijn gezicht te le-zen. 'We zijn van heel ver gekomen, niet, kind?'

'Ja, van vliegtuigen die uit de lucht vielen tot dit.'

'Je bent veranderd.'

Ze glimlachte. 'Jij ook. Herinner je je de dag nog waarop die vent onze fiets stal?'

'O ja. Je noemde mij toen een lafaard.'

'En nu spoor je nota bene misdadigers op. Wie zou dat hebben kunnen denken?'

Zijn vrolijkheid verdween. 'En jij bent van het nuffige meisje dat op hoge hakken rondliep, een zelfstandige vrouw geworden.'

'Dank je, papa.' Toen kwamen de tranen. Als ze door het gangpad van de kerk liep, zou ze eruitzien als een vogelverschrikker. Ze drukte het kanten zakdoekje van haar moeder tegen haar ogen om de tranen op te vangen voordat ze zouden vallen.

'Het is tijd, we moeten gaan.'

Zijn mond beefde toen hij haar in het rijtuig hielp. De bank was bekleed met rood fluweel, een van haar lievelingskleuren. De gedachte dat Mark dit allemaal met zo veel zorg had gemaakt, verdreef haar tranen en ze glimlachte weer. Haar vader stapte in en ging naast haar zitten.

'Klaar, mevrouw?' vroeg de koetsier.

'Ja,' zei ze. 'Ik ben klaar.'

Hij gaf een ruk aan de leidsels en de paarden kwamen in beweging. Ze reden de straat uit en sloegen de hoek om. Terwijl de paarden dichter naar de plaats waar de bruiloft zou plaatsvinden, draafden, werd Deni steeds opgewondener. Haar ouders hadden voor de gelegenheid stoelen gehuurd, zodat niemand zijn eigen tuinstoel mee hoefde te nemen.

Er was een rode loper uitgelegd en het prieeltje waar Mark zou wachten, was met rozen bedekt. Ze zag haar moeder al op de eerste rij zitten en Marks moeder aan de ander kant van het gangpad. Vanuit het rijtuig kon ze Mark in het prieeltje zien staan met zijn stiefvader naast zich. Hij zag er in zijn smoking met strik fantastisch uit, lang en knap.

'Ga wat onderuitgezakt zitten,' fluisterde haar vader, 'zodat hij je pas op het laatste moment zal zien. Hij zal met stomheid geslagen zijn.'

Haar broers liepen samen over de loper, staken de kaarsen aan en gingen toen op hun plaats zitten, ieder aan een kant van het prieeltje. Chris, haar bruidsmeisje, liep door het gangpad heen. Haar rode japon – die ze ooit gekocht had voor een dansavond tijdens haar studententijd – stond haar prachtig. Ze nam plaats naast Beth's lege stoel.

De violisten hielden op met spelen. En het was volkomen stil toen het strijkkwartet het moment aangaf met het geluid van de gong: een... twee... drie... vier.

'Het is tijd,' zei haar vader.

Ze kreeg vlinders in haar buik toen haar vader uitstapte en om het rijtuig heen liep. Terwijl de gasten gingen staan en toekeken, greep ze haar boeket, pakte haar vaders hand vast en stapte uit het rijtuig.

De muziek begon weer en de viool speelde zachtjes: 'Ik zal zingen van mijn Verlosser.' Aan de arm van haar vader liep ze de rode loper op. Ze keek op en door haar sluier heen zag ze Mark, die op zijn lip beet terwijl de tranen over zijn wangen liepen toen hij haar zag.

Ze had zich nog nooit zo mooi gevoeld.

Ze liepen langzaam door het gangpad, haar vader en zij, en in haar hart zong ze het oude gezang mee dat zo prachtig verwoordde wat Christus voor haar gedaan had. Ze bereikten het prieel en ze smolt weg bij het zien van Marks blik. Doug legde Deni's hand in die van Mark. Toen draaide Doug zich om naar de gasten om de plechtigheid te leiden.

Hij maakte zijn gehoor aan het lachen toen hij over Deni vertelde toen ze nog een klein meisje was, en over zijn herinneringen aan Mark toen hij nog op de middelbare school zat. Deni giechelde en leunde tegen Mark aan, haar hart vol dankbaarheid dat God haar van het pad van leegheid en middelmatigheid had bekeerd tot zuivere, onvervalste blijdschap.

Toen ze de ringen verwisseld hadden, verklaarde Doug hen tot man en vrouw en zei hij tegen Mark dat hij de bruid mocht kussen. Ze draaide haar gezicht naar hem toe. Hij had die plagende grijns op zijn gezicht die haar hart in vuur en vlam zette.

'Ben je er klaar voor?'

'Ja,' zei ze terwijl de aanwezigen wachtten.

'Houd je van mij?'

'Heel veel,' zei ze.

Mark tilde de sluier op en sloeg zijn armen om haar heen. Ze giechelde. Toen ze zich achterover boog kuste hij eerst haar hals en toen haar lippen. Toen ze weer rechtop ging staan, barstte de menigte in applaus uit.

'Dames en heren, ik stel u voor de heer en mevrouw Mark Green.'

Ze stak haar boeket omhoog en slaakte een overwinningskreet. Mark tilde haar op en stelde zijn bruid aan de aanwezigen voor. Toen droeg hij haar door het gangpad heen.

Ze sloeg haar armen om zijn nek en kuste hem op de kaak. 'Jij zit vol verrassingen, hè?'

'O, schat, dit is nog maar het begin.'

De receptie was luidruchtig en vrolijk terwijl de band speelde en sierlijk geklede mensen in de koele novemberlucht dansten. Ze deden zich te goed aan de bruidstaart die Amber gemaakt had. Toen Deni haar boeket de menigte in gooide, zorgde ze ervoor dat Chris het te pakken zou krijgen. Toen ze Chris met een omhelzing feliciteerde, vroeg George Mason, de ambulanceverpleger, Chris ten dans.

'Weet je het zeker, George?' vroeg ze plagend. 'Ik kijk uit naar een volgende bruiloft.'

'Je maakt mij niet bang,' zei hij grijnzend terwijl hij Chris in zijn armen nam en met haar weg zwierde.

Toen het tijd werd, namen de aanwezigen afscheid en gingen Deni en Mark naar huis. Hij hielp haar in het rijtuig, stapte zelf in en ging naast haar zitten. 'Laten we naar huis gaan, mevrouw Green,' fluisterde hij.

Naar huis. Ze zouden hun intrek nemen in het huis van Eloise tegenover het huis van haar ouders. Ze hadden het de afgelopen maand opgeruimd en alles in orde gemaakt. Hoewel ze het voorlopig niet konden kopen, wilde Eloise's zoon het aan hen verhuren voor een prijs die ze zich konden veroorloven.

Het begon al te schemeren toen de koetsier hen naar Oak Hollow reed en Deni zich koesterde in de armen van haar man en het zachte geluid van de stampende paardenhoeven. Terwijl ze in hun huwelijkskoets verder reden, passeerden ze af en toe een auto. Achter de ramen van de huizen die ze passeerden, brandden lampen. Hier en daar hoorden ze tv's en radio's en zelfs het gerinkel van telefoons. De ondergaande zon bescheen de antennes die op de daken stonden en de doffe glans van oude auto's die omgebouwd waren.

Toen ze in hun straat aankwamen, had Deni het gevoel dat de wereld weer was teruggekeerd naar het normale patroon.

Maar zij en haar familie waren dat niet. Evenmin als Mark.

Hij scheen haar gedachten te raden. 'Ik wil niet terug naar hoe het vroeger was.'

Ze schudde haar hoofd. 'Ik ook niet. God heeft met de pulsaties onze aandacht gevraagd. Hij moest onze handen leeg maken, zodat we die eindelijk uit konden steken naar Hem.'

Mark raakte haar gezicht aan en drukte zijn voorhoofd tegen het hare. 'En toen gaf Hij ons meer dan we tevoren hadden.'

Die avond, toen de receptie voorbij was en alles was opgeruimd, kropen Kay en Doug tegen elkaar aan en voelden de tevredenheid en blijdschap van een kind dat goed gekozen had. Kay deed haar ogen dicht en zag een tijdbalk die zich uitstrekte tot in de eeuwigheid. Op de tijdbalk zag ze ziekten en genezingen, wonderen en mijlpalen, leven en dood. En ze zag de hemel die zich uitstrekte tot een lange, glorieuze lijn, verder in de toekomst dan ze kon zien.

God was de Bewaker van die tijdslijn, de Meester van alles wat er op die lijn gebeurde. De symfonie speelde verder – een lied van liefde en hoop en beloften. Een lied dat niet zou eindigen totdat ze allemaal weer verenigd zouden zijn.

Terwijl Gods helende tegenwoordigheid als een deken over haar heen viel, glimlachte Kay. Ze kon de muziek bijna horen.

Nawoord

Vandaag las ik een tekst in Jesaja 26 die eruit sprong. Er staat: 'Want wanneer uw gerichten op de aarde zijn, leren de inwoners van de wereld gerechtigheid.' Terwijl ik met deze serie bezig was, heb ik mij steeds weer afgevraagd: wat zou God moeten doen om de aandacht van onze natie te krijgen om weer gerechtigheid tot stand te brengen? Zal Hij een supernova gebruiken om alle technologie uit te schakelen? Zal Hij E-bommen, nucleaire wapens, terroristische aanslagen gebruiken? Of tornado's, branden, tsunami's, aardbevingen? We weten dat geen van deze dingen buiten zijn mogelijkheden vallen en evenmin buiten Zijn soevereiniteit. Hij houdt de wereld in Zijn hand en zoekt het beste voor ons. 'Wanneer het hun bang te moede is, zullen zij verlangend naar Mij uitzien,' zegt de Here in Hosea 5:15.

In onze narcistische maatschappij kunnen we niet goed begrijpen waarom Hem zoeken goed voor ons zou zijn. Mensen die van mening zijn dat alles om hun eigen leven draait, kunnen niet begrijpen waarom God wil dat alles om Hem draait. De waarheid is dat God weet dat, als we ons op Hem richten als de Heer van ons leven – niet op een of andere 'hogere macht' en zeker niet op onszelf – we een veiliger, vreedzamer leven zullen leiden. 'Dan zal uw licht doorbreken als de dageraad en uw wond zich spoedig sluiten; uw heil zal voor u uit gaan, de heerlijkheid des Heren zal uw achterhoede zijn. En de Here zal u voortdurend leiden, u in dorre streken verzadigen en uw gebeente krachtig maken; dan zult gij zijn als een besproeide hof en als een bron, waarvan het water niet teleurstelt.' (Jes. 58:8, 11)

We kibbelen erover of Christus' naam in het openbaar verkondigd mag worden, zo zeer zelfs dat velen al vallen over de woorden 'Vrolijk kerstfeest.' Als maatschappij hebben we geprobeerd de herinnering uit te wissen aan onze geschiedenis en de christelijke erfenis die ons hier gebracht heeft, alsook de goedheid van onze God die ons zo rijk gezegend heeft. We hebben de enkelvoudige stemmen in onze rechtszalen toegestaan om te bepalen hoe we onze Heer als natie erkennen.

Dus ik vraag het u. Wat zou God in ons land moeten doen om weer onze aandacht te krijgen? Op welke manier zal Hij ons moeten louteren zodat we Hem weer gaan zoeken?

Als u christen bent, besef dan dat uw getuigenis een grote invloed heeft op de mensen om u heen. Niet alleen hun zielen kunnen erdoor gered worden, maar ook onze natie. Stelt u zich voor dat iedere christen als Christus zou leven. Stelt u zich voor dat we in het licht van de Grote Opdracht zouden wandelen. Zouden de ongelovigen om ons heen Hem dan niet gaan zoeken? Zouden ze niet willen hebben wat wij bezitten? Zou het vuur van Christus met zijn genezende kracht niet over de wereld razen? Zou het ons niet voor rampen behoeden?

Nee, niet iedere ramp is een disciplinaire maatregel van de Heer. Dat bedoel ik er niet mee. Maar God is als een liefhebbende ouder die ons graag wil zegenen. Stel dat u een geliefd kind hebt aan wie u alles wilt geven – een nieuwe auto, een universitaire opleiding, een huis, vakantie, een spaarrekening, een gulle gift om een jaar van te leven en uiteindelijk alles wat u bezit als u overlijdt. Maar voordat u uw plannen kunt realiseren, rijdt hij zijn auto in de vernieling tegen een stenen muur. Hij verspeelt iedere cent die hij heeft. Hij wordt van school verwijderd wegens wangedrag. Als u belt, neemt hij niet op. Zou u ermee doorgaan om hem te zegenen zoals u van plan was? Terwijl uw hart brak, zou u uw plannen aanpassen tot hij zich bekeert. Hoewel al die zegeningen voor hem bedoeld waren, zou u zich onverantwoordelijk gedragen als u maar door bleef gaan met hem alles te geven zolang hij zich niet bekeert. U zou al het mogelijke doen om de aandacht van uw kind te trekken, zodat u hem opnieuw kunt gaan zegenen.

God is ook als zo'n ouder. En wij zijn Zijn kinderen, die zich verzetten tegen de goedheid van een Vader die van ons houdt. Hij wil ons zegenen, maar ten gevolge van onze keuzes kan Hij dat soms niet doen.

Een van de thema's in al mijn boeken is dat de crisis soms de zegen is. Als de crisis er ons toe brengt Hem te zoeken met ons hele hart, of ons nader tot Hem brengt dan we waren, dan komen we in een positie om weer overvloedig gezegend te worden. 'Wat geen oog heeft gezien en geen oor heeft gehoord en wat in geen mensenhart is opgekomen, al wat God heeft bereid voor degenen, die Hem liefhebben.' (1 Cor. 2:9)

Ik bid dat deze serie u tot nadenken stemt en dat zij u nader tot Christus gebracht heeft, de ultieme zegen die de Vader ons verleend heeft – zichzelf in het vlees, die gekomen is om de straf op zich te nemen voor onze verwoeste levens en onze verloren, opstandige zielen, zodat we weer gezegende mensen kunnen worden. Het enige wat we hoeven doen is Hem aan te roepen, onze schuld te erkennen, en genade zal de rest doen.

Terri Blackstock

Woord van dank

De Laatste licht-serie is de moeilijkste serie die ik ooit geschreven heb, vooral door al het onderzoek dat erbij kwam kijken. Er zijn veel mensen die mij daarbij geholpen hebben en in ieder boek heb ik een poging gedaan om hen daarvoor te bedanken. Wat dit boek betreft ben ik vooral dank verschuldigd aan Bill Buchanan voor zijn deskundigheid op het gebied van elektronica en het geduld waarmee hij al mijn vragen daarover beantwoordde. Aangezien Bill zelf schrijver is, begreep hij wat ik wilde bereiken en heeft hij mij geholpen met het doordenken van de technische aspecten van mijn verhaal. Ook zijn vrouw Janet wil ik bedanken voor het doornemen van het manuscript.

Een woord van bijzondere dank voor Dave Lambert, die mijn boeken al jarenlang redigeert en die mij altijd uitdaagt om nog beter te gaan schrijven. Hij redigeert met groot inzicht de romanfiguren en het plot en dwingt mij tot herschrijven en heroverwegen tot het boek het waard is om op de boekenplank te staan. Ook ben ik Karen Ball dankbaar die deze serie heeft aangekocht en geholpen heeft bij de uitgave ervan. Karen ziet altijd kans om het beste uit haar schrijvers te halen. Sue Brower is jarenlang mijn pleitbezorger bij Zondervan geweest. Mijn succes is voor een groot deel toe te schrijven aan haar beslissingen en daar ben ik haar dankbaar voor. Ook wil ik Karwyn Bursma en Bob Hudson bedanken voor alles wat zij doen om mijn boeken uiteindelijk in uw handen te krijgen.

En ik kan deze serie niet beëindigen zonder mijn dank uit te spreken aan Beth Runnels, Gayle DeSalle en Ellen Tarver, die mij bij allerlei aspecten van mijn werk geholpen hebben. Ieder van deze dames is bijzonder getalenteerd en zij hebben mijn leven met hun diensten aanmerkelijk vereenvoudigd.

Ten slotte wil ik mijn lezers bedanken die mij bij het schrijven van de vier boeken van deze serie trouw gebleven zijn. Ik bid dat God de boeken zal gebruiken om u te versterken, uit te dagen en te zegenen.